MARINA

Warszawskie
Wydawnictwo
Literackie
MUZA SA

CARLOS RUIZ ZAFÓN
MARINA

przełożyli
Katarzyna Okrasko
Carlos Marrodán Casas

Tytuł oryginału: **Marina**
Redakcja: *Marta Szafrańska-Brandt*
Redakcja techniczna: *Zbigniew Katafiasz*
Korekta: *Katarzyna Szajowska*

Zdjęcie na okładce
© Rafael Vargas/Fons Sagnier/Arxiu Fotogràfic
de l'Arxiu Històric del COAC

ISBN 978-83-7495-767-0 (oprawa broszurowa)
ISBN 978-83-7495-770-0 (oprawa twarda)

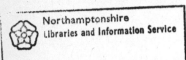
Warszawskie Wydawnictwo Literackie
MUZA SA
Warszawa 2009

Drogi Czytelniku!

Zawsze sądziłem, że pisarze, czy chcą tego, czy nie, jedną spośród swoich książek obdarzają szczególnym sentymentem. Z kolei rzadko się zdarza, by ta swoista słabość związana była z walorami literackimi wybranego dzieła, entuzjazmem, z jakim w swoim czasie zostało ono przyjęte przez czytelników, czy też z radościami lub smutkami, jakie w chwili wydania mogło przynieść swemu twórcy. Z powodów niejasnych i dziwnych autor czuje się bardziej związany z jednym ze swoich dzieł, choć nie potrafi w sposób racjonalny wyjaśnić dlaczego. Spośród książek, które opublikowałem, od kiedy zacząłem praktykować w tym dziwnym zawodzie powieściopisarza, czyli od około 1992 roku, *Marina* jest moją ulubioną.

Napisałem ją w Los Angeles w latach 1996 i 1997. Liczyłem sobie wówczas niespełna trzydzieści trzy lata i zaczynałem podejrzewać, iż to, co ktoś w przypływie natchnienia nazwał pierwszą młodością, zaczyna mi się wymykać z rąk z prędkością krążownika. W swoim dorobku miałem trzy powieści dla młodzieży i ledwo znalazłem się na pokładzie *Mariny*, ogarnęła mnie pewność, że będzie to ostatnia powieść z tego gatunku. W trakcie pisania wszystko w opowiadanej przeze mnie historii stawało się jednym wielkim pożegnaniem, a kiedy już ją kończyłem, narastało we mnie wrażenie, że coś bardzo mojego, coś, czego do dziś nie potrafię nazwać, ale czego mi ciągle brakuje, zostało tam na zawsze.

Marina przypuszczalnie jest najtrudniejszą do sklasyfikowania, najbardziej nieokreśloną ze wszystkich powieści, jakie dotychczas napisałem, i być może najbardziej z nich osobistą. Paradoksalnie jej publikacja wcale nie przysporzyła mi radości, wprost przeciwnie. Powieść ukazywała się przez dziesięć lat w skandalicznych wręcz edycjach, nierzadko fałszujących oryginał, a tym samym wprowadzających czytelników w błąd, dostawali bowiem do ręki powieść, która nie była tym, czym być miała. W dodatku głos autora nie był w ogóle brany pod uwagę. A mimo to czytelnicy wszelkiej maści potrafią coś odnaleźć na jej stronach, docierając do tych zakamarków duszy, o których mówi nam Óscar, narrator *Mariny*.

Marina wreszcie wraca do domu i opowieść, którą Óscar za nią kończy, po raz pierwszy trafia do swych czytelników w kształcie zgodnym z intencjami autora. Być może teraz zdołam wreszcie pojąć, dlaczego ta powieść jest wciąż i nieodmiennie tak samo obecna w mojej pamięci jak w dniu, w którym ją ukończyłem, i będę mógł wspominać – jak mówiła Marina – tylko to, co nigdy się nie wydarzyło.

C.R.Z.

Barcelona, czerwiec 2008

$\mathcal{M}$arina powiedziała mi kiedyś, że wspominamy tylko to, co nigdy się nie wydarzyło. Wieczność musiała upłynąć, abym wreszcie pojął jej słowa. Lepiej jednak będzie, jeśli zacznę od początku, czyli w tym przypadku od końca.

W maju 1980 roku zniknąłem, zapadłem się pod ziemię na cały tydzień. Przez siedem dni i siedem nocy nikt nie wiedział, gdzie się podziewam. Przyjaciele, koledzy, nauczyciele, nawet policja, wszyscy ruszyli na poszukiwania uciekiniera: niektórzy mieli go już za martwego, inni zaś uznali, że dotknięty nagłą amnezją błąka się po zaułkach dzielnicy.

Tydzień później jednemu z policjantów w cywilu wydało się, iż rozpoznaje owego chłopca; w każdym razie rysopis się zgadzał. Poszukiwany wałęsał się po dworcu Francia niczym dusza zagubiona w katedrze wzniesionej z żelaza i mgły. Funkcjonariusz podszedł do mnie z wyrazem twarzy detektywa z czarnego kryminału. Zapytał, czy przypadkiem nie nazywam się Óscar Drai i czy nie jestem tym chłopcem, który wyszedł z internatu swej szkoły i przepadł bez wieści. Skinąłem głową, nie otwierając ust. Pamiętam odbicie sklepienia hali dworcowej w jego okularach.

Usiedliśmy na jednej z ławek na peronie. Policjant wolno, niemal ociągając się, zapalił papierosa. Ani razu nie przytknął go do ust. Powiedział, że mnóstwo ludzi czeka na mnie z zamiarem zadania mi masy pytań, na które lepiej byłoby, żebym miał dobrze przygotowane odpowiedzi. Ponownie przytaknąłem. Spojrzał mi w oczy badawczo. „Zdarza się, że wyznanie prawdy nie jest najlepszym pomysłem, Óscarze", powiedział. Podał mi parę monet i poprosił, żebym zadzwonił do swego wychowawcy w internacie. Tak też zrobiłem. Policjant poczekał, aż skończę rozmawiać. Potem, życząc mi szczęścia, dał pieniądze na taksówkę. Zapytałem go, skąd wie, czy znowu nie zniknę. Przyjrzał mi się przez chwilę. „Znikają tylko ci, którzy mają dokąd wrócić", odpowiedział. Odprowadził mnie przed dworzec i tam się ze mną pożegnał, ani razu nie zapytawszy, gdzie się tak długo podziewałem. Patrzyłem, jak odchodzi Paseo Colón. Towarzyszył mu, niczym wierny pies, dym z nietkniętego papierosa.

Tamtego dnia widmo Gaudíego rzeźbiło na niebie Barcelony, na tle błękitu wypalającego oczy, niemożliwe chmury. Wsiadłem do taksówki i pojechałem do internatu, gdzie czekał na mnie, jak sądziłem, pluton egzekucyjny.

Przez cztery tygodnie nauczyciele i szkolni psychologowie dręczyli mnie, bym ujawnił im swój sekret. Kłamałem i wyznawałem to, co każdy z nich chciał usłyszeć lub mógł zaakceptować. Z czasem wszyscy zaczęli udawać, choć nie bez trudu, że zapomnieli o tym epizodzie. Poszedłem w ich ślady. Nigdy nikomu nie powiedziałem, co się naprawdę wtedy zdarzyło.

Nie wiedziałem wówczas, że ocean czasu – chcemy czy nie – zawsze zwraca nam to, co w nim kiedyś pogrzebaliśmy. Piętnaście lat później nawiedziło mnie wspomnienie tamtego dnia. Zobaczyłem chłopca błądzącego pośród mgieł spowijających dworzec Francia i imię Marina zabolało znowu jak świeża rana.

Wszyscy skrywamy w najgłębszych zakamarkach duszy jakiś sekret. A oto moja tajemnica.

1

*P*od koniec lat siedem-
dziesiątych Barcelona była fatamorganą alei i zaułków,
gdzie można było się cofnąć o trzydzieści lub czterdzieści
lat, przekraczając zaledwie próg przedsionka jakiegoś domu lub kawiarni. Czas i pamięć, historia i fikcja zlewały
się w tym czarodziejskim mieście niczym akwarele na deszczu. Tam właśnie, pośród dekoracji zbudowanych z ka-
tedr i domów rodem z baśni, pośród odgłosów dochodzą-
cych z uliczek, które już nie istnieją, rozegrała się ta historia.

Byłem wtedy piętnastoletnim chłopcem, duszącym się
w czterech ścianach prowadzonego przez świątobliwych
ojców internatu na wzgórzach przy drodze do Vallvidrery.
W tamtych dniach dzielnica Sarriá wyglądała jeszcze jak
małe miasteczko wyrzucone na brzeg modernistycznej me-
tropolii. Moja szkoła znajdowała przy biegnącej w górę
odnodze Paseo de la Bonanova. Monumentalna fasada
przywodziła na myśl bardziej warowny zamek niż budynek
szkolny. Masywna bryła ceglastego koloru była zmyślną
kombinacją wieżyczek, łuków i mrocznych skrzydeł.

Gimnazjum otoczała cytadela ogrodów, pełna fontann,
zamulonych stawów, podwórzy i zaczarowanych zagajników

sosnowych. Jak okiem sięgnąć, ponure budynki skrywały baseny wydzielające upiorne opary, małe salki treningowe pogrążone w zaklętej ciszy i tonące w ciemnościach kaplice, gdzie święci z obrazów uśmiechali się w blasku świec. Poza czterema właściwymi piętrami gmach miał jeszcze dwukondygnacyjną piwnicę i poddasze stanowiące klauzurę dla tych nielicznych duchownych, którzy jeszcze byli nauczycielami. Sypialnie internatu mieściły się na czwartym piętrze wzdłuż koszarowych korytarzy. Te niekończące się, niedoświetlone tunele coraz to napełniały się cmentarnym echem.

Całe dni spędzałem w salach lekcyjnych tego ogromnego zamku, śpiąc z otwartymi oczami i czekając na cud, który wydarzał się codziennie o piątej dwadzieścia po południu. O tej magicznej godzinie słońce oblewało płynnym złotem wysokie okna. Rozlegał się dzwonek oznajmiający koniec lekcji dla wszystkich, a dla pozostających w internacie początek niemal trzygodzinnej, bo trwającej aż do kolacji w wielkim refektarzu laby. Z zasady czas ten miał być przeznaczony na naukę i refleksję duchową. Nie przypominam sobie, bym podczas całego pobytu poświęcił choć minutę tym zbożnym zajęciom.

To była moja ukochana chwila. Wychodziłem chyłkiem z budynku i wyruszałem na miasto. Zazwyczaj wracałem do internatu tuż przed kolacją, gdy nad starymi uliczkami i alejami zaczynał już zapadać zmierzch. W czasie tych długich spacerów ogarniało mnie oszałamiające uczucie wolności. Wyobraźnia unosiła mnie ponad dachy, wysoko ku niebu. Ulice Barcelony, internat i mój obmierzły pokój na czwartym piętrze przez kilka godzin przestawały istnieć.

I przez te kilka godzin, mając w kieszeni tylko parę groszy, byłem najszczęśliwszym człowiekiem na świecie.

Dość często nogi prowadziły mnie w okolice nazywane pustynią Sarriá, choć był to tylko rachityczny lasek na ziemi niczyjej. Dawne rezydencje wielkomieszczańskie, wyrosłe w swoim czasie w północnej części Paseo de la Bonanova, jeszcze stały, choć większość znajdowała się w stanie ruiny. Ulice otaczające internat tworzyły widmowe miasto. Pokryte bluszczem mury broniły wstępu do zdziczałych ogrodów zarastających monumentalne wille. Wśród pałaców, zaatakowanych przez chaszcze i zapomnienie, pamięć zdawała się unosić niczym uporczywa mgła. Wiele z nich stało pustych, czekając już tylko na wyburzenie, inne przez wiele lat co rusz plądrowano. Ale spotykało się też i zamieszkane.

Ich lokatorami byli zapomniani członkowie zrujnowanych rodów. Ludzie, których nazwiska drukowano na pierwszych stronach „La Vanguardii", kiedy tramwaje, tak jak i inne nowoczesne wynalazki, wzbudzały lęk i trwogę. Zakładnicy obumierającej przeszłości, którzy odmawiali zejścia z tonącego okrętu. Pełni obaw, że jeśli się ośmielą postawić stopę poza obszarem swych niszczejących posiadłości, ich ciała natychmiast rozsypią się w proch. Więźniowie dogorywający w świetle kandelabrów. Czasami, kiedy przyspieszając kroku, przechodziłem obok tych zardzewiałych ogrodzeń, zdawało mi się, iż dostrzegam bojaźliwe spojrzenia zza obdrapanych okiennic.

Pewnego popołudnia, pod koniec września 1979 roku, postanowiłem zapuścić się na chybił trafił w jedną z tych alei, pełną modernistycznych pałacyków, na którą dotychczas nie zwróciłem uwagi. W pewnym momencie ulica skręcała i kończyła się ogrodzeniem, nieodbiegającym swym wyglądem od sąsiednich. Za nim dostrzec można było zapuszczony od dawien dawna ogród. Zza krzaków i drzew wyłaniał się dwupiętrowy budynek. Za fontanną, której rzeźby od lat zarastały mchem, wznosiła się ocieniona fasada.

Zapadał już zmrok i zakątek ów wydał mi się cokolwiek złowrogi. Panowała tu grobowa cisza, tylko wiatr od czasu do czasu szeptał coś ku przestrodze. Zrozumiałem, że znalazłem się w jednej z wymarłych części dzielnicy. Przyszło mi na myśl, że najlepiej będzie odwrócić się na pięcie i udać czym prędzej do internatu. Podczas kiedy chorobliwa fascynacja tą opuszczoną posiadłością walczyła ze zdrowym rozsądkiem, zauważyłem żółte, błyszczące w półmroku oczy wbite we mnie niczym dwa sztylety. Przełknąłem ślinę.

Na tle ogrodzenia dostrzegłem sylwetkę zastygłego w bezruchu kota o szarej, aksamitnej sierści. W jego pysku dogorywał wróbelek. Na szyi kot miał zawieszony srebrny dzwoneczek. Morderca przyglądał mi się badawczo przez kilka sekund. Potem odwrócił się i przecisnął pomiędzy żelaznymi sztachetami. Patrzyłem, jak się oddala w głąb tego przeklętego edenu, zabierając wróbla w jego ostatnią drogę.

Wizja miniaturowego drapieżcy, wyniosłego i zuchwałego, zauroczyła mnie. Jego lśniąca sierść i dzwoneczek na szyi świadczyły o tym, że ma właściciela. Być może budynek ten skrywał w sobie coś więcej niż tylko widma niegdysiejszej Barcelony. Zbliżyłem się i położyłem dłonie na sztachetach bramy. Metal był zimny. Wśród zarośli ogrodu połyskiwały w ostatnich światłach zmierzchu kropelki krwi wróbla. Szkarłatne perły znaczące drogę przez labirynt. Ponownie przełknąłem ślinę. A raczej spróbowałem to zrobić, gdyż zupełnie zaschło mi w gardle. Serce waliło jak szalone, jakby wiedziało coś, o czym ja nie miałem pojęcia. Wtedy poczułem, że brama ustępuje pod ciężarem mojego ciała, i zrozumiałem, że była otwarta.

Kiedy wchodziłem do środka, promienie księżyca padły na blade oblicza kamiennych cherubinów fontanny. Rzeźby obserwowały mnie. Wyobraziłem sobie, jak zeskakują ze swoich piedestałów i rzucają się na mnie, przemienione w demony o wilczych pazurach i wężowych językach. Nogi wrosły mi w ziemię. Jednak nic złego się nie stało. Wziąłem głęboki oddech, starając się ściągnąć cugle wyobraźni, i raz jeszcze rozważyłem, czy nie zaniechać swojej trwożnej ekspedycji. Po raz kolejny ktoś zdecydował za mnie. Nad pogrążonym w półmroku ogrodem uniosła się nagle niebiańska melodia. Z oddali zabrzmiały pierwsze takty jakiejś operowej arii z akompaniamentem fortepianu. Śpiewał ją najpiękniejszy głos, jaki kiedykolwiek słyszałem.

Wydawało mi się, że znam tę muzykę, nie mogłem sobie jednak przypomnieć skąd. Dobiegała z domu. Jak urzeczony ruszyłem na poszukiwanie jej źródła. Przez uchylone drzwi oszklonej galerii sączyły się refleksy mętnego światła. Zauważyłem, że z parapetu na pierwszym piętrze przyglądają mi się znajome kocie oczy. Poszedłem w stronę galerii, z której płynęły te niezrównane dźwięki. Kobiecy głos. W środku tańczyły płomyki dziesiątek świec. W ich blasku lśniła pozłacana tuba starego gramofonu, na którym obracała się płyta. Niewiele myśląc, ku własnemu zdumieniu przekroczyłem próg, oczarowany śpiewem tej zaklętej w gramofonie syreny. Na stole, na którym stał aparat, spostrzegłem połyskujący okrągły przedmiot. Kieszonkowy zegarek. Podniosłem go i przyjrzałem mu się w świetle świec. Wskazówki stały, tarczę miał zarysowaną. Był chyba złoty i przynajmniej tak stary jak ten dom. W głębi sali dostrzegłem odwrócony tyłem przepastny fotel stojący naprzeciwko kominka, nad którym wisiał portret kobiety w białej sukni. Zahipnotyzowało mnie smutne spojrzenie jej wielkich szarych oczu bez dna.

Nagle czar prysł. Z fotela podniosła się jakaś postać i obróciła w moim kierunku. Zobaczyłem siwe włosy i oczy jarzące się w półmroku jak węgielki. Wielkie białe dłonie wyciągnęły się ku mnie. Zdjęty przerażeniem, rzuciłem się do ucieczki. Po drodze zawadziłem o gramofon i zrzuciłem go ze stołu. Usłyszałem zgrzyt igły na płycie. Niebiański głos zamarł z piekielnym jękiem. Wypadłem do ogrodu, czując, że ogromne dłonie sięgają niemal mojej koszuli, i pędziłem na złamanie karku, przeniknięty strachem. Biegłem i biegłem, nie oglądając się za siebie, aż poczułem piekący ból w boku i zrozumiałem, że nie mogę złapać tchu. Zlany zimnym potem dostrzegłem trzydzieści metrów przed sobą światła internatu.

Wślizgnąłem się do środka przez drzwi kuchenne, których nigdy nikt nie pilnował, i dowlokłem do sypialni. Zapewne wszyscy moi koledzy byli już w refektarzu. Wytarłem spocone czoło, moje serce powoli zaczynało bić zwykłym rytmem. Zdążyłem się już prawie uspokoić, kiedy ktoś zastukał do drzwi sypialni.

– Óscar, pora schodzić na kolację – usłyszałem głos ojca Seguíego, jednego z rozsądnych wychowawców, który
nie znosił występować w roli policjanta.

– Już idę, ojcze – odpowiedziałem. – Za momencik.

Pospiesznie wskoczyłem w marynarkę mundurka i zgasiłem światło. Za oknem widmowy księżyc świecił nad
Barceloną. Dopiero wtedy zdałem sobie sprawę, że nadal
mam w ręku złoty zegarek.

2

Wnastępnych dniach przeklęty zegarek i ja staliśmy się nierozłączni. Wszędzie brałem go ze sobą, a nawet spał ze mną wsunięty pod poduszkę. Bałem się, że ktoś może go zauważyć i zapytać, skąd go mam. Nie potrafiłbym odpowiedzieć sensownie. „To nieprawda, że go znalazłeś; ukradłeś go", szeptał mi do ucha oskarżycielski głos. „Trzeba to nazwać kradzieżą i włamaniem", dodawał ów głos, który dziwnym zrządzeniem losu był łudząco podobny do głosu aktora dubbingującego Perry'ego Masona.

Co noc czekałem cierpliwie, aż moi koledzy wreszcie zasną, żebym mógł zacząć się cieszyć swoim skarbem. Kiedy zapadała całkowita cisza, dokładnie przyglądałem się zegarkowi, oświetlając go sobie latarką. Najcięższy nawet ogrom win nie mógł przytłoczyć fascynacji, jaką wzbudzał we mnie łup zdobyty w wyniku mego pierwszego wtajemniczenia w „przestępczość zdezorganizowaną". Zegarek był ciężki i wydawał się zrobiony z litego złota. Pęknięte szkło wskazywałoby, że spadł lub został czymś uderzony. Uznałem, że doprowadziło to do uśmiercenia mechanizmu; wskazówki na zawsze zatrzymały się na godzinie szóstej minut dwadzieścia trzy. Na rewersie zegarka widniała inskrypcja:

Dla Germána, który jest głosem światła.

K.A.

19-01-1964

Pomyślałem, że zegarek musiał kosztować fortunę. Opadły mnie wyrzuty sumienia. Widząc wygrawerowane słowa, poczułem się jak złodziej wspomnień.

W pewien przesiąknięty deszczem czwartek postanowiłem się podzielić swoją tajemnicą. Moim najlepszym przyjacielem w internacie był nerwowy chłopak o przeszywającym spojrzeniu. Obstawał przy tym, by zwracano się do niego JF, aczkolwiek inicjały te nie miały nic wspólnego z jego imieniem i nazwiskiem. JF obdarzony był duszą libertyńskiego poety i tak ciętym poczuciem humoru, że nierzadko zdarzało mu się zranić we własny język. Był delikatnego zdrowia i wystarczyło wypowiedzieć słowo „mikrob" w promieniu kilometra od miejsca, gdzie się znajdował, by natychmiast uległ przekonaniu, że się nabawił infekcji. Kiedyś zrobiłem fotokopię strony słownika z hasłem „hipochondryk" i pokazałem mu ją.

– Nie wiem, czy wiesz, ale twój biogram znajduje się w słowniku Królewskiej Akademii – oznajmiłem mu.

Spojrzał na kartkę, po czym posłał mi spojrzenie bazyliszka.

– Spróbuj pod „i" znaleźć hasło „idiota". Będziesz mógł stwierdzić, że nie jestem jedyną sławą w tym gronie – odparł JF.

Tego samego dnia, podczas dużej przerwy, zamiast udać się na dziedziniec, czmychnąłem z JF do głównej auli. Nasze kroki w korytarzu rozlegały się niczym echo stu cieni stąpających na czubkach palców. W dwóch snopach ostrego światła padającego na scenę wirowały pyłki kurzu. Usiedliśmy w kręgach jasności naprzeciwko pustych, ledwo widocznych w ciemności krzeseł. Deszcz szemrał za oknem.

– Fajnie – odezwał się z przekąsem JF – rozumiem, że się w coś bawimy, ale wolałbym wiedzieć w co konkretnie.

Nie odzywając się, wyjąłem i podałem mu zegarek. JF ściągnął brwi, spojrzał na przedmiot, który znalazł się w jego dłoni, i przystąpił do dokładnych oględzin. Ukończywszy je, oddał mi zegarek, patrząc na mnie mocno zaintrygowany.

– No i co sądzisz? – natarłem.

– Sądzę, że to zegarek – odparł JF. – A kim jest ów Germán?

– Nie mam najmniejszego pojęcia.

Niczego nie ukrywając, opowiedziałem mu przygodę, jaka spotkała mnie kilka dni wcześniej w owym podniszczonym domu. JF słuchał mojej relacji z charakterystyczną dla siebie, laboratoryjną niemal cierpliwością i skupieniem. Gdy doszedłem do końca opowieści, zamyślił się, jakby przed wydaniem opinii chciał rozpatrzyć wszystkie jej aspekty.

– Jednym słowem, ukradłeś go – stwierdził.

– Nie w tym rzecz – usiłowałem się bronić.

– Ciekaw jestem, co na ten temat myśli niejaki Germán – skwitował JF.

– Niejaki Germán najprawdopodobniej od wielu lat już nie żyje – powiedziałem bez przekonania.

JF potarł podbródek.

– Zastanawiam się, co kodeks karny przewiduje w wypadku przywłaszczenia z premedytacją przedmiotów osobistych i zegarków z inskrypcjami... – ciągnął bezlitośnie mój przyjaciel.

– Nie było żadnej premedytacji, nawet grama czegoś podobnego – zaprotestowałem. – Wszystko stało się nagle, nie miałem czasu się zastanowić. A kiedy zauważyłem, że w ręku trzymam zegarek, było już za późno. Na moim miejscu zachowałbyś się tak samo.

– Ja na twoim miejscu dostałbym zawału serca – przyznał JF, raczej myśliciel niż człowiek czynu. – Oczywiście zakładając, że w ogóle byłbym na tyle szalony, żeby idąc tropem jakiegoś piekielnego kota, włazić do tej ruiny. Bardzo jestem ciekaw, jakie świństwa może roznosić taki czworonóg?

Przez chwilę siedzieliśmy w milczeniu, wsłuchując się w litanię deszczu.

– No, dobrze – odezwał się JF – co się stało, to się nie odstanie. Chyba nie masz zamiaru tam wracać, nieprawdaż?

Uśmiechnąłem się.

– Samemu, niekoniecznie.

Oczy mojego przyjaciela zrobiły się okrągłe jak talerze.

– Och, nie, co to, to nie! Nawet o tym nie myśl!

Tego samego dnia, po lekcjach, wymknęliśmy się z JF kuchennymi drzwiami i ruszyliśmy ku owej tajemniczej ulicy prowadzącej do pałacyku. Na bruku pełnym suchych liści stały kałuże. Nad miastem rozpościerało się nieprzyjazne niebo. JF szedł z duszą na ramieniu, bledszy niż zazwyczaj. Na widok tego zakątka dryfującego po wodach przeszłości żołądek skurczył mu się do wielkości orzecha. Panowała ogłuszająca cisza.

– Chyba najlepiej będzie, jak po prostu spokojnie stąd odejdziemy – szepnął JF i stanął, gotów do odwrotu.

– Przestań się trząść jak zając.

– Ludzkość najwyraźniej nie docenia zajęcy, a jeśli się dobrze zastanowić, pełnią one niepoślednią...

Nagle odebrało mu głos. Wiatr przyniósł złowrogi dźwięk dzwoneczka. Wpatrywały się w nas żółte oczy kota. Zwierzak niespodziewanie zasyczał jak wąż i wyciągnął szpony. Zjeżył grzbiet i wyszczerzył kły, które parę dni wcześniej rozszarpały wróbla. Flesz dalekiej błyskawicy rozświetlił niebo nad naszymi głowami. Spojrzeliśmy z JF na siebie.

Kwadrans później siedzieliśmy na ławce nad stawem w parku należącym do naszego internatu. Zegarek nadal spoczywał w kieszeni mojej marynarki. I czułem, że staje się coraz cięższy.

Leżał tam przez resztę tygodnia aż do soboty rano. Tuż przed świtem obudziłem się z wrażeniem, że we śnie słyszałem głos dochodzący z gramofonu. Za oknem gorzał pejzaż Barcelony pełen szkarłatnych cieni, telewizyjnych anten i poddaszy. Wyskoczyłem z łóżka i sięgnąłem po przeklęty zegarek, który tyle krwi mi napsuł przez ostatnie dni. Zmierzyliśmy się wzrokiem. Wreszcie zdecydowałem się na stanowczy krok, z determinacją, na którą zdobywamy się tylko w obliczu absurdalnych zadań. Postanowiłem skończyć z tą sytuacją. Oddam zegarek.

Ubrałem się, jak mogłem najciszej, i na palcach przeszedłem ciemny korytarz na czwartym piętrze. Do dziesiątej, najpóźniej do jedenastej na pewno wrócę. A do tego czasu nikt nie powinien zauważyć mojej nieobecności.

Ulice okrywał ów nieprzejrzysty purpurowy woal, który zazwyczaj o świcie opada na Barcelonę. Doszedłem do ulicy Margenat. Sarriá z wolna budziła się do życia. Nisko wiszące chmury zagarniały w złocistą zorzę pierwsze światła brzasku. Zza welonu mgły i unoszonych przez wiatr liści wyłaniały się fasady domów.

Szybko odnalazłem ulicę. Przystanąłem na chwilę, by przyzwyczaić się do ciszy, do dziwnego spokoju, jaki panował w tym odludnym zakątku miasta. Zaczynałem mieć wrażenie, że świat stanął razem z zegarkiem spoczywającym w mojej kieszeni, kiedy zza pleców dobiegły mnie jakieś dźwięki.

Odwróciłem się i ujrzałem scenę żywcem przeniesioną z mego snu.

3

Z mgły powoli wyłaniał się rower. Prosto w moją stronę zjeżdżała na nim dziewczyna w białej sukience. W świetle poranka mogłem ujrzeć prześwitujący przez tkaninę obrys jej ciała. Długie włosy koloru pszenicy owiewały jej twarz. Zbliżała się do mnie, a ja stałem bez ruchu i gapiłem się jak głupek dotknięty nagłym atakiem paraliżu. Rower zatrzymał się parę metrów ode mnie. Dostrzegłem, raczej oczami wyobraźni, smukłe nogi stające na ziemi. Mój wzrok zaczął wspinać się po sukience jakby przeniesionej z obrazów Sorolli i dotarł do oczu tak intensywnie szarych, że można się było w nich utopić. Tymczasem oczy te przyglądały mi się bacznie i sarkastycznie. Przybrałem najdurniejszą ze swych kretyńskich min i uśmiechnąłem się.

– Ty pewnie jesteś tym od zegarka – powiedziała dziewczyna tonem współbrzmiącym ze spojrzeniem.

Oszacowałem, że musiała być w moim wieku, może rok starsza. Odgadywanie wieku kobiety nie było dla mnie czczą zabawą, ale umiejętnością wymagającą wielkiej wiedzy i graniczącą ze sztuką. Jej cera była równie blada jak sukienka.

– Mieszkasz tu? – wymamrotałem, wskazując na ogrodzenie. Dwoje oczu świdrowało mnie z niepohamowaną

25

furią. I dopiero po jakimś czasie zdałem sobie sprawę, że mam do czynienia z najbardziej olśniewającą istotą, jaką zdarzyło mi się dotąd spotkać i o której istnieniu nawet mi się nie śniło. Bez dwóch zdań.

– A za kogo ty się masz, żeby tak bezceremonialnie pytać?

– Za tego od zegarka – odpowiedziałem bez namysłu.

– Nazywam się Óscar. Óscar Drai. Przyszedłem go oddać.

Nie dając dziewczynie czasu na odpowiedź, szybko wyjąłem zegarek z kieszeni i podałem jej. Zanim po niego sięgnęła, patrzyła mi w oczy dłuższą chwilę. Zauważyłem, że dłoń ma białą niczym śnieg, a na palcu serdecznym nosi złoty pierścionek bez oczka.

– Zegarek był już zepsuty, kiedy go wziąłem – zacząłem się tłumaczyć.

– Nie chodzi od piętnastu lat – szepnęła, nie patrząc na mnie.

Kiedy w końcu uniosła głowę, zmierzyła mnie wzrokiem od stóp do głów, jakby taksowała jakiś stary mebel albo bezużyteczny grat. Coś w jej oczach pozwalało mi przypuszczać, że nie bardzo wierzy w mój złodziejski fach; prawdopodobnie zakwalifikowała mnie do gatunku kretynów lub pospolitych matołów. Mój nawiedzony wyraz twarzy mógł ją tylko w tym utwierdzać. Dziewczyna uniosła brew, uśmiechnęła się zagadkowo i oddała mi zegarek.

– Ty go zabrałeś, więc ty go oddasz właścicielowi.

– Ale...

– Zegarek nie należy do mnie – wyjaśniła. – Jest własnością Germána.

Wystarczyło, bym usłyszał to imię, a w mej pamięci pojawił się obraz rosłej białowłosej postaci, która kilka dni temu wypłoszyła mnie z galerii zniszczonego domu.

– Germána?

– To mój ojciec.

– A ty...?

– A ja jestem jego córką.

– To znaczy, chciałem spytać, jak masz na imię?

– Dobrze wiem, o co chciałeś spytać – odparła.

I jakby nigdy nic wsiadła na rower, zawróciła ku furtce i nim zniknęła pośród drzew i krzewów ogrodu, rzuciła mi jeszcze szybkie spojrzenie. Była w nim zwyczajna drwina. Westchnąłem i ruszyłem za nią. Przywitał mnie stary znajomy: kot spoglądał na mnie z nieodłączną pogardą. Pożałowałem, że nie jestem dobermanem.

Odprowadzony przez kota, przebiłem się jakoś przez dżunglę ogrodu i wyszedłem na fontannę z cherubinami. Rower stał oparty o brzeg fontanny, a dziewczyna wyciągała torbę z koszyka na kierownicy. W powietrzu rozszedł się zapach świeżego pieczywa. Dziewczyna wyjęła z torby butelkę mleka i przyklękła, by nalać go do miseczki na ziemi. Kot jednym susem znalazł się przy niej. Wszystko wyglądało na powtarzający się codziennie rytuał.

– Sądziłem, że twój kot żywi się wyłącznie bezbronnymi ptaszkami – powiedziałem.

– On tylko na nie poluje. Nie je ich. Chodzi o zaznaczenie władzy nad terytorium – wyjaśniała, jakby miała do czyniena z dzieckiem. – On lubi mleko. Tylko mleko. Prawda, Kafka, że lubisz mleko?

Kafkowski kot polizał ją po palcach na znak potwierdzenia. Uśmiechnęła się wdzięcznie, głaszcząc jego grzbiet. Pod sukienką uwydatniały się jej mięśnie. Kiedy tak się na nią gapiłem jak sroka w gnat, uniosła nagle wzrok.

– A ty? Jadłeś śniadanie? – zapytała.

Pokręciłem głową.

– No to musisz być głodny. Każdy matołek jest głodny – powiedziała. – Chodź, zjesz coś. Lepiej żebyś się z pustym żołądkiem nie tłumaczył Germánowi z kradzieży zegarka.

Przestronna kuchnia mieściła się z tyłu domu. Na nieoczekiwane śniadanie zostałem poczęstowany croissantami, które dziewczyna kupiła w ciastkarni Foix na placu Sarriá. Podała mi również kawę z mlekiem w ogromnej filiżance i usiadła naprzeciwko. Rzuciłem się na to łakomie, dziewczyna zaś przyglądała mi się z mieszaniną ciekawości, politowania i obawy, jakby patrzyła na przygarniętego z ulicy wygłodniałego żebraka. Sama nie jadła nic.

– Już cię kilka razy widziałam w tej okolicy – odezwała się po chwili, nie odrywając ode mnie wzroku. – Ciebie i tego chudzielca, co taki zawsze wystraszony. Często przechodzicie przez ulicę, tam od tyłu, kiedy wypuszczają was z internatu. Nieraz spacerujesz sam, coś sobie nucąc i bujając w obłokach. Założę się, że bardzo wam się w tych ruinach podoba...

Już miałem odpowiedzieć coś w miarę dowcipnego, kiedy nagle na stole zaczął rozlewać się ogromny cień niczym monstrualny kleks. Moja gospodyni uniosła wzrok i uśmiechnęła się. Ja zastygłem bez ruchu, z pełnymi ustami, a serce waliło mi jak młotem.

– Mamy gościa – oznajmiła rozbawiona. – Tato, przedstawiam ci Óscara Draia, złodzieja zegarków, całkowitego amatora. Óscarze, przedstawiam ci Germána, mojego ojca.

Przełknąłem szybko, co miałem w ustach, i powoli się odwróciłem. Przede mną wznosiła się postać, która zdawała mi się strasznie wysoka. Mężczyzna ubrany był w garnitur z alpaki, z kamizelką, pod szyją miał zawiązaną muszkę. Białe, starannie zaczesane włosy opadały mu na ramiona. Siwe wąsy zdobiły twarz pooraną bruzdami zmarszczek wokół ciemnych i smutnych oczu. Ale najbardziej przykuwały uwagę dłonie: białe dłonie anioła o długich, niezwykle smukłych palcach. To był Germán.

– Wcale nie jestem złodziejem, proszę pana… – zacząłem nerwowo się tłumaczyć. – Zaraz wszystko wyjaśnię. Myślałem, że dom jest niezamieszkany, i dlatego odważyłem się tu wejść. A kiedy już byłem w środku, nie wiem, jak to się stało, usłyszałem muzykę, no i zobaczyłem zegarek. Wcale nie miałem zamiaru go brać, słowo honoru, ale się przestraszyłem, a kiedy zdałem sobie sprawę, że trzymam go w ręku, byłem już daleko. To znaczy, nie wiem, czy się wyrażam jasno…

Dziewczyna uśmiechała się złośliwie. Germán utkwił we mnie ciemny nieprzenikniony wzrok. Wyciągnąłem zegarek z kieszeni i podałem mu go, zakładając, że lada chwila mężczyzna zacznie na mnie wrzeszczeć, zagrozi policją, prokuratorem, sądem dla nieletnich.

– Wierzę panu – powiedział uprzejmie, biorąc ode mnie zegarek i siadając przy stole.

Głos miał słaby, właściwie ledwo słyszalny. Córka podała mu dwa croissanty na talerzyku i kawę z mlekiem w takiej samej jak mnie filiżance. Pocałowała go przy tym w czoło. Germán ją przytulił. Patrzyłem na nich pod światło przesączające się przez ogromne okna. Twarz Germána, w mojej wyobraźni podobna do oblicza ogra, nabrała miękkich, niemal chorobliwie delikatnych rysów. Był wysoki i niezwykle chudy. Uśmiechnął się do mnie, podnosząc do ust filiżankę, i przez chwilę czułem, że między ojcem a córką przepływa jakiś naładowany serdecznością prąd niezależny od słów i gestów. Wśród cieni tego domu, na końcu zagubionej uliczki, z dala od światła łączyła ich więź milczenia i wymienianych spojrzeń.

Germán skończył śniadanie i w miłych słowach podziękował mi, że pofatygowałem się tutaj, by zwrócić mu zegarek. Ta elegancka serdeczność obudziła we mnie jeszcze większe wyrzuty sumienia.

– Cóż, Óscarze – powiedział głosem, w którym wyczuwało się zmęczenie – miło mi było pana poznać. Mam nadzieję, iż los okaże się na tyle łaskawy, że pozwoli mi się z panem zobaczyć podczas pańskiej następnej wizyty.

Nie rozumiałem, dlaczego uparcie zwracał się do mnie per pan. Było w nim coś, co odwoływało się do zupełnie innej epoki, do czasów, kiedy te popielate włosy lśniły pełnym blaskiem, a podupadły dom był pałacem w pół drogi między Sarriá a niebem. Uścisnął mi dłoń na pożegnanie i lekko kulejąc, ruszył korytarzem, by po chwili zniknąć w nieprzeniknionym labiryncie pomieszczeń.

Córka przyglądała mu się ze źle skrywanym smutkiem w oczach.

– Germán nie cieszy się najlepszym zdrowiem – szepnęła. – Szybko się męczy.

Natychmiast jednak z jej twarzy zniknął wyraz melancholii.

– Zjadłbyś coś jeszcze?

– Późno się zrobiło – odparłem, walcząc z pokusą pozostania w jej towarzystwie pod jakimkolwiek pretekstem. – Sądzę, że najlepiej będzie, jak sobie pójdę.

Nie oponowała. Wstała, żeby mnie odprowadzić. Światło poranka całkiem już rozproszyło wiszące o świcie nad miastem mgły. Pierwsze dni jesieni powlekły drzewa miedzią. Szliśmy do furtki. Kafka mruczał, wylegując się w słońcu. Przed furtką dziewczyna zatrzymała się. Spojrzeliśmy na siebie bez słowa. Podała mi rękę. Uścisnąłem ją. Pod aksamitną skórą poczułem tętno.

– Dziękuję za wszystko – powiedziałem. – I przepraszam za…

– Daj spokój.

Próbowałem się uśmiechnąć, ale wyszło mi to jakoś niezgrabnie.

– Więc…

Ruszyłem w dół ulicy. Czułem, jak z każdym krokiem opada ze mnie magia tego domu. Nagle dobiegło mnie wołanie.

– Óscarze!

Odwróciłem się. Stała wciąż za furtką. U jej stóp leżał Kafka.

– Dlaczego wtedy wszedłeś do naszego domu?

Rozejrzałem się wokół, jakbym miał nadzieję znaleźć gdzieś na bruku wypisaną odpowiedź.

– Nie wiem – przyznałem w końcu. – Może tajemniczość...

Dziewczyna uśmiechnęła się zagadkowo.

– Lubisz tajemnice?

Przytaknąłem. Sądzę, że gdyby mnie zapytała, czy lubię arszenik, odpowiedziałbym identycznie.

– Masz jutro coś ważnego do roboty?

Zaprzeczyłem, także bez słowa. Nawet gdybym miał, coś bym wymyślił. Złodziej był ze mnie żaden, ale kłamać potrafiłem jak nikt. W tej dziedzinie byłem prawdziwym artystą.

– No to czekam tu na ciebie o dziewiątej – powiedziała, niknąc w cieniach ogrodu.

– Poczekaj!

Moje wołanie ją zatrzymało.

– Nie powiedziałaś, jak masz na imię...

– Marina... Do jutra.

Kiwnąłem jej ręką na pożegnanie, ale już jej nie było. Nie ruszałem się z miejsca w nadziei, że Marina jeszcze wróci, ale więcej się nie pokazała. Słońce stało już wysoko na niebie; chyba dochodziło południe. Kiedy zrozumiałem, że Mariny dzisiaj nie zobaczę, wróciłem do internatu. Stare bramy Sarriá uśmiechały się do mnie porozumiewawczo. Powinienem był słyszeć odgłos swoich kroków, ale przysiągłbym, że szedłem, unosząc się trzy piędzi nad ziemią.

4

Chyba nigdy w życiu nie przyszedłem tak punktualnie. Miasto było jeszcze w piżamie, kiedy mijałem plac Sarriá. Stado gołębi poderwało się do lotu, spłoszone dzwonami wzywającymi na mszę o dziewiątej. W promieniach słońca jak z turystycznego folderu mieniły się ślady po nocnej mżawce. Kafka wyszedł mi na spotkanie, czekając na początku prowadzącej do willi dróżki. Gromada wróbli przycupniętych na murze obserwowała go z bezpiecznej odległości. Kafka przyglądał się ptakom z wystudiowaną obojętnością zawodowca.

– Dzień dobry, Kafko. Zdążyłeś już dziś popełnić jakieś morderstwo?

Kot zamruczał w odpowiedzi i niczym flegmatyczny kamerdyner poprowadził mnie przez ogród do fontanny. Zauważyłem siedzącą na jej krawędzi Marinę w sukience koloru kości słoniowej, z odkrytymi ramionami. Trzymała oprawny w skórę notatnik, w którym pisała piórem. Na jej twarzy malowało się skupienie; nie zauważyła, że przyszedłem. Myślami była zupełnie gdzie indziej, co pozwoliło mi wpatrywać się w nią przez chwilę jak w obraz. Pomyślałem, że te obojczyki bez wątpienia musiał zaprojektować sam Leonardo da Vinci. Miauknięcie zazdrosnego Kafki przerwało magiczny moment. Pióro zatrzymało się nagle, Marina poszukała spojrzeniem mojego wzroku. Natychmiast zamknęła notatnik.

– Gotowy?

Marina poprowadziła mnie ulicami Sarriá. Nie miałem pojęcia, dokąd idziemy, i czy w ogóle dokądś idziemy, bo dziewczyna zamiast mi cokolwiek wyjaśnić, jedynie uśmiechała się tajemniczo.

– Dokąd się wybieramy? – odważyłem się w końcu spytać.

– Trochę cierpliwości. Zobaczysz.

Grzecznie szedłem obok niej, aczkolwiek zaczęło we mnie narastać podejrzenie, że padłem ofiarą jakiegoś żartu, którego nie potrafiłem na razie rozgryźć.

Zeszliśmy do Paseo de la Bonanova, stamtąd skręciliśmy w kierunku San Gervasio. Minęliśmy ponuro wyglądający bar Victor. Grupka zblazowanych studencików w najmodniejszych okularach przeciwsłonecznych grzała siodełka swoich ślicznych skuterków, popijając piwo z butelki. Na nasz widok kilku z nich uniosło lekko swoje ray bany, by otaksować Marinę. Żebyście się tak udławili, pomyślałem.

Gdy dotarliśmy do ulicy Dr. Roux, Marina skręciła w prawo. Po paru przecznicach weszliśmy w zwężającą się uliczkę, która rozwidlała się na wysokości numeru 112. W tym miejscu kończył się asfalt i zaczynała ścieżka. Z ust Mariny nie znikał tajemniczy uśmiech.

– To tu? – zapytałem zdziwiony.

Wyglądało na to, że znaleźliśmy się w ślepym zaułku. Ale Marina zdecydowanie ruszyła przed siebie. Poprowadziła mnie dróżką dochodzącą do bramy, po której bokach rosły dwa cyprysy. Za nią rozciągał się magiczny ogród: drzewa i krzewy rzucały niebieskawy cień na porośnięte mchem nagrobki, krzyże i posągi. Staliśmy u wrót starego cmentarza w dzielnicy Sarriá.

Cmentarz na Sarriá to jeden z najbardziej tajemnych i nieznanych zakątków Barcelony. Nie widnieje na planach miasta. Jeśli zapytać miejscowych albo taksówkarzy, najpewniej nie będą potrafili wskazać drogi, choć wszyscy słyszeli o jego istnieniu. A jeśli ktoś się odważy szukać na własną rękę, niechybnie zabłądzi. Garstka tych, którzy wiedzą, jak na ów cmentarz trafić, podejrzewa, że w rzeczywistości jest on tylko wyspą przeszłości, która znika i pojawia się podług sobie tylko znanych reguł.

W to właśnie miejsce zaprowadziła mnie Marina owej wrześniowej niedzieli, by wyjawić mi sekret, choć szczerze mówiąc, chyba bardziej intrygowała mnie tajemniczość niedawno poznanej dziewczyny. Posłusznie ruszyłem za Mariną ku północnej części cmentarza, w stronę niewielkiego i położonego na uboczu wzniesienia. Stamtąd mogliśmy widzieć niemal całą opustoszałą nekropolię. Usiedliśmy, spoglądając na groby i zwiędłe kwiaty. Uparte milczenie Mariny zaczynało mnie już powoli niecierpliwić. Jedyna tajemnica, jaka przychodziła mi na myśl, wiązała się z dręczącym mnie pytaniem, po jakie licho w ogóle tu przyszliśmy.

– Raczej nie widać żywego ducha – stwierdziłem nie bez kpiny.

– Ile kto ma cierpliwości, tyle ma mądrości – orzekła sentencjonalnie Marina.

– I wrzodów na ogonowej kości – odpaliłem. – Tutaj nic nie ma. Nic a nic.

Marina obrzuciła mnie zagadkowym spojrzeniem.

– Mylisz się. Tu aż się roi od wspomnień setek osób. Spotkać tu możesz całe ich życie, ich uczucia, ich nadzieje i brak nadziei, niziszczone marzenia, rozczarowania i porażki, nieodwzajemnione miłości, które przysporzyły im cierpień. Wszystko, kiedyś przerwane, wciąż tu jest.

Spojrzałem na nią, poczułem się trochę nieswojo, chociaż nie bardzo wiedziałem, o czym właściwie mówiła. Ale wyglądało na to, że te rzeczy są dla niej ważne.

– Dopóki nie zrozumiesz śmierci, nie zrozumiesz życia – dodała Marina.

Starałem się, jak mogłem, pojąć sens jej słów, mój wysiłek był jednak daremny.

– Prawdę mówiąc, ja o tych sprawach nie myślę zanadto – powiedziałem. – To znaczy o śmierci. W każdym razie nie na poważnie.

Marina pokiwała głową niczym lekarz rozpoznający objawy groźnej choroby.

– Coś takiego! Czyli należysz do grupy krótkowzrocznych ignorantów – stwierdziła, zawieszając tajemniczo głos.

– Ignorantów?

Teraz już zupełnie nie miałem pojęcia, o co chodzi. Całkowicie zgłupiałem.

Marina spojrzała daleko przed siebie, a na jej twarzy pojawił się wyraz nielicującej z wiekiem powagi. Byłem dziewczyną zahipnotyzowany.

– Ty nie znasz legendy, jak mniemam – zaczęła.

– Jakiej legendy?

– No właśnie – zawyrokowała. – Chodzi o to, iż, jak mówią, śmierć wysyła swoich emisariuszy, by buszowali po ulicach w poszukiwaniu naiwniaków i kapuścianych głów, którzy o niej nie myślą.

W tym momencie wbiła we mnie wzrok.

– Kiedy któryś z tych nieszczęśników wpada na emisariusza śmierci – ciągnęła – zostaje zwabiony w pułapkę. Zaprowadzony podstępem do samych bram piekła. Emisariusze zasłaniają twarz, by ukryć fakt, iż zamiast oczu mają tylko dwie czarne dziury, w których lęgną się larwy. Kiedy nie ma już możliwości ucieczki, posłaniec śmierci odkrywa twarz i jego ofiara pojmuje w mig, jak straszny czeka ją los...

Jej słowa wybrzmiewały powoli wśród ciszy cmentarza. Poczułem, że ściska mnie w żołądku.

Dopiero wówczas na ustach Mariny pojawił się filuterny koci uśmieszek.

– Jaja sobie ze mnie robisz – wydusiłem w końcu.

– Nie inaczej.

Siedzieliśmy w milczeniu kolejne dziesięć, piętnaście minut. Całą wieczność. Delikatny podmuch wiatru od czasu do czasu poruszał gałęziami cyprysów. Dwa gołębie coraz to podrywały się do lotu pomiędzy nagrobkami. Po nogawce moich spodni pracowicie wspinała się mrówka. Nie działo się nic więcej. Nogi zaczęły mi drętwieć. Pomyślałem, że wkrótce pośniemy tu z nudów. Już miałem się zbuntować, ale zanim zdążyłem coś powiedzieć, Marina uniosła palec do ust, nakazując mi milczenie. Wskazała na bramę.

Ktoś właśnie wchodził na cmentarz. Ujrzałem sylwetkę damy otulonej w pelerynę z czarnego atłasu. Twarz skrywała pod kapturem. Skrzyżowała na piersiach dłonie w rękawiczkach czarnych jak reszta stroju. Długa peleryna całkowicie przykrywała stopy. Wydawało mi się, że płynie nad ziemią, wcale jej nie dotykając. Przeszedł mnie dreszcz.

– Kto…? – szepnąłem.

– Tsss – uciszyła mnie Marina.

Schowani za kolumnami nie odrywaliśmy wzroku od damy w czerni. Sunęła między grobami niczym zjawa. W dwóch palcach niosła czerwoną różę. Kwiat przypominał świeżą, wyciętą nożem ranę. Kobieta podeszła do nagrobka znajdującego się dokładnie pod naszym punktem obserwacyjnym i zatrzymała się tyłem do nas. Dopiero teraz zauważyłem, że płyta, przy której stanęła, nie była podobna do innych: brakowało na niej imienia i nazwiska zmarłego. Widniał za to wyryty w marmurze rysunek przedstawiający owada, a dokładniej czarnego motyla z rozpostartymi skrzydłami.

Czarna dama stała w milczeniu nie dłużej niż pięć minut. Potem schyliła się, złożyła kwiat na płycie i odeszła tak, jak się zjawiła. Niczym duch.

Marina posłała mi nerwowe spojrzenie i zbliżyła się, by szepnąć mi coś na ucho. Poczułem jej usta muskające moją skórę i stado mrówek odtańczyło na moim karku ognistą sambę.

– Trzy miesiące temu odwiedzaliśmy z Germánem grób jego ciotki Reme. I wtedy po raz pierwszy zobaczyłam tę kobietę… Przychodzi tu w ostatnią niedzielę miesiąca, punktualnie o dziesiątej i zawsze kładzie na tym nagrobku identyczną czerwoną różę – wyjaśniała mi Marina. – Ubrana jest zawsze w ten sam płaszcz, rękawiczki, głowę nakrywa kapturem. Zawsze przychodzi sama. Nigdy nie pokazuje twarzy. Nigdy z nikim nie rozmawia.

– Kto jest tutaj pochowany?

Dziwny, wyrzeźbiony w marmurze symbol zaintrygował mnie.

– Nie wiem. W cmentarnym rejestrze nie figuruje żadne nazwisko...

– A kim jest ta kobieta?

Marina już chciała odpowiedzieć, ale zobaczyła, że tajemnicza dama znika za bramą. Wzięła mnie za rękę i czym prędzej wstała.

– Szybko. Ucieknie nam.

– Że niby zamierzamy ją śledzić?

– Chciałeś, żeby się coś działo? – spytała ni to z politowaniem, ni to z irytacją, zupełnie jakby miała mnie za kompletnego idiotę.

Gdy wybiegaliśmy na ulicę Dr. Roux, dama w czerni zmierzała w kierunku Bonanova. Zaczęło kropić, chociaż słońce nie miało zamiaru chować się za chmury. Szliśmy za tajemniczą nieznajomą przez zasłony złotych łez. Minęliśmy Paseo de la Bonanova i udaliśmy się w stronę wzgórza zajmowanego przez pałacyki i wille, czasy świetności mające już za sobą. Kobieta zagłębiła się w plątaninę wyludnionych uliczek, na których suche liście błyszczały niczym łuski ogromnego węża. Raptem przystanęła na skrzyżowaniu i zastygła w bezruchu niczym posąg.

– Zobaczyła nas – szepnąłem, chowając się wraz z Mariną za grubym pniem, pełnym wyrytych scyzorykiem napisów.

Przez moment bałem się, że zaraz odwróci głowę i nas zauważy. Tak się jednak nie stało. Po chwili skręciła w lewo i zniknęła nam z oczu. Spojrzeliśmy po sobie i ruszyliśmy za nią. Znaleźliśmy się w ślepej uliczce, którą przecinały tory kolei kursującej między Sarriá a Vallvidrerą i San Cugat. Stanęliśmy, nie bardzo wiedząc co dalej. Dama w czerni zapadła się pod ziemię, a przecież byliśmy pewni, że skręciła w tę właśnie uliczkę. Za dachami i drzewami majaczyły w oddali wieżyczki internatu.

– Pewnie wróciła do domu – powiedziałem. – Musi gdzieś tu mieszkać.

– Nie, to miejsce świeci pustkami. Nikt tutaj nie mieszka.

Marina wskazała fasady budynków wyzierające zza parkanów i murów. Kilka starych, porzuconych magazynów i jakieś domiszcze pożarte przez płomienie kilkadziesiąt lat wcześniej. Dama w czerni rozpłynęła się w powietrzu.

Ruszyliśmy zaułkiem. W kałuży pod naszymi stopami przeglądał się fragment nieba. Deszcz zamazywał nasze odbicia. W głębi drewniana furtka chybotała się poruszana wiatrem. Marina popatrzyła na mnie, nie mówiąc ani słowa. Podeszliśmy ostrożnie pod samą bramę, a ja nieśmiało zajrzałem do środka. Furtka w murze z czerwonej cegły prowadziła do dawnego ogrodu, dziś przypominającego raczej dżunglę. Zza gęstwiny chwastów wyłaniała się porośnięta bluszczem elewacja jakiejś dziwnej budowli. Dopiero po chwili zrozumiałem, że to oranżeria o szklanych ścianach i żelaznym szkielecie. Rośliny szumiały złowrogo niczym wzburzone morze.

– Idź pierwszy – rozkazała Marina.

Zdobyłem się na odwagę i zanurzyłem w chaszcze. Marina bez uprzedzenia wzięła mnie za rękę i szła za mną. Poczułem, że stopy grzęzną mi w zalegającym na ziemi gruzie. Przez głowę przemknął mi obraz wijącej się gromady czarnych węży o szkarłatnych oczach. Przedarliśmy się przez te nastroszone kolcami krzaki, które raniły nam skórę, i stanęliśmy na pustym terenie przed oranżerią. Marina zwolniła moją dłoń i zaczęła się przyglądać posępnej budowli. Bluszcz oplatał mury niczym pajęcza sieć, nadając oranżerii wygląd pałacu wyrosłego na dnie mokradeł.

– Obawiam się, że wyprowadziła nas w pole – stwierdziłem. – To miejsce od lat nietknięte ludzką stopą.

Marina niechętnie przyznała mi rację. Obrzuciła oranżerię ostatnim, zdradzającym rozczarowanie spojrzeniem. Porażkę łatwiej przełknąć w milczeniu, pomyślałem.

– Chodź, nic tu po nas – powiedziałem, podając jej rękę w nadziei, że znów zechce skorzystać z mojej pomocy w drodze powrotnej przez gęstwinę.

Marina jednak zignorowała mój gest i zmarszczywszy brwi, zaczęła okrążać oranżerię. Westchnąłem i bez przekonania ruszyłem za nią. Ta dziewczyna była uparta jak osioł.

– Marina – wymamrotałem. – Tu nic…

Stała teraz z tyłu budowli, przed czymś, co przypominało wejście. Popatrzyła na mnie, po czym uniosła dłoń, by zetrzeć warstwę osiadłego na szkle brudu. Kryła się pod nim jakaś inskrypcja. Rozpoznałem tego samego motyla, którego widzieliśmy na anonimowym grobie cmentarza w dzielnicy Sarriá. Marina oparła się o drzwi, które powoli ustąpiły. Poczułem na twarzy zgniłe i słodkawe tchnienie dobywające się z wnętrza. Był to smród bagien i zatrutych stawów. Głuchy na podszepty resztek zdrowego rozsądku, jakie mi jeszcze pozostały, zanurzyłem się w mroku.

5

Mroczne pomieszczenie przesycone było mdlącym zapachem perfum i zbutwiałego drewna. Z mokrej ziemi unosiła się wilgoć. Pod szklaną kopułą tańczyły mgliste spirale. W ciemnościach zbierały się niewidoczne krople. Usłyszeliśmy jakiś dziwny dźwięk, metaliczne stukanie, jakby od poruszanej wiatrem żaluzji.

Marina powoli szła przed siebie. Było gorąco i duszno. Poczułem, że ubranie przykleja mi się do ciała, czoło miałem zwilgotniałe od potu. Odwróciłem się do Mariny i zobaczyłem w słabiutkim świetle, że i jej ta tropikalna atmosfera daje się we znaki. Dziwne odgłosy, jakby nie z tego świata, nie ustawały. Wydawały się dobiegać ze wszystkich stron naraz.

– Co to jest? – spytała Marina. W jej głosie wyczułem strach.

Wzruszyłem ramionami. Zanurzaliśmy się coraz głębiej w oranżerii. Stanęliśmy w miejscu, gdzie skupione były sączące się z sufitu smugi światła. Marina chciała coś powiedzieć, kiedy usłyszeliśmy znów ów złowieszczy stukot. Tym razem rozlegał się bardzo blisko. Jakieś dwa metry od nas. Ponad naszymi głowami. Bez słowa spojrzeliśmy po sobie i unieśliśmy wzrok w kierunku mroku pod sklepieniem oranżerii. Poczułem, jak dłoń Mariny z całej siły zaciska się na mojej. Drżała. Drżeliśmy oboje.

Byliśmy otoczeni. Wisiały nad nami niezliczone kanciaste postacie. Naliczyłem ich przynajmniej tuzin, może więcej. Nogi, ręce, dłonie, błyszczące w ciemnościach oczy. Pod sufitem kołysała się chmara bezwładnych ciał, przywodzących na myśl marionetki z piekielnych czeluści. Obijały się o siebie, wydając ten metaliczny odgłos. Cofnęliśmy się o krok, i zanim zdążyliśmy pojąć, co się właściwie stało, Marina zawadziła stopą o dźwignię wprawiającą w ruch system żurawi. Dźwignia ustąpiła. W ciągu ułamka sekundy ów legion zastygłych w bezruchu postaci runął w przepaść. Skoczyłem, by osłonić Marinę, oboje zwaliliśmy się na podłogę. Usłyszałem echo gwałtownego szarpnięcia, które wprawiło w drgania starą konstrukcję budowli. Przestraszyłem się, że szklany sufit rozsypie się na tysiąc kawałków i runie lawiną przezroczystych ostrzy, by nas pogrzebać na zawsze. W tej samej chwili poczułem na karku zimny dotyk. Czyjeś palce.

Uniosłem głowę. Zobaczyłem uśmiechającą się do mnie twarz. Niewidzące żółte oczy błyszczały bez życia. Zrozumiałem, że są ze szkła, a twarz z lakierowanego drewna. Usłyszałem stłumiony okrzyk Mariny, tuż obok mnie.

– To manekiny – wydusiłem, z trudem łapiąc oddech.

Wstaliśmy, by przyjrzeć się im dokładniej. Mieliśmy przed sobą kukły, wykonane z drewna, metalu i ceramiki. Wisiały na setkach kabli i żurawi tworzących skomplikowaną teatralną maszynerię, którą niechcący wprawiła w ruch Marina, naciskając dźwignię. Manekiny zatrzymały się kilkanaście centymetrów nad ziemią. Kołysały się teraz w makabrycznym tańcu wisielców.

– Co to, do licha…? – wyjąkała Marina.

Nie mogłem oderwać wzroku od tych niezwykłych kukieł. Rozpoznałem postać maga, policjanta, tancerki, wielkiej damy w purpurowej sukni, jarmarcznego osiłka… Wszystkie były naturalnej wielkości, przyodziane w fantazyjne kreacje z balu przebierańców, które czas zmienił w łachmany. Łączyła je jakaś szczególna właściwość niepozostawiająca cienia wątpliwości co do ich wspólnego pochodzenia.

– Są niedokończone – zawyrokowałem.

Marina w mig pojęła, co mam na myśli. Każdej z tych postaci czegoś brakowało. Policjant nie miał rąk. Tancerka oczu, zamiast których straszyły puste oczodoły. Magowi brakowało ust i dłoni… Wpatrywaliśmy się w kukły chybocące się w widmowym świetle. Marina podeszła do tancerki, by przyjrzeć się jej z bliska. Pokazała mi niewielki znak na jej czole, tuż pod linią włosów zaczesanych jak u lalki. Po raz kolejny rozpoznałem symbol czarnego motyla. Marina wyciągnęła rękę, dotknęła włosów i odskoczyła jak oparzona. Na jej twarzy malował się wyraz obrzydzenia.

– Te włosy… są prawdziwe – powiedziała.

– Niemożliwe.

Zaczęliśmy oglądać upiorne kukły jedną po drugiej i znaleźliśmy ten sam symbol na każdej z nich. Nacisnąłem na dźwignię. Tym razem sceniczna machina podźwignęła figury do sufitu. Wznosiły się do góry niczym mechaniczne dusze podążające na spotkanie ze swoim stwórcą.

– Tutaj chyba coś jest – usłyszałem z tyłu głos Mariny. Odwróciłem się i zobaczyłem, że wskazuje kąt oranżerii, gdzie majaczyło stare biurko. Zalegała na nim niezbyt gruba warstwa kurzu. Po blacie biegł pająk, zostawiając maleńkie ślady. Ukląkłem i zdmuchnąłem kurz. Z biurka uniosła się szara chmura. Zauważyłem otwarty w połowie oprawny w skórę tom. Pod wklejoną do albumu starą fotografią w kolorze sepii starannie wykaligrafowany podpis głosił: „Arles, 1903". Zdjęcie przedstawiało syjamskie bliźniaczki połączone klatką piersiową. Ubrane w odświętne stroje patrzyły w obiektyw z najsmutniejszym uśmiechem, jaki kiedykolwiek widziałem.

Marina przewróciła kilka stron. Był to najzwyklejszy w świecie album, tyle że stary. Za to wklejone zdjęcia nie były wcale zwykłe. Portret syjamskich bliźniaczek dawał wyobrażenie o zawartości albumu. Marina przewracała stronę za stroną, przyglądając się zdjęciom z mieszaniną fascynacji i odrazy. Spojrzałem na nie i poczułem, jak ciarki przebiegają mi po plecach.

– Wybryki natury… – wyszeptała Marina. – Zdeformowane istoty, dawniej oddawane do cyrków…

Widok tych fotografii przejął mnie pełnym zmieszania niepokojem. Ciemna strona natury ukazywała na nich swe monstrualne oblicze. Niewinne dusze uwięzione w przeraźliwie zniekształconych ciałach. Przez kilka minut wertowaliśmy album w milczeniu. Z każdej jego strony spoglądały na nas – nie da się tego inaczej określić – stwory rodem z sennego koszmaru. Fizyczne upośledzenie nie przyćmiewało jednak czających się w ich spojrzeniach rozpaczy, lęku i samotności.

– Mój Boże – wyszeptała Marina.

Wszystkie zdjęcia były podpisane, wymieniony był rok i miejsce, gdzie zostały zrobione: Buenos Aires 1893. Bombaj 1911. Turyn 1930. Praga 1933... Nie mogłem w żaden sposób pojąć, kto i po co skompletował podobny zbiór. Kolekcję pocztówek z piekła. W końcu Marina uznała, że ma dosyć, i zniknęła w półmroku. Spróbowałem pójść w jej ślady, nie udało mi się wszakże uwolnić od bijących z tych obrazów bólu i zgrozy. Choćby przyszło mi żyć tysiąc lat, nigdy nie zapomniałbym spojrzenia żadnej z owych istot. Zamknąłem album i poszukałem wzrokiem Mariny. Usłyszałem jej westchnienie i poczułem się bezradny; nie wiedziałem, co mógłbym zrobić, jakie słowa wypowiedzieć. Coś w fotografiach wstrząsnęło nią do głębi.

– Wszystko w porządku? – spytałem.

Marina przytaknęła w milczeniu. Oczy miała przymknięte. Nagle w oranżerii rozległ się jakiś dźwięk. Próbowałem wypatrzyć jego źródło w spowijających nas zasłonach mroku. Ponownie usłyszałem ten sam, trudny do opisania odgłos, złowrogi, przerażający. Poczułem wówczas wciskający się wszędzie mdlący zapach, zapach zgnilizny. Unosił się w powietrzu niczym oddech dzikiej bestii. Byłem pewien, że nie jesteśmy sami. Ktoś czaił się w ciemnościach. Obserwował nas. Skamieniała ze strachu Marina starała się przebić wzrokiem wszechobecną czerń. Wziąłem ją za rękę i poprowadziłem ku wyjściu.

6

O puściliśmy oranżerię.
Przelotny deszczyk zostawił na ulicach warstwę płynnego srebra. Była pierwsza. Przez całą drogę powrotną nie zamieniliśmy ani słowa. W domu Mariny Germán czekał na nas z obiadem.

– Tylko nie wspominaj o tym wszystkim Germánowi – poprosiła Marina.

– Bądź spokojna.

Uświadomiłem sobie, że sam nie potrafiłbym wytłumaczyć, co się właściwie wydarzyło. Upłynęło pół godziny, od kiedy wyszliśmy na ulicę, i przez ten czas wspomnienie makabrycznych fotografii i ponurej oranżerii zdążyło się rozproszyć. Dotarłszy na plac Sarriá, zauważyłem, że Marina z trudem oddycha.

– Dobrze się czujesz? – spytałem.

Przytaknęła bez przekonania. Usiedliśmy na jednej z ławek na placu. Marina przymknęła oczy i kilka razy zaczerpnęła głęboko powietrza. Stadko gołębi kręciło się u naszych stóp. Przez moment przestraszyłem się, że Marina zemdleje. Wtedy otworzyła oczy i uśmiechnęła się do mnie.

– Nie bój się. Tylko zrobiło mi się niedobrze. To pewnie przez ten zapach.

– Możliwe. To było jakieś martwe zwierzę. Może szczur…

Marina przytaknęła. Po chwili jej policzki ponownie się zaróżowiły.

– Powinnam koniecznie coś zjeść. Chodźmy. Germán pewnie się niecierpliwi.

Wstaliśmy i skierowaliśmy się w stronę jej domu. Kafka czekał na nas przy bramie. Spojrzał na mnie z pogardą, po czym podbiegł do Mariny i zaczął ocierać się o jej kostki. Rozważałem w duszy korzyści płynące z bycia kotem, kiedy z gramofonu Germána dobiegł ów niebiański głos. Muzyka zalała ogród niczym wysoka fala.

– Co to za muzyka?

– Léo Delibes.

– Nie znam.

– Delibes. Francuski kompozytor – wyjaśniła Marina, spostrzegłszy moją całkowitą ignorancję. – W szkole w ogóle czegoś was uczą?

Rozłożyłem ręce.

– To fragment jednej z jego oper. *Lakmé*.

– A kto śpiewa?

– Moja matka.

Nie bardzo wiedziałem, jak zareagować.

– Twoja matka jest śpiewaczką operową?

Marina spojrzała na mnie swym nieprzeniknionym wzrokiem.

– Była – odpowiedziała. – Umarła.

Germán czekał na nas w sporym owalnym pomieszczeniu, które przypuszczalnie pełniło funkcję głównego salonu. Pod sufitem wisiał kryształowy żyrandol. Ojciec Mariny ubrany był właściwie wizytowo, w garnitur z kamizelką. Srebrzystą grzywę włosów miał starannie zaczesaną do tyłu. Odniosłem wrażenie, że stoję twarzą w twarz z salonowym bywalcem z końca dziewiętnastego wieku. Usiedliśmy przy stole nakrytym lnianym obrusem, na którym rozłożono srebrne sztućce.

– Jesteśmy niezwykle zaszczyceni, mogąc pana gościć, panie Óscarze… – powiedział Germán. – Nie w każdą niedzielę możemy liczyć na tak miłe towarzystwo.

W starej, niewątpliwie rodowej porcelanie podano smakowicie pachnącą zupę. Do tego pieczywo i nic więcej. Gdy Germán nalewał mi zupę, uświadomiłem sobie, że to tylko i wyłącznie ja byłem powodem tej świątecznej oprawy. Przy srebrnych sztućcach, muzealnej zastawie i niedzielnej ceremonialności w tym domu nie było pieniędzy na drugie danie. Nie starczało nawet na prąd. Cały dom oświetlany był świecami. Germán zdawał się czytać w moich myślach.

– Pewnie zdołał pan zauważyć brak elektryczności w naszym domu. Trzeba przyznać, że dość sceptycznie odnosimy się do wynalazków współczesnej nauki. Cóż bowiem warta jest nauka, która potrafi zaprowadzić człowieka na Księżyc, nie potrafi zaś sprawić, by nikomu nie zabrakło chleba?

– Może problem nie tkwi w samej nauce, ale w tych, którzy decydują o jej zastosowaniu – zauważyłem nieśmiało.

Germán zastanowił się chwilę nad moją opinią i z powagą przytaknął, nie wiem – z czystej kurtuazji czy z przekonania.

– Odnoszę wrażenie, że nie stroni pan od filozofii, panie Óscarze. Czytał pan Schopenhauera?

Poczułem na sobie wzrok Mariny sugerujący, bym nie odpowiadał jej ojcu zbyt pochopnie.

– Tylko pobieżnie – odparłem po chwili namysłu.

Zjedliśmy zupę w milczeniu. Germán od czasu do czasu uśmiechał się do mnie uprzejmie i z czułością patrzył na córkę. Coś mi mówiło, że Marina nie ma zbyt wielu przyjaciół i Germán życzliwie przyjmował moją obecność, pomimo iż nie bardzo potrafiłem odróżnić Schopenhauera od marki obuwia ortopedycznego.

– Panie Óscarze, a co tam słychać w świecie?

Przestraszyłem się nie na żarty tonem, jakim wygłosił to pytanie. Gdybym teraz poinformował mego rozmówcę, że druga wojna światowa już się skończyła, zapewne doznałby szoku.

– Nic takiego, szczerze mówiąc – powiedziałem. Marina nie spuszczała ze mnie czujnego wzroku. – Zbliżają się wybory...

Ostatnie słowa wzbudziły zainteresowanie Germána. Łyżka zastygła w jego dłoni.

– A pan, panie Óscarze, jakich jest przekonań. Prawicowych czy lewicowych?

– Óscar jest akratą, ojcze – ubiegła mnie Marina.

Kawałek chleba utknął mi w gardle. Nie miałem pojęcia, co oznaczało to słowo; brzmiało jak anarchista na rowerze. Germán, zaintrygowany, przyjrzał mi się uważnie.

– Młodzieńczy idealizm... – wymamrotał. – Ja pana rozumiem. Kiedy miałem tyle lat co pan, sam czytałem Bakunina. To jak odra: każdy musi przez to przejść...

Posłałem mordercze spojrzenie Marinie, która się oblizała jak kot. Mrugnęła do mnie i odwróciła wzrok. Germán obserwował mnie z dobrodusznym zainteresowaniem. Przytaknąłem grzecznie jego słowom i uniosłem łyżkę do ust. Miałem nadzieję, że w ten sposób nie będę się musiał przynajmniej odzywać i uniknę kolejnej gafy. Jedliśmy w milczeniu. Po chwili zauważyłem, że siedzący naprzeciwko Germán przysypia. Kiedy w końcu łyżka wysunęła mu się z rąk, Marina wstała i bez słowa poluzowała srebrną jedwabną muszkę ojca. Germán westchnął. Jedna z jego dłoni zaczęła lekko drżeć. Marina wzięła ojca pod ramię i pomogła mu wstać. Pokonany przez senność Germán uśmiechnął się do mnie blado, trochę zawstydzony. Zdawało mi się, że w jednej chwili postarzał się o piętnaście lat.

– Proszę mi wybaczyć, panie Óscarze... – powiedział słabym głosem. – Już nie te lata...

Wstałem z krzesła, patrząc pytająco na Marinę. Chciałem jej pomóc, ona jednak poprosiła, bym został w salonie. Germán wsparł się na jej ramieniu i oboje wyszli.

– Było mi niezwykle miło pana poznać, panie Óscarze – z pogrążonego w półmroku korytarza dobiegł mnie zmęczony głos Germána. – Niech pan nie omieszka jeszcze do nas zajrzeć...

Usłyszałem odgłosy kroków zanikających w głębi domu. Potem przez niemal pół godziny czekałem przy świetle świec na powrót Mariny. Stopniowo zacząłem się poddawać panującej w domu atmosferze. W końcu nabrałem pewności, że Marina nie wróci, i zaniepokoiłem się. Nie wiedziałem, czy powinienem myszkować po domu bez zaproszenia. Pomyślałem, że zostawię wiadomość, ale nie miałem nic do pisania. Zapadał już zmrok, zdecydowałem więc, że lepiej będzie, jeśli sobie pójdę. Wrócę następnego dnia po lekcjach, żeby sprawdzić, czy wszystko w porządku. Z niejakim zdziwieniem uświadomiłem sobie, że rozstałem się z Mariną zaledwie pół godziny temu, a już szukałem wymówek, by zobaczyć ją znowu. Kuchennymi drzwiami wyszedłem do ogrodu. Nad miastem gasło powoli zachmurzone niebo.

Kiedy niespiesznym krokiem zmierzałem w stronę internatu, przez głowę przemykały mi obrazy tego, co się wydarzyło. Wchodząc po schodach do sypialni na czwartym piętrze, byłem już pewien, że miałem za sobą najdziwniejszy dzień w całym moim życiu. Gdyby jednak dane mi było móc przeżyć go jeszcze raz, nie zawahałbym się ani chwili.

7

Wnocy śniło mi się, że jestem uwięziony w ogromnym kalejdoskopie. Kręcił nim, przytykając oko do szkiełka, jakiś diaboliczny stwór. Świat rozpryskiwał się w pułapki otaczających mnie optycznych miraży. Owady. Czarne motyle. Przebudziłem się gwałtownie. Czułem się, jakby w moich żyłach płynęła wrząca kawa. Gorączkowe zdenerwowanie nie opuszczało mnie przez cały dzień. Poniedziałkowe lekcje mijały jak pociągi niezatrzymujące się na mojej stacji. JF natychmiast to zauważył.

– Zazwyczaj bujasz w obłokach, to twój stan naturalny – orzekł – ale dzisiaj najwyraźniej opuszczasz atmosferę ziemską. Chory jesteś?

Uspokoiłem go machnięciem ręki. Spojrzałem na wiszący nad tablicą zegar. Wpół do czwartej. Za niespełna dwie godziny skończą się lekcje. Cała wieczność. Strużki deszczu zsuwały się bezradnie po szybach.

Gdy tylko rozległ się dzwonek, wybiegłem z klasy jak oparzony, zostawiając JF bez nadziei na nasz zwykły spacer po realnym świecie. Przemknąłem przez niekończące się korytarze. Ogrody i fontanny przy bramie głównej całkiem zniknęły w strugach ulewy. Nie miałem parasola, nawet peleryny. Niebo przypominało ciężką ołowianą płytę. Latarnie paliły się jak zapałki.

Pognałem przed siebie. Przeskakując kałuże i rwące potoki wpadające do studzienek, dotarłem do bramy. Ulicą płynęły strugi wody jak krew z rozciętej tętnicy. Przemoczony do szpiku kości, biegłem wąskimi i cichymi uliczkami. Gonił mnie wściekły gulgot studzienek ściekowych. Miasto zdawało się tonąć w czarnym oceanie. Po dziesięciu minutach znalazłem się przy ogrodzeniu domu Mariny i Germána. Byłem kompletnie mokry. Szara kurtyna zmierzchu powoli zasnuwała widnokrąg. Zdało mi się, że za plecami, u wylotu uliczki, słyszę jakiś trzask. Odwróciłem się wystraszony. Odnosiłem wrażenie, że ktoś mnie śledzi. Nikogo tam jednak nie było. Deszcz jedynie przygważdżał kałuże do ziemi.

Wślizgnąłem się za ogrodzenie. Błyskawice co chwila oświetlały mi drogę. Przed domem przywitały mnie cheruby z fontanny. Trzęsąc się z zimna, dotarłem do kuchennych drzwi. Były otwarte. Wszedłem. Dom tonął w ciemnościach. Przypomniałem sobie słowa Germána o braku prądu.

Do głowy mi dotąd nie przyszło, że właściwie nikt mnie tutaj nie zapraszał. Po raz drugi zakradałem się do tego domu, nie bardzo wiedząc po co. Pomyślałem, że powinienem odejść, ale na zewnątrz szalała burza. Westchnąłem. Ręce miałem zgrabiałe, niemal straciłem czucie w palcach. Zaniosłem się kaszlem, waliło mi w skroniach. Oblepiało mnie lodowate ubranie. Królestwo za ręcznik, pomyślałem.

– Marina? – zawołałem.

Echo mojego głosu zgubiło się w zakamarkach domu. Uświadomiłem sobie, że otaczają mnie egipskie ciemności. Jedynie wpadające przez szyby blaski błyskawic pozwalały na chwile ulotnej jasności.

– Marina? – zawołałem raz jeszcze. – To ja, Óscar...

Ostrożnie zacząłem się posuwać w głąb domu. Moje przemoczone buty chlupotały. Zatrzymałem się w salonie, w którym poprzedniego dnia jedliśmy obiad. Na stole nic nie leżało; obok stały krzesła.

– Marina? Germán?

Nikt nie odpowiadał. W poświacie kolejnego błysku dostrzegłem na stoliku pod ścianą świecznik i pudełko zapałek. Dopiero za piątym razem udało mi się zziębniętymi, pozbawionymi czucia palcami zapalić świeczkę.

Uniosłem świecznik. Płomień drżał. Niezwykły poblask zalał pomieszczenie. Wszedłem do korytarza, którym wczoraj odeszli Germán i Marina.

Prowadził on do kolejnego salonu, również ukoronowanego kryształowym żyrandolem. Jego łezki świeciły w półmroku niczym małe diamentowe karuzele. Do domu wpadały przez szyby ukośne cienie, rzucane przez błyskawice. Stare meble i fotele okryte były białymi prześcieradłami. Na piętro prowadziły marmurowe schody. Podszedłem do nich, cały czas czując się nieproszonym gościem. Na górze zaświeciła para żółtych oczu. Usłyszałem miauczenie. Kafka. Odetchnąłem z ulgą. Chwilę później kot odwrócił się i zniknął w mroku. Rozejrzałem się wokół. Na zakurzonej podłodze widniały ślady moich stóp.

– Jest tam kto? – zawołałem raz jeszcze. Nikt nie odpowiadał.

Spróbowałem wyobrazić sobie, jak lata temu, w okresie swej świetności, mógł wyglądać ów ogromny salon podczas wytwornego balu. Orkiestra i tłum tańczących par. Teraz sprawiał wrażenie zatopionego statku. Na ścianach wisiały dziesiątki obrazów olejnych. Przeróżne portrety tej samej kobiety. Rozpoznałem ją. To była ta sama kobieta co na obrazie, który ujrzałem w nocy, gdy zakradłem się tu po raz pierwszy. Precyzja i magia rysunku, jasność bijąca z tych płócien sprawiały wrażenie, jakby pochodziły nie z tego świata. Zastanawiałem się, kto mógł być twórcą tych obrazów. Nawet ja potrafiłem zauważyć, że wszystkie wyszły spod tego samego pędzla. Piękna pani zdawała się spoglądać na mnie z każdej strony. Nietrudno było zauważyć uderzające podobieństwo Mariny do niej. Takie same usta w bladej, niemal przezroczystej twarzy. Taka sama kibić, wysmukła i delikatna niczym porcelanowej figurki. Takie same popielate, smutne, głębokie oczy. Poczułem, jak coś ociera mi się o nogę. Kafka mruczał u moich stóp. Nachyliłem się i pogłaskałem jego srebrzyste futerko.

– A gdzie jest twoja pani?

Miauknął jedynie w odpowiedzi. Nikogo tu nie było. Dochodził mnie tylko miarowy stukot spadających na dach kropli deszczu. Tysiące wodnych pajęczyn oplatało poddasze. Uznałem, że Marina i Germán z przyczyn, których trudno było dociec, poczuli się zmuszeni wyjść. Tak czy owak, nie miałem najmniejszego pojęcia, gdzie się mogli udać. Pogłaskałem Kafkę i uznałem, że powinienem opuścić dom, zanim wrócą.

– O jednego z nas jest tu za dużo – szepnąłem do Kafki. – I bynajmniej nie ciebie mam na myśli.

Nagle włosy na grzbiecie kota zjeżyły się niczym kolce. Poczułem pod palcami jego mięśnie naprężające się jak stalowe liny. Kafka wydał pełne paniki miauknięcie. Zastanawiałem się, co mogło aż tak przerazić zwierzę, kiedy sam to poczułem. Ów zapach. Unoszący się w oranżerii odór padliny. Zebrało mi się na mdłości.

Uniosłem wzrok. Kurtyna deszczu przesłaniała okno w salonie. Ledwo mogłem dojrzeć rozmyte sylwetki aniołów przy fontannie. Instynkt mi podpowiadał, że coś jest nie tak. Pośród posągów ktoś stał. Zbliżyłem się do okna. Jedna z postaci odwróciła się. Zatrzymałem się, skamieniały. Nie mogłem rozpoznać rysów; widać było jedynie ciemny zarys sylwetki owiniętej w płaszcz. Byłem pewny, że dziwna postać mnie obserwuje i wie, że ja też ją obserwuję. Trwałem tak, nieruchomo, przez niekończącą się chwilę. Potem postać zniknęła w ciemnościach. Kiedy nad ogrodem rozbłysła błyskawica, już jej nie było. Dopiero po jakimś czasie zdałem sobie sprawę, że ustąpił również cuchnący zapach.

Jedyne, co przyszło mi do głowy, to siąść i czekać na powrót Germána i Mariny. Nie bardzo uśmiechało mi się wyjście na dwór. I pal licho burzę, bo to nie ona mnie hamowała. Padłem na ogromną kanapę. Szum deszczu i mętne światło w salonie zaczynały mnie usypiać. Z letargu wyrwało mnie skrzypnięcie drzwi wejściowych i zbliżające się kroki. Natychmiast się ocknąłem i serce mi zamarło. W korytarzu rozległy się głosy. Zobaczyłem blask świecy. Kafka wystartował w tamtą stronę dokładnie w momencie, w którym Germán i jego córka wchodzili do salonu. Marina wbiła we mnie lodowate spojrzenie.

– A ty co tu robisz?

Wybełkotałem coś bez ładu i składu. Germán uśmiechnął się do mnie z sympatią i przyjrzał mi się ciekawie.

– Na miłość boską, panie Óscarze. Jest pan cały mokry! Marina, szybko czyste ręczniki dla pana Óscara... Proszę, rozpalimy ogień w kominku, bo dziś pogoda pod psem...

Usiadłem przed kominkiem z podanym przez Marinę dużym kubkiem gorącego bulionu. Zrelacjonowałem chaotycznie przyczyny swojej obecności, nie wspominając słowem o sylwetce w oknie i okropnym fetorze. Germán uznał moje wyjaśnienia za całkowicie zadowalające i nawet nie okazał, by w jakimkolwiek stopniu poczuł się obrażony moim bezczelnym najściem, wprost przeciwnie. Co innego Marina. Jej wzrok parzył mnie. Zacząłem się obawiać, że moje ciągłe głupie zakradanie się do ich domu zniszczy naszą przyjaźń. Choć siedzieliśmy przed kominkiem już od półgodziny, ani razu nie otworzyła ust. Kiedy Germán przeprosił i odszedł, życząc dobrej nocy, uznałem, że zaraz dawna przyjaciółka przepędzi mnie z domu, zaznaczając, bym więcej nie wracał.

Zaraz się zacznie, pomyślałem. Pocałunek śmierci. Wreszcie Marina uśmiechnęła się, sarkastycznie.

– Wyglądasz jak spłoszona kaczka – powiedziała.

– Dziękuję – odparłem, spodziewając się czegoś gorszego.

– Powiesz mi wreszcie, co tu, u diabła, robisz?

Jej oczy lśniły w blasku ognia. Dopiłem resztkę bulionu i spuściłem głowę.

– Prawdę mówiąc, nie mam pojęcia – zacząłem. – Wydaje mi się, że... że sam nie wiem...

Niewątpliwie mój żałosny wygląd pomógł mi, bo Marina przysunęła się do mnie i klepnęła po dłoni.

– Spójrz na mnie – rozkazała.

Posłusznie uniosłem wzrok. W przyglądających mi się oczach litość mieszała się z sympatią.

– Nie jestem na ciebie zła, słyszysz? – powiedziała. – Po prostu poczułam się zaskoczona, widząc cię tu, tak bez zapowiedzi. W każdy poniedziałek chodzę z Germánem do lekarza, do szpitala San Pablo, dlatego nie było nas w domu. To nie jest najlepszy dzień do składania wizyt.

Zrobiło mi się głupio.

– To się więcej nie powtórzy – przyrzekłem.

Już miałem zamiar opowiedzieć jej o dziwnym widziadle, które chyba zobaczyłem, kiedy Marina zaśmiała się delikatnie i zbliżyła twarz, by pocałować mnie w policzek. Muśnięcie jej ust wystarczyło, by ubranie na mnie natychmiast wyschło. Słowa ugrzęzły mi w gardle, a język stanął kołkiem. Mój niemy bełkot nie uszedł jej uwadze.

– Co jest? – zapytała.

Popatrzyłem na nią w milczeniu i pokręciłem głową.

– Nic.

Ściągnęła brwi, jakby mi nie wierzyła, ale przestała indagować.

– Jeszcze trochę bulionu? – zapytała, wstając.

– Tak, poproszę.

Wzięła kubek z moich rąk i poszła do kuchni. Zostałem przy kominku, przyglądając się, zafascynowany, wiszącym wszędzie portretom damy. Kiedy Marina wróciła, podążyła za moim wzrokiem.

– Ta kobieta na wszystkich portretach to... – zacząłem.

– To moja matka – odrzekła Marina.

Poczułem, że wkraczam na śliski teren.

– Nigdy nie widziałem takich obrazów. One są jak... jak... fotografie duszy.

Marina przytaknęła bez słowa.

– To pewnie portrety pędzla jakiegoś sławnego artysty – ciągnąłem. – Nigdy czegoś podobnego nie widziałem, naprawdę.

Marina chwilę wahała się z odpowiedzią.

– I nie zobaczysz. Autor tych obrazów od niemal szesnastu lat nic nie namalował. Ten cykl portretów to jego ostatnie dzieło.

– Musiał bardzo dobrze znać twoją matkę, żeby malować ją w taki sposób – stwierdziłem.

Marina zatrzymała na mnie wzrok na dłużej. To było spojrzenie uchwycone w portretach.

– Jak nikt – odparła. – Ożenił się z nią.

8

*T*amtej nocy przy ko-
minku Marina opowiedziała mi historię Germána i pałacyku na Sarriá. Germán Blau przyszedł na świat w za-
możnej rodzinie należącej do katalońskiej burżuazji,
która przeżywała wówczas dni swojej świetności. Dynas-
tia Blau poszczycić się mogła lożą w teatrze Liceo, kolo-
nią przemysłową na nabrzeżu rzeki Segre i niejednym
skandalem, stanowiącym doskonałą pożywkę dla plote-
czek, od których aż huczało w najwyższych sferach Barcelony. Mówiło się między innymi, że mały Germán nie
był wcale synem patriarchy Blau, lecz owocem związku
swojej matki Diany z człowiekiem imieniem Quim Salvat, postacią niezwykle barwną. Salvat był libertynem,
portrecistą i zawodowym satyrem – w tej właśnie kolejności. Z upodobaniem budził zgorszenie wśród przedsta-
wicieli znamienitych rodów, co mu nie przeszkadzało
uwieczniać na płótnach ich fizjonomii i pobierać za to
astronomicznych honorariów. Nie wiadomo, ile prawdy
było w owych plotkach, jedno wszakże nie ulegało wątpliwości: Germán ani fizycznie, ani z charakteru nie przypominał żadnego ze swoich krewnych. Interesował się
tylko rysunkiem i malarstwem, co oczywiście wszystkim,

a szczególnie jego oficjalnemu ojcu, wydawało się nader podejrzane.

W dniu siedemnastych urodzin Germána ojciec obwieścił, że w rodzinie nie ma miejsca dla darmozjadów i niebieskich ptaków. Oświadczył, iż jeśli syn będzie dalej uparcie trwał w pragnieniu bycia „artystą", znajdzie mu pracę w fabryce przy taśmie, w kamieniołomie, pośle w kamasze albo odda pod skrzydła jakiejkolwiek instytucji zdolnej zrobić z niego prawdziwego mężczyznę. Wobec takich perspektyw Germán postanowił uciec z domu; dwadzieścia cztery godziny później przyprowadzono go z powrotem na łono rodziny, w policyjnej obstawie.

Ojciec Germána, zdesperowany i rozczarowany postawą swego pierworodnego potomka, zdecydował się ulokować nadzieje w drugim z synów, Gasparze, bardzo zainteresowanym branżą tekstylną i gotowym kontynuować rodzinne tradycje. Lękając się o przyszłość Germána, stary Blau zapisał mu pałacyk na Sarriá, wówczas już nieco opuszczony. „Chociaż wszystkim nam przynosisz wstyd, nie po to harowałem przez całe życie jak wół, aby mój syn się znalazł na ulicy", powiedział. Posiadłością, która swego czasu była ulubionym miejscem spotkań śmietanki towarzyskiej, nikt się już nie zajmował. Uznano ją za przeklętą. Szeptano między innymi, że tu właśnie odbywały się sekretne schadzki Diany i libertyna Salvata. W ten oto sposób, ironicznym zrządzeniem losu, Germán został właścicielem pałacyku. Niedługo później, dzięki potajemnemu wstawiennictwu matki, Germán stał się uczniem samego Quima Salvata. Przy pierwszym spotkaniu Salvat spojrzał mu głęboko w oczy i rzekł:

– Po pierwsze, nie jestem twoim ojcem, a twoją matkę znam tylko z widzenia. Po drugie, nieodłącznymi składnikami życia artysty są: ryzyko, niepewność jutra i prawie zawsze ubóstwo. Takiego życia się nie wybiera, raczej ono wybiera ciebie. Jeśli masz jakiekolwiek wątpliwości dotyczące któregoś z tych punktów, lepiej będzie, jeśli od razu sobie pójdziesz.

Germán został.

Lata spędzone w pracowni Salvata oznaczały dla Germána wejście w zupełnie nowy świat. Po raz pierwszy ktoś rozpoznał w nim talent i uwierzył, że może stać się kimś więcej niż tylko mizerną kopią ojca. Germán był teraz innym człowiekiem. Przez pierwsze pół roku terminowania u swego mistrza nauczył się więcej niż przez całe swoje dotychczasowe życie.

Salvat był mężczyzną ekstrawaganckim i rozrzutnym, miłośnikiem światowych rozkoszy. Malował wyłącznie w nocy i chociaż się nie odznaczał świetną prezencją – najbardziej przypominał chyba niedźwiedzia – zasłużył na opinię prawdziwego pożeracza niewieścich serc, obdarzonego niezwykłym darem uwodzenia, wykorzystywanym przezeń z większą jeszcze biegłością niż pędzel.

Zniewalającej urody modelki i damy z wyższych sfer zjawiały się w studiu, pragnąc pozować malarzowi, Germán zawsze podejrzewał jednak, że pragnęły czegoś więcej. Salvat znał się na winach, na poezji, umiał snuć opowieści o baśniowych miastach, nieobce mu były tajniki miłosnych akrobacji rodem z Bombaju. Przeżył niezwykle intensywnie swoich czterdzieści siedem lat. Zawsze powtarzał, że ludzie zachowują się tak, jakby byli nieśmiertelni, i to było ich zgubą. Śmiał się z życia i śmiał się ze śmierci, z tego, co boskie, i tego, co ludzkie. Gotował lepiej niż najsłynniejsi kucharze z przewodnika Michelin, a jadł więcej niż wszyscy oni razem wzięci. Przez lata, które spędzili razem, Salvat stał się dla Germána mistrzem i najlepszym przyjacielem. Ojciec Mariny wiedział, że wszystko, co osiągnął jako człowiek i jako malarz, zawdzięcza swojemu mentorowi.

Quim Salvat był jednym z niewielu szczęśliwców, którzy poznali sekret światła. Mawiał, że jest ono jak kapryśna i świadoma swoich wdzięków tancerka. Spod jego pędzla wychodziły cudowne smugi, które rozświetlały płótno i otwierały wrota duszy. Tak przynajmniej głosił tekst w jednym z katalogów jego wystaw.

– Malowanie to pisanie światłem – twierdził Salvat. – Najpierw trzeba poznać alfabet, potem gramatykę. Dopiero wtedy można myśleć o własnym stylu i magii.

Quim Salvat zabierał Germána w liczne podróże. Zwiedzili razem Paryż, Wiedeń, Berlin i Rzym. Germán szybko zrozumiał, że jego mistrz nie tylko znakomicie maluje, ale równie dobrze, a może nawet lepiej, potrafi sprzedawać własną sztukę. I w tym tkwiła tajemnica jego sukcesu.

– Na tysiąc osób, które kupują obraz, może jedna ma pojęcie o tym, co nabyła – tłumaczył malarz z uśmiechem. – Pozostali nie kupują dzieła sztuki, ale artystę, jego nazwisko, to, co o nim usłyszeli, i niemal zawsze to, co sobie na jego temat wyobrazili. Obrazy sprzedaje się tak jak cudowne medykamenty albo miłosne eliksiry, Germánie. Różnica tkwi tylko w cenie.

Wielkie serce Quima Salvata stanęło na zawsze siedemnastego lipca 1938 roku. Niektórzy mówili, że żył zbyt intensywnie. Germán jednak zawsze był zdania, że to groza wojny zabiła w jego mentorze wiarę i chęć życia.

– Mógłbym malować nawet tysiąc lat – wyszeptał Salvat na łożu śmierci – a i tak nie zmieniłbym ani na jotę ludzkiego barbarzyństwa, ignorancji ani bestialskiego okrucieństwa. Piękno to tylko słaby podmuch wobec wichrów rzeczywistości, Germánie. Moja sztuka nie ma sensu. Jest daremna...

Nieskończenie długi szereg jego kochanek, wierzycieli, przyjaciół i kolegów, tuziny znajomych, którym pomógł, nie żądając nic w zamian, opłakiwały go na pogrzebie. Wszyscy mieli poczucie, że od tej pory będą bardziej samotni, że jakieś światło zgasło na zawsze, pozostawiając po sobie dojmującą pustkę.

Salvat zapisał Germánowi w spadku skromniutką kwotę i swoją pracownię. Polecił, by rozdzielił resztę (nie było tego dużo, gdyż Salvat wydawał więcej, niż zarabiał, i nierzadko żył na kredyt) pomiędzy kochanki i przyjaciół. Notariusz odpowiedzialny za egzekucję testamentu wręczył Germánowi list, który napisał Salvat, przeczuwając zbliżający się koniec. List miał zostać otwarty dopiero po śmierci malarza.

Ze łzami w oczach zrozpaczony młodzieniec włóczył się całą noc po mieście. Świt zastał go na falochronie portu. Tam, przy pierwszym brzasku, Germán przeczytał ostatnie słowa swego mistrza.

Kochany Germánie!

Nie powiedziałem Ci tego za życia, gdyż sądziłem, że powinienem poczekać na odpowiedni moment. Teraz jednak boję się, iż kiedy to nastąpi, mnie już przy Tobie nie będzie.

Nigdy, Germánie, nie było mi dane poznać zdolniejszego od Ciebie malarza – to właśnie chcę Ci wyznać. Pewnie jeszcze o tym nie wiesz ani nie możesz tego zrozumieć, ale masz naprawdę niezwykły talent, a moją jedyną zasługą jest to, że go rozpoznałem. Nauczyłem się od Ciebie więcej niż Ty ode mnie, chociaż zapewne nie zdawałeś sobie z tego sprawy. Żałuję, że nie miałeś mistrza, na jakiego zasługujesz, zdolnego pokierować Tobą lepiej niż ja. Germánie, Ty jesteś głosem światła. Nam pozostaje tylko słuchać. Nigdy o tym nie zapominaj. Twój mistrz ogłasza się od dziś Twoim uczniem i pozostaje na zawsze najlepszym przyjacielem.

Salvat

Uciekając od bolesnych wspomnień, Germán tydzień później wyruszył do Paryża. Zaproponowano mu posadę nauczyciela w akademii sztuk pięknych. Przez następne dziesięć lat ani razu nie odwiedził Barcelony.

W Paryżu Germán zaczął zyskiwać uznanie jako portrecista; tam też odkrył nową pasję, która miała nie opuścić go już nigdy – operę. Jego obrazy sprzedawały się coraz lepiej i pewien marszand, znajomy z czasów terminowania u Salvata, zgodził się go reprezentować. Czerpane z tego źródła dochody i profesorska pensja wystarczały Germánowi na skromne, ale godne życie. Zgromadziwszy pewne oszczędności i skorzystawszy z rozlicznych koneksji rektora

68

własnej uczelni, który był na ty z połową Paryża, zdołał zarezerwować sobie miejsce w operze na cały sezon. Nic nadzwyczajnego: amfiteatr, szósty rząd, trochę za bardzo z lewej strony, by widzieć całą scenę. Muzyka wszakże docierała tam równie wspaniała, niezależna od cen biletów i hierarchii miejsc.

Tam zobaczył ją po raz pierwszy. Zdała mu się istotą, która zeszła z obrazu Salvata. Chociaż była niezwykle piękna, nawet jej uroda blakła, kiedy usłyszało się jej głos. Nazywała się Kirsten Auermann, miała dziewiętnaście lat, była wschodzącą gwiazdą światowej opery. Tego samego wieczoru, na przyjęciu organizowanym przez zespół po spektaklu, została przedstawiona Germánowi. Malarz dostał się na nie jako krytyk muzyczny z „Le Monde". Kiedy uścisnął dłoń śpiewaczki, odebrało mu mowę.

– Jak na francuskiego krytyka mówi pan niewiele i słychać u pana obcy akcent – zażartowała Kirsten.

Germán w tym momencie zrozumiał, że zrobi wszystko, by się ożenić z tą kobietą. Miał ochotę uciec się do jednej z uwodzicielskich sztuczek, które podpatrzył u swego mentora. Ale Salvat był jedyny w swoim rodzaju i naśladowanie go nie miało sensu. Tak rozpoczęła się zabawa w kotka i myszkę, co trwało sześć lat, by się zakończyć wreszcie pewnego letniego popołudnia 1946 roku w małej kapliczce w Normandii. W dzień ślubnych uroczystości w powietrzu unosił się jeszcze trupi zapach wojny.

Kirsten i Germán wkrótce potem przyjechali do Barcelony i osiedli w dzielnicy Sarriá. Niezamieszkany od lat pałacyk przypominał co prawda widmowe muzeum, ale optymizm Kirsten i trzy tygodnie gruntownych porządków zrobiły swoje.

W ten oto sposób rozpoczęła się epoka największego splendoru pałacyku na Sarriá. Germán malował bez przerwy, rozpierała go energia, której pochodzenia sam nie potrafił wytłumaczyć. W wyższych sferach zapanowała moda na jego obrazy; już wkrótce posiadanie płótna sygnowanego przez Blaua stało się warunkiem sine qua non przynależności do dobrego towarzystwa. Nagle ojciec malarza zaczął chełpić się publicznie sławą syna. „Zawsze wierzyłem w jego talent", „ sukces miał we krwi, jak wszyscy w naszej rodzinie" i „jestem najdumniejszym ojcem na świecie", powtarzał tak często, że wkrótce sam w to uwierzył. Marszandzi i przedstawiciele galerii, którzy wcześniej nawet nie odpowiadali Germánowi na pozdrowienie, teraz wychodzili ze skóry, by mu się przypodobać. Pośród tego festiwalu próżności i hipokryzji Germán ani na chwilę nie zapomniał, czego nauczył go Salvat.

Kirsten tymczasem robiła zawrotną karierę. W epoce, kiedy zaczęto produkować płyty gramofonowe na siedemdziesiąt osiem obrotów, jej głos był jednym z pierwszych, które utrwalono. W pałacyku na Sarriá nastały lata szczęścia i światła. I nikt nie zauważył gromadzących się na horyzoncie czarnych chmur.

Nikt nie przykładał zbytniej wagi do omdleń i zawrotów głowy Kirsten. Sukces, nieustanne podróże, stres związany z premierami wydawały się to wszystko tłumaczyć. Zbadana przez doktora Cabalisa, usłyszała dwie wiadomości, które zmieniły jej świat na zawsze. Po pierwsze, była w ciąży. Po drugie, nieuleczalna choroba krwi powoli odbierała jej życie. Został jej rok, najwyżej dwa lata.

Tego dnia, opuszczając gabinet lekarski, Kirsten obstalowała w General Rejojera Suiza przy Vía Augusta złoty zegarek z inskrypcją dla Germána. Wyryty napis głosił:

Dla Germána, który jest głosem światła.
K.A.
19-01-1964

Zegarek nieubłaganie odliczał godziny wspólnego życia, które im jeszcze pozostały.

Kirsten musiała porzucić scenę i karierę. Pożegnalna gala odbyła się w barcelońskim Liceo, gdzie wystąpiła z *Lakmé* Delibes'a, jej ulubionego kompozytora. Niezrównany głos Kirsten zabrzmiał tam po raz ostatni. W czasie gdy żona oczekiwała narodzin dziecka, Germán namalował serię jej portretów, przewyższających wszystkie jego dotychczasowe dzieła. Nigdy nie zgodził się sprzedać żadnego z nich.

Dwudziestego szóstego września 1964 roku w pałacyku na Sarriá przyszła na świat jasnowłosa dziewczynka o popielatych oczach, takich jak matki. Rodzice dali jej na imię Marina. Wydawała się żywą podobizną Kirsten i była obdarzona równie promienną twarzą. Kirsten Auermann zmarła sześć miesięcy później w tym samym pokoju, w którym urodziła córkę i spędziła z Germánem najszczęśliwsze chwile swego życia. Mąż czuwał przy niej całą noc, ściskając jej

bladą drżącą dłoń. O świcie zdał sobie sprawę, że jest zupełnie zimna.

Miesiąc po jej śmierci Germán wszedł do swojej pracowni na strychu. Mała Marina bawiła się na podłodze, u jego
stóp. Germán wziął pędzel i stanął przed płótnem. Poczuł,
że oczy zachodzą mu łzami, a pędzel wypada z rąk. Germán Blau nie namalował więcej ani jednego obrazu. Prze-
mawiające przez niego światło umilkło na zawsze.

9

*P*rzez całą jesień odwiedzałem dom Germána i Mariny niemal codziennie. Na lekcjach siedziałem jak na szpilkach, czekając tylko, aż będę mógł się wymknąć do tajemnego zaułka. Tam czekali na mnie moi nowi przyjaciele, oprócz poniedziałków, kiedy to Marina szła z Germánem do szpitala. Piliśmy kawę i gawędziliśmy w pogrążonych w mroku pokojach. Germán zgodził się wprowadzić mnie w świat szachów. Pomimo tych lekcji Marina w pięć, sześć minut dawała mi mata, ale nie traciłem nadziei.

Świat Germána i Mariny niepostrzeżenie stawał się moim światem. Wspomnienia, którymi przesycony był cały dom, przeistaczały się w moje własne. Odkryłem, że Marina nie chodzi do szkoły, żeby móc opiekować się ojcem i nie zostawiać go samego w domu. Powiedziała mi, że Germán nauczył ją pisać, czytać i myśleć.

– Na nic cała geografia, trygonometria i arytmetyka razem wzięte, jeśli nie umiesz samodzielnie myśleć – tłumaczyła się Marina. – W żadnej szkole cię tego nie nauczą. Program tego nie przewiduje.

Ojciec uwrażliwił ją na świat sztuki, historii, przyrody. Książki z zasobnej domowej biblioteki były dla niej wszystkim. Dzięki nim odkrywała nowe lądy, kultury i idee. Pewnego popołudnia pod koniec października usiedliśmy na parapecie okna drugiego piętra, by patrzeć na dalekie światła Tibidabo. Marina zwierzyła mi się, że jej marzeniem jest zostać pisarką. Od dziewiątego roku życia pisała opowiadania i szkice, które trzymała w kufrze. Kiedy zapytałem, czy mógłbym coś z tego przeczytać, popatrzyła na mnie jak na wariata i odparła, że nie ma mowy. To jak szachy – pomyślałem. – Wszystko w swoim czasie.

Bardzo często obserwowałem ich, kiedy zajęci byli tylko sobą, przekomarzając się, czytając czy siedząc naprzeciwko siebie w milczeniu przy szachownicy. Łącząca ich niewidzialna nić, ów zbudowany przez nich osobny, daleki od wszystkiego i wszystkich świat miał dla mnie nieprzeparty urok. Był ułudą, którą czasami bałem się rozwiać samą swoją obecnością. Czasami wracając do internatu, czułem się najszczęśliwszym z ludzi tylko dlatego, że mogłem być świadkiem tej magii.

Nie zastanawiając się dlaczego, uczyniłem z tej przyjaźni swój największy sekret. Nikomu o Marinie i Germánie nie wspominałem, nawet mojemu przyjacielowi JF. Wizyty w pałacyku na Sarriá stały się moim drugim życiem i, prawdę mówiąc, jedynym, które chciałem wieść. Pamiętam, że któregoś dnia Germàn dość wcześnie poszedł spać, jak zwykle przepraszając w nienagannym stylu dziewiętnastowiecznego dżentelmena. Zostałem z Mariną w salonie portretów. Uśmiechając się tajemniczo, wyznała mi, że jestem jej bohaterem. Przeraziłem się nie na żarty.

– Bohaterem? Ja? Co to znaczy bohaterem?

– Bohaterem mojej opowieści... Nie że jesteś Lancelotem, a ja twoją Ginewrą, tylko że piszę o tobie.

– Tyle rozumiem, głupi nie jestem...

Widać było, że Marina bawi się moim zdenerwowaniem.

– No więc? – zapytała. – Czyżbyś miał tak niskie mniemanie o sobie, że nie wierzysz, iż można cię opisywać?

Nie umiałem jej odpowiedzieć. Uznałem, że należy zmienić strategię i przejść do ataku. Tego nauczył mnie Germán podczas lekcji szachów. Podstawowa strategia: kiedy cię przyłapią z opuszczonymi gatkami, zacznij wrzeszczeć i atakuj.

– No cóż, skoro jest, jak mówisz, nie pozostaje ci nic innego, jak pokazać mi swoje dzieło – stwierdziłem.

Marina zmarszczyła brwi, niezdecydowana.

– Mam prawo wiedzieć, co się o mnie pisze – dodałem.

– Może ci się nie spodobać.

– Może. Ale równie dobrze może mi się spodobać.

– Zastanowię się.

– Czekam na decyzję.

Chłody nadeszły w charakterystycznym dla Barcelony stylu: nieoczekiwanie. Z dnia na dzień słupki rtęci w termometrach opadły. Z głębi szaf wydobyto ciężkie palta, w ich miejsce odwieszając jesienne płaszcze. Niebo nad miastem zaciągnęło się ołowianymi chmurami. Ostre i mroźne wiatry hulały po ulicach. Od Germána i Mariny otrzymałem niespodziewany prezent – wełnianą czapkę, która z pewnością kosztowała fortunę.

– Trzeba chronić idee, panie Óscarze – wyjaśnił Germán. – Najważniejsze, żeby panu umysł nie przemarzł.

W połowie listopada Marina powiedziała, że musi wyjechać z ojcem do Madrytu, mniej więcej na tydzień. Pewien lekarz ze szpitala La Paz, prawdziwa medyczna znakomitość, zgodził się poddać Germána terapii znajdującej się jeszcze w fazie eksperymentalnej, zastosowanej w Europie dopiero kilka razy.

– Słyszałam, że ten doktor potrafi czynić cuda, zobaczymy… – rzekła Marina.

Posmutniałem na myśl o tym, że będę musiał się z nimi rozstać na cały tydzień. I daremnie próbowałem to ukryć. Marina czytała w moich myślach. Poklepała mnie po ramieniu na pocieszenie.

– To tylko tydzień. Potem znów się będziemy spotykać.

Przytaknąłem bez przekonania.

– Wczoraj zastanawialiśmy się z Germánem, czy nie mógłbyś się przez ten czas zaopiekować Kafką i domem… – zasugerowała nieśmiało Marina.

– Oczywiście. Nie ma problemu.

Twarz jej się rozpromieniła.

– Oby ten lekarz okazał się tak dobry, jak mówią – powiedziałem.

Marina popatrzyła na mnie przez dłuższą chwilę. Uśmiechała się, ale w jej szarych oczach czaił się smutek, który mnie zaniepokoił.

– Oby.

Pociąg do Madrytu odjeżdżał z dworca Francia o dziewiątej. Wymknąłem się z internatu już o świcie. Z moich odkładanych na czarną godzinę oszczędności postanowiłem zapłacić za taksówkę i odwieźć Germána i Marinę na stację. Niedzielny poranek tonął w niebieskawej mgle, którą rozpraszały pierwsze promienie bursztynowego brzasku. Większą część drogi odbyliśmy w milczeniu. Taksometr starego seata 1500 tykał niczym metronom.

– I po co tyle zachodu, panie Óscarze... – odezwał się Germán.

– To żaden kłopot – odparłem. – Ziąb dziś przeraźliwy, najważniejsze, żeby nam morale nie przemarzło.

Gdy dotarliśmy na miejsce, Germán usiadł w kawiarni, ja zaś udałem się z Mariną do kas, by wykupić zarezerwowane wcześniej bilety. Tuż przed odjazdem Germán uścisnął mnie tak mocno, że łzy stanęły mi w oczach. Korzystając z pomocy bagażowego, wsiadł do wagonu i zostawił nas z Mariną sam na sam. Echo setek głosów, nawoływań i gwizdów ginęło pod olbrzymią kopułą dworca. Spojrzeliśmy na siebie bez słowa i szybko, niemal wstydliwie, spuściliśmy wzrok.

– No to... – zacząłem.

– Pamiętaj, żeby podgrzewać mleko...

– Wiem, wiem: Kafka nie weźmie zimnego do pyszczka, zwłaszcza jeśli właśnie popełnił morderstwo. Kot sybaryta.

Zawiadowca uniósł czerwoną chorągiewkę. Marina westchnęła.

– Germán jest z ciebie dumny – powiedziała.

– Nie widzę powodu.

– Będziemy za tobą tęsknić.

– Tak ci się tylko wydaje. Idź już, pociąg zaraz ruszy.

Marina pochyliła się niespodziewanie i delikatnie pocałowała mnie w usta. Zanim zdążyłem mrugnąć, wsiadła do wagonu. Ja zostałem na peronie, patrząc, jak pociąg znika we mgle. Kiedy stukot kół umilkł, ruszyłem ku wyjściu. Myślałem o tym, że nigdy nie opowiedziałem Marinie o dziwnej zjawie, jaką ujrzałem owej burzowej nocy w ich domu. Z czasem sam wolałem o niej zapomnieć, a nawet zdołałem przekonać samego siebie, że wszystko to tylko mi się przywidziało. Znajdowałem się już w ogromnej hali dworca, kiedy młody bagażowy dogonił mnie, a właściwie niemal mnie przewrócił.

– Proszę... Mam to panu dać.

Wręczył mi kopertę koloru ochry.

– Chyba się pan myli – powiedziałem.

– Nie, nie. Tamta pani prosiła, żebym to panu dał – upierał się chłopak.

– Jaka pani?

Chłopak wskazał w kierunku portyku wychodzącego na Paseo Colón. Mgła snuła się po schodach. Nikogo na nich nie było. Chłopiec rozłożył ręce i odszedł.

Zdumiony ruszyłem ku wyjściu i jeszcze zdążyłem ją zobaczyć; kobieta w czerni, którą widzieliśmy na cmentarzu na Sarriá, wsiadała właśnie do staromodnego powozu zaprzężonego w konie. Odwróciła się na chwilę i spojrzała na mnie. Jej twarz przysłaniał ciemny welon niczym stalowa pajęczyna. Potem drzwiczki powozu zatrzasnęły się i woźnica, otulony od stóp do głów w szary płaszcz, trzasnął z bicza. Powóz oddalił się pędem w kierunku Ramblas, lawirując pomiędzy samochodami na Paseo Colón, aż zupełnie zniknął mi z oczu.

Byłem tak zdezorientowany, że zapomniałem zupełnie o kopercie, którą wręczył mi chłopiec. Kiedy ją otworzyłem, znalazłem w środku starą wizytówkę. Widniało na niej nazwisko i adres:

Michal Kolvenik
Ulica Princesa 33 m. 2, czwarte piętro

Odwróciłem wizytówkę. Na rewersie wydrukowany był ten sam symbol, który znaleźliśmy na bezimiennym grobie cmentarza na Sarriá oraz w opuszczonej oranżerii: czarny motyl z rozłożonymi skrzydłami.

10

Idąc na ulicę Princesa, nagle poczułem się tak głodny, że wszedłem do piekarni nieopodal bazyliki Santa María del Mar kupić sobie drożdżówkę. W powietrzu rozedrganym biciem dzwonów unosił się zapach słodkiego pieczywa. Przecinająca starą dzielnicę ulica Princesa wyglądała jak ocieniony wąwóz. Mijałem pałace i domy, które sprawiały wrażenie starszych niż Barcelona. Na zniszczonej fasadzie jednego z nich ledwo dawało się dostrzec numer trzydzieści trzy. Znalazłem się w przedsionku przypominającym klasztorny krużganek. Na łuszczącej się ścianie wisiał rząd zardzewiałych skrzynek pocztowych. Przyglądałem się im, szukając nazwiska Michala Kolvenika, kiedy usłyszałem za sobą ciężkie sapanie.

Odwróciłem się zaniepokojony i zobaczyłem bladą twarz staruszki za okienkiem portierni. Wyglądała jak figura woskowa we wdowiej żałobie. Snop jasności musnął jej twarz. Oczy miała białe niczym marmur. Bez źrenic. Była niewidoma.

– Kogo pan szuka? – zapytała łamiącym się głosem konsjerżka.

– Michala Kolvenika, proszę pani.

Zamrugała i pokręciła głową.

– Podano mi właśnie ten adres – zacząłem się tłumaczyć. – Michal Kolvenik. Mieszkanie numer dwa na czwartym piętrze...

Staruszka ponownie pokręciła głową i znów zamarła. Na stojącym obok stoliku coś się poruszyło. Po zmarszczonych dłoniach konsjerżki wspinał się czarny pająk. Jej niewidome oczy spoglądały w pustkę. Bezszelestnie przemknąłem się ku schodom.

Od trzydziestu lat nikt nie wkręcił żarówki na tej klatce. Na wydeptanych stopniach trzeba było bardzo uważać, żeby się nie poślizgnąć. Kolejne piętra tonęły w ciszy i ciemności. Drżące strzępy światła przesączały się przez świetlik piętra mansardowego. Dobiegał stamtąd trzepot skrzydeł zabłąkanego gołębia. Do ciężkich ozdobnych drzwi z litego drewna, prowadzących do mieszkania numer dwa na czwartym piętrze, przymocowana była najtańsza klamka ze sklepu z artykułami żelaznymi. Zadzwoniłem parę razy. W głębi mieszkania rozlegało się zanikające echo dzwonka. Minęło kilka minut. Znów zadzwoniłem. Odczekałem kolejne dwie minuty. Przyszło mi do głowy, że znalazłem się w grobowcu. W pułapce jednego z setek budynków widm straszących w starej części Barcelony.

Nagle usłyszałem szmer przesuwającej się klapki judasza. Igiełki światła przeszyły ciemność. Zza drzwi dobiegł schrypnięty głos. Głos kogoś, kto nie otwierał ust od tygodni, może miesięcy.

– Kto tam?

– Pan Kolvenik? Czy pan Michal Kolvenik? – zapytałem. – Mógłbym chwilę porozmawiać?

Judasz został gwałtownie zamknięty. Zaległa cisza. Już sięgałem do dzwonka, kiedy drzwi się otworzyły.

Zobaczyłem pod światło stojącą w progu postać. Z głębi mieszkania dolatywał szum płynącej z kranu wody.

– Czego chcesz, chłopcze?

– Pan Kolvenik?

– Nie nazywam się Kolvenik – odparł. – Nazywam się Sentís. Benjamín Sentís.

– Bardzo pana przepraszam, panie Sentís. Podano mi ten adres i...

Pokazałem mu wizytówkę, którą dostałem od bagażowego na stacji. Sztywna dłoń wyrwała mi wizytówkę. Mężczyzna, którego twarzy nie mogłem zobaczyć, przyglądał się jej przez dobrą chwilę.

– Pan Kolvenik nie mieszka tu od lat – odpowiedział, oddając mi wizytówkę.

– A zna go pan? – zapytałem. – Może mi pan pomóc?

Znów zapadła cisza.

– Wejdź – odezwał się w końcu Sentís.

Sentís był korpulentnym mężczyzną, owiniętym flanelowym szlafrokiem koloru bordo. Trzymał w ustach zgaszoną fajkę. Jego wąsy przechodziły nieomal w bokobrody, czyniąc go podobnym do Juliusza Verne'a. Zajmowane przezeń mieszkanie górowało nad dżunglą dachów Starego Miasta, zawieszone w eterycznej jasności.

W dali widniały wieże katedry i wzgórze Montjuïc. Ściany mieszkania były gołe. Na pianinie leżała gruba warstwa kurzu, na podłodze zaś walały się kartony z od dawna niewydawanymi gazetami. Nie było tu niczego, co odnosiłoby się do teraźniejszości. Benjamín Sentís żył w czasie zaprzeszłym.

Usiedliśmy w pokoju wychodzącym na balkon. Sentís ponownie przyjrzał się wizytówce.

– Dlaczego szukasz Kolvenika? – zapytał.

Uznałem, że lepiej będzie mu opowiedzieć wszystko od początku, zaczynając od wizyty na cmentarzu, a kończąc na przedziwnym pojawieniu się damy w czerni na dworcu Francia tego ranka. Sentís słuchał mnie, patrząc nieobecnym wzrokiem, z absolutną obojętnością. Gdy skończyłem, zapadło niezręczne milczenie. Sentís przyjrzał mi się uważnie. Miał zimny i przeszywający wzrok wilka.

– Michal Kolvenik zajmował to mieszkanie przez cztery lata, tuż po swoim przyjeździe do Barcelony – odezwał się wreszcie. – Jeszcze gdzieś tam się poniewiera trochę jego książek. To wszystko, co po nim zostało.

– A ma pan może jego aktualny adres? Wie pan, gdzie mógłbym go znaleźć?

Sentís się zaśmiał.

– Niech pan spróbuje w piekle.

Spojrzałem, nie rozumiejąc.

– Michal Kolvenik umarł w czterdziestym ósmym roku.

Według tego, co owego ranka opowiedział mi Benjamín Sentís, Michal Kolvenik przybył do Barcelony pod koniec 1919 roku. Miał wówczas niewiele ponad dwadzieścia lat; pochodził z Pragi. Uciekał z Europy zniszczonej przez wojnę. Nie mówił ani po katalońsku, ani po kastylijsku, ale dość płynnie posługiwał, się francuskim i niemieckim. Znalazł się w tym trudnym i nieprzyjaznym mieście bez pieniędzy, bez przyjaciół i bez znajomości. Pierwszą noc w Barcelonie spędził w więzieniu, aresztowany przez policję w jednej z bram, gdzie spał, chroniąc się przed zimnem. W celi dwóch więźniów, oskarżonych o kradzież, rozbój i podpalenie, postanowiło dać mu nauczkę, z związku z tym, że kraj popada w ruinę z powodu zawszonych cudzoziemców. O trzech połamanych żebrach, siniakach i obrażeniach wewnętrznych Kolvenik z czasem miał zapomnieć, ale słuch w lewym uchu stracił bezpowrotnie. „Uszkodzenie nerwu", orzekli lekarze. Nie był to dobry początek. Ale Kolvenik zawsze twierdził, że to, co się źle zaczyna, może się skończyć tylko lepiej. Dziesięć lat później Michal Kolvenik będzie jednym z najbogatszych i najbardziej wpływowych ludzi w Barcelonie.

W więziennej izbie szpitalnej poznał młodego lekarza, z pochodzenia Anglika, Joana Shelleya, który z czasem miał się stać jego najbliższym przyjacielem. Doktor Shelley mówił, słabo co prawda, po niemiecku i z własnego doświadczenia wiedział, co to znaczy być cudzoziemcem. Dzięki niemu Kolvenik został zatrudniony w niewielkim przedsiębiorstwie Velo-Granell, produkującym artykuły ortopedyczne i protezy. Konflikty w Maroku i wojna w Europie stworzyły ogromne zapotrzebowanie na tego typu produkty. Legiony mężczyzn zostało ku chwale bankierów, kanclerzy, generałów, maklerów giełdowych i innych ojców ojczyzny okaleczonych na całe życie w imię wolności, demokracji, imperium, rasy lub sztandaru.

Zakłady Velo-Granell usytuowane były przy targowisku na ulicy Borne. Szafki pełne rąk, oczu, nóg, sztucznych stawów przypominały odwiedzającemu o kruchości ludzkiego ciała. Skromna pensja i rekomendacja przedsiębiorstwa pozwoliła Michalowi wynająć mieszkanie na ulicy Princesa. Bardzo wiele czytał i po półtora roku radził sobie już nieźle z katalońskim i kastylijskim. Jego zdolności i pomysłowość sprawiły, że szybko zaczęto go uznawać za jednego z najlepszych pracowników Velo-Granell. Kolvenik miał sporą wiedzę z dziedziny medycyny, szczególnie chirurgii i anatomii. Zaprojektował rewolucyjny mechanizm pneumatyczny, który umożliwiał zginanie się protezy nogi lub ramienia. Mechanizm poruszany był mięśniami i oferował pacjentowi możliwość ruchu. Wynalazek ten uczynił Velo-Granell jedną z najbardziej innowacyjnych firm w branży. A był to dopiero początek. Przy desce kreślarskiej Kolvenika powstawały wciąż nowe pomysły. W końcu został on mianowany szefem działu projektów i rozwoju.

Kilka miesięcy później nieszczęśliwa okoliczność sprawiła, że talent młodego Kolvenika poddany został próbie. Syn założyciela Velo-Granell uległ poważnemu wypadkowi na terenie fabryki. Prasa hydrauliczna obcięła mu obie dłonie niczym smocze łby. Kolvenik niezmordowanie pracował przez kilka tygodni, by z drewna, metalu i porcelany stworzyć nowe dłonie, których palce miały być niemal tak sprawne jak prawdziwe. Zaproponowane rozwiązanie wykorzystywało impulsy elektryczne bodźców nerwowych w przedramieniu. Cztery miesiące po wypadku jego ofiara posługiwała się już nowymi mechanicznymi dłońmi, które pozwalały ujmować przedmioty, zapalać papierosa czy samodzielnie zapinać koszulę. Wszyscy uznali, że tym razem Kolvenik przekroczył granice wyobraźni. On sam zaś, niechętnie przyjmujący pochwały i oznaki entuzjazmu, powtarzał, że to tylko początek nowej dziedziny wiedzy. Z wdzięczności za to osiągnięcie założyciel Velo-Granell mianował go dyrektorem generalnym przedsiębiorstwa, oferując mu zarazem pakiet akcji, który praktycznie czynił go jednym z dwóch właścicieli firmy, obok człowieka zawdzięczającego jego pomysłowości nowe ręce.

Pod kierunkiem Kolvenika Velo-Granell zmieniła zupełnie oblicze. Wzbogaciła ofertę i poszerzyła rynki zbytu. Czarny motyl z rozpostartymi skrzydłami stał się nowym znakiem firmowym. Kolvenik nigdy nie wyjaśnił jego znaczenia. Fabrykę rozbudowywano i wprowadzano nowe produkty: protezy przegubowe, zastawki, tkankę kostną i wiele innych. W wesołym miasteczku na Tibidabo instalowano automaty zaprojektowane przez Kolvenika dla celów rozrywkowych, ale również i doświadczalnych. Velo-Granell eksportowała wyroby do wszystkich państw Europy, obu Ameryk i Azji. Wartość akcji i osobisty majątek Kolvenika wzrosły niepomiernie, ale on nie chciał opuszczać skromnego mieszkania przy ulicy Princesa. Twierdził, że nie widzi powodu, żeby się przeprowadzać. Był samotny, prowadził skromne życie i mieszkanie w zupełności wystarczało dla niego i dla jego książek.

Wszystko miało się zmienić wraz z pojawieniem się nowej figury na szachownicy. Eva Irinova była gwiazdą grającą w nowym i odnoszącym ogromne sukcesy spektaklu w Teatro Real. Urodziwa dziewczyna, Rosjanka z pochodzenia, miała zaledwie dziewiętnaście lat. Rozpowiadano, iż z jej powodu popełniali samobójstwa dżentelmeni w Paryżu, Wiedniu i w innych stolicach. Eva Irinova podróżowała zawsze w towarzystwie dziwnej pary bliźniaków, Siergieja i Tatiany Głazunowów. Rodzeństwo występowało jako prawni opiekunowie dziewczyny i zarazem jej agenci artystyczni. Plotkowano, że Siergiej i młoda diwa są kochankami, że ponura Tatiana śpi w trumnie umieszczonej w kanale orkiestrowym Teatro Real, że Siergiej jest jednym z zabójców rodziny Romanowów, że Eva posiada dar komunikowania się z duchami zmarłych... Dzięki wszelakiego rodzaju pogłoskom i najbardziej nieprawdopodobnym wymysłom piękna Irinova, w krótkim czasie zyskała ogromną sławę i miała całą Barcelonę u swych stóp.

Legenda Irinovej dotarła i do Kolvenika. Zaintrygowany udał się pewnego wieczoru do teatru, by samemu zbadać przyczynę ogólnego poruszenia. Ten wieczór wystarczył, by się w dziewczynie zakochał. Od tamtej pory garderoba teatralna Irinovej przemieniła się w posłanie z róż, dosłownie. Dwa miesiące później Kolvenik postanowił wynająć dla siebie całą lożę. Przychodził każdego wieczoru, by z zachwytem podziwiać obiekt swego uwielbienia. Oczywiście o teatralnych fascynacjach Kolvenika wiedziało całe miasto. Pewnego dnia Kolvenik wezwał swych prawników i poprosił, by przedłożyli Danielowi Mestresowi odpowiednią ofertę. Kolvenik miał zamiar kupić stary teatr i przejąć zarazem wszystkie obciążenia finansowe. Jego zamiarem było przebudować gmach od fundamentów i uczynić go największą sceną Europy. Oszałamiającą konstrukcją, wyposażoną w najnowsze zdobycze techniki – teatr wzniesiony w hołdzie ubóstwianej Evie Irinovej. Dyrekcja teatru przyjęła wspaniałomyślną propozycję. Nowy projekt nosił nazwę Gran Teatro Real. Następnego dnia Kolvenik oświadczył się Evie Irinovej, w nienagannej ruszczyźnie. I został przyjęty.

Po ślubie para zamierzała przeprowadzić się do bajkowego pałacyku, który Kolvenik budował sobie nieopodal parku Güell. Sam Kolvenik sporządził wstępne szkice tej okazałej budowli, polecił ich opracowanie biuru architektonicznemu Sunyer, Balcells i Baró. Podobno w całej historii Barcelony nikt nie wyłożył tak ogromnej sumy na prywatną rezydencję, a to już o czymś świadczy. Jednak ta bajka nie wszystkim przypadła do gustu. Współwłaściciel Velo-Granell nie patrzył przychylnym okiem na obsesje swojego wspólnika. Obawiał się, że Kolvenik zainwestuje firmowe pieniądze w swój obłąkańczy projekt uczynienia z Teatro Real ósmego cudu nowoczesnego świata. I niewiele się pomylił. Jakby tego było mało, w mieście zaczęto plotkować na temat pewnych niezbyt ortodoksyjnych praktyk Kolvenika. Badano jego przeszłość i kwestionowano autentyczność budowanego przezeń wizerunku człowieka, który osiągnął sukces dzięki ciężkiej pracy.

Siergiej i Tatiana Głazunowowie – para srogich cerberów Evy Irinovej, bała się z kolei o swoją przyszłość. W budującej się rezydencji nie przewidziano dla nich pokoju. Kolvenik, chcąc zapobiec problemom, zaproponował rodzeństwu szczodrą kwotę w zamian za unieważnienie rzekomego kontraktu z Irinową. Mieli zobowiązać się do opuszczenia kraju i zaniechania jakichkolwiek kontaktów ze swoją byłą podopieczną. Siergiej wpadł w szał, odmówił stanowczo jakichkolwiek układów i przysiągł Kolvenikowi, że nigdy się od nich nie uwolni.

Jeszcze tej samej nocy, kiedy Siergiej i Tatiana wychodzili z bramy przy ulicy Sant Pau, seria oddanych z powozu strzałów niemal pozbawiła ich życia. O atak posądzono anarchistów. Tydzień później rodzeństwo podpisało dokument, w którym zobowiązywało się uwolnić Evę Irinową i zniknąć na zawsze. Datę ślubu Michala i Evy ustalono na dwudziestego czwartego czerwca 1935 roku. Scenerią tego wydarzenia miała być barcelońska katedra.

Ceremonia, porównywana przez niektórych do koronacji Alfonsa XIII, odbyła się w piękny słoneczny poranek. W alei przed katedrą zebrał się tłum gapiów, pragnących uszczknąć coś z przepychu uroczystości. Eva Irinova nigdy nie wyglądała równie olśniewająco. Przy dźwiękach marsza weselnego Wagnera, odegranego na schodach katedry przez orkiestrę z Liceo, młoda para zeszła po stopniach do czekającego powozu zaprzężonego w białe konie. Już mieli wsiadać, gdy ktoś nagle przerwał kordon bezpieczeństwa i rzucił się na nowożeńców. Rozległy się krzyki. Kolvenik się odwrócił i ujrzał nabiegłe krwią oczy Siergieja Głazunowa. Wszyscy zgromadzeni mieli pamiętać przez całe życie to, co nastąpiło potem. Głazunow wyjął niewielki flakonik i chlusnął jego zawartością w twarz Evy Irinovej. Kwas zmienił ślubny welon w tuman. Przeraźliwe wycie rozdarło powietrze. W tłumie zawrzało, a zamachowiec zniknął pośród ciżby.

Kolvenik ukląkł przy żonie i wziął ją w ramiona. Rysy twarzy Evy rozpływały się pod wpływem kwasu niczym ciepły wosk. Dymiąca skóra schodziła płatami płonącego pergaminu, dokoła unosił się swąd spalonego ciała. Żrąca substancja nie dosięgła oczu panny młodej. Malowało się w nich śmiertelne przerażenie. Kolvenik, chcąc ratować żonę, przyłożył dłonie do jej policzków, ale sprawił tylko, że oderwały się kawałki ciała, a kwas jedynie przepalił mu rękawiczki. Kiedy Eva straciła przytomność, jej twarz przypominała przerażającą maskę z kości i żywego ciała.

Odnowiony Teatro Real nigdy nie otworzył swoich podwoi. Po tragedii Kolvenik zamieszkał z żoną nieopodal parku Güell w nieukończonym pałacyku. Eva Irinova więcej go nie opuściła. Kwas okaleczył jej twarz i zniszczył struny głosowe. Podobno porozumiewała się z otoczeniem, pisząc w bloczku, który zawsze nosiła przy sobie. Mówiono, że potrafiła zaszyć się w swoich pokojach na całe długie tygodnie.

W tym samym czasie firma Velo-Granell znalazła się w poważnych tarapatach finansowych. Kolvenik czuł się zaszczuty i wkrótce przestał się pokazywać w przedsiębiorstwie. Plotkowano, że zapadł na jakąś dziwną chorobę i spędzał coraz więcej czasu w swojej posiadłości. Na jaw wyszły liczne nieprawidłowości w zarządzaniu firmą oraz przeprowadzonych transakcjach. Rozpętała się kampania pomówień i oskarżeń. Kolvenik, zamknięty w odosobnieniu wraz z ukochaną, stał się prawdziwym bohaterem czarnej legendy. Zadżumionym. Rząd wywłaszczył konsorcjum spółki Velo-Granell. Prokuratura wszczęła dochodzenie, akta sprawy już na samym początku liczyły ponad tysiąc stron.

W ciągu kolejnych lat Kolvenik utracił swą fortunę. Jego pałacyk przypominał raczej ruiny mrocznego zamku. Służba, której nie płacono od miesięcy, opuściła chlebodawcę. Jedynie osobisty szofer Kolvenika pozostał mu wierny. Po mieście zaczęły się rozchodzić makabryczne plotki. Mówiono, że Eva Irvinova i jej małżonek mieszkają pośród szczurów, snując się po korytarzach grobowca, w którym pogrzebali się już za życia.

W grudniu 1948 roku gwałtowny pożar strawił pałac Kolvenika. Jak twierdził „El Brusi", płomienie widać było aż z Mataró. Ci, którzy pamiętają pożar, wspominają, że niebo nad Barceloną zmieniło się w szkarłatny całun, a o świcie chmury popiołu zasnuły okolice, podczas gdy zgromadzeni tłumnie gapie wpatrywali się w milczeniu w dymiący szkielet budynku. Zwęglone szczątki przytulonych do siebie Evy i Michala znaleziono na strychu. Takie zdjęcie, opatrzone podpisem „Koniec pewnej epoki", trafiło następnego dnia na pierwszą stronę „La Van-guardii".

Na początku 1949 roku Barcelona zaczęła zapominać o historii Michala Kolvenika i Evy Irinovej. Metropolia zmieniała się ustawicznie, a tajemnica Velo-Granell była już tylko częścią na poły mitycznej przeszłości miasta, ska-zanej na bezpowrotne zapomnienie.

11

O powieść, którą usły-
szałem od Benjamína Sentísa, nie dawała mi spokoju przez
cały tydzień. Im dłużej się nad nią zastanawiałem, tym
bardziej nabierałem przekonania, że w tej układance brakuje części. Nie wiedziałem tylko jakich. Myślałem o tym
dniami i nocami, niecierpliwie wyczekując powrotu Germána i Mariny.

Popołudniami, po lekcjach, chodziłem do ich domu
sprawdzić, czy wszystko w porządku. Kafka czekał na mnie
zawsze przy głównych drzwiach, czasami miał w pysku
nowe myśliwskie trofeum. Nalewałem mu mleka na spo-
deczek i ucinaliśmy sobie pogawędkę, a właściwie on pił
mleko, a ja monologowałem. Niejednokrotnie ogarniała
mnie pokusa, by wykorzystując nieobecność Germána i Mariny, spenetrować posiadłość, ale zawsze się temu opierałem.
Ducha gospodarzy czuło się w każdym kącie. Przywykłem
czekać na zmierzch w pustym domu, mając ich niewidzialną obecność za jedyną kompanię. Siadałem w salonie portretów i przyglądałem się godzinami obrazom, na których
Germán Blau uwiecznił piętnaście lat temu swoją żonę.
Widziałem na nich dorosłą Marinę, kobietę, którą dziewczyna właśnie się stawała. Zastanawiałem się, czy kiedykolwiek

będę zdolny stworzyć coś tak wartościowego. Czy w ogóle będę zdolny coś stworzyć.

Nadeszła niedziela. Do przyjazdu madryckiego ekspresu pozostały dwie godziny, a ja już sterczałem na dworcu Francia. Włóczyłem się po stacji, by skrócić czas oczekiwania. Pod kopułą pociągi drzemały na peronach, a podróżni kręcili się niecierpliwie. Zawsze sądziłem, że stare dworce kolejowe były nielicznymi magicznymi miejscami, jakie pozostały jeszcze na świecie. Unosiły się na nich wspomnienia dawnych pożegnań, rozstań, początków dalekich podróży, z których nie było już powrotu. Jeśli kiedyś się zgubię, niech mnie szukają na dworcu, pomyślałem.

Gwizd madryckiego ekspresu wyrwał mnie z tych sielskich rozmyślań. Pociąg wtargnął na stację i sapiąc, skierował się ku swojemu peronowi. Powietrze przeszył jęk hamulców i ekspres zatrzymał się ospale, jak na landarę przystało. Zaczęły się z niego wysypywać anonimowe sylwetki pierwszych pasażerów. Rozglądałem się niespokojnie po peronie, serce waliło mi jak młotem. Dookoła widziałem same nieznajome twarze. Raptem opadły mnie wątpliwości, czy nie pomyliłem dnia, pociągu, peronu, miasta lub planety. Wtedy za moimi plecami rozległ się znajomy głos:

– Cóż za niespodzianka, panie Óscarze. Tęskniliśmy za panem.

– A ja za wami – odpowiedziałem, ściskając dłoń leciwego malarza.

Marina wysiadała z wagonu. Miała na sobie tę samą białą sukienkę co w dniu wyjazdu. Uśmiechnęła się do mnie bez słowa, jej oczy błyszczały.

– I jak tam Madryt? – zapytałem, biorąc walizkę Germána.

– Wyśmienicie! Jest chyba siedem razy większy, niż kiedy byłem tam po raz ostatni – odparł Germán. – Jeśli nie przestanie rosnąć, któregoś dnia przeleje się przez krawędzie Mesety.

Wyczułem w tonie Germána dobry humor i nadzwyczajną energię. Wniosłem z tego, że diagnoza doktora z La Paz dawała nadzieję na przyszłość. Kiedy zmierzaliśmy do wyjścia, Germán prowadził jowialną konwersację z oniemiałym bagażowym na temat wspaniałego wynalazku, jakim była kolej żelazna, ja tymczasem znalazłem się sam na sam z Mariną. Ścisnęła mnie mocno za rękę.

– Jak poszło? – wyszeptałem. – Germán jest w dobrym nastroju.

– Dobrze. Bardzo dobrze. Cieszę się, że po nas przyszedłeś.

– To ja się cieszę, że wróciłaś – odpowiedziałem. – Przez ostatni tydzień Barcelona wydawała mi się całkiem pusta... Mam ci wiele do opowiedzenia.

Naprzeciwko dworca złapaliśmy taksówkę, starego dodge'a, który robił jeszcze więcej hałasu niż madrycki ekspres. Kiedy mijaliśmy Ramblas, Germán przyglądał się ludziom, hali targowej i kioskom z kwiatami, uśmiechając się z zadowoleniem.

– Niech mówią, co chcą, panie Óscarze, ale drugiej takiej ulicy próżno by szukać jak świat długi i szeroki. Nowy Jork wysiada.

Marina przytakiwała ojcu, który wrócił z podróży od-młodzony o kilkanaście lat.

– Jutro mamy święto, nieprawdaż? – zapytał nagle Germán.

– Tak – potwierdziłem.

– Co oznacza, że nie ma pan szkoły...

– Technicznie rzecz ujmując, nie.

Germán się roześmiał i przez chwilę zdało mi się, że widzę w nim młodzieńca, którym kiedyś był.

– Proszę mi w takim razie powiedzieć, panie Óscarze: ma pan już jakieś plany?

Zjawiłem się w willi na Sarriá o ósmej, tak jak się umó-wiłem z Germánem. Poprzedniej nocy uprosiłem mojego wychowawcę, by w ten świąteczny poniedziałek dał mi wolne, ja zaś wszystkie wieczory tygodnia poświęcę nauce ze zdwojoną energią.

– Nie wiem, co się ostatnio z tobą dzieje, Óscarze. Co prawda szkoła to nie hotel, ale też nie więzienie. Sam jesteś odpowiedzialny za to, co robisz – powiedział pełen podejrzeń ojciec Seguí.

Kiedy wszedłem do domu, zastałem Marinę w kuchni. Pakowała kanapki do koszyka i przygotowywała termosy z napojami. Kafka uważnie śledził każdy jej ruch, oblizu-jąc się.

– Dokąd jedziemy? – spytałem zaintrygowany.

– Niespodzianka – odparła.

Po chwili zjawił się też Germán, cały w skowronkach. Ubrany był niczym kierowca rajdowy z lat dwudziestych.

Uścisnął mi dłoń i zapytał, czy mógłbym mu pomóc w garażu. Przytaknąłem. Dowiedziałem się, że mają garaż. W rzeczywistości mieli ich trzy, o czym się przekonałem, obchodząc z Germánem posiadłość.

– Jestem bardzo rad, że zechciał nam pan towarzyszyć, panie Óscarze.

Zatrzymał się przed trzecimi drzwiami do garażu, pomieszczenia wielkości niewielkiego domku zarośniętego bluszczem. Klamka zaskrzypiała i drzwi ustąpiły. Tumany kurzu uniosły się z podłogi, całkowicie przysłaniając widok wnętrza. Pomyślałem, że nikt tu nie wchodził przynajmniej od dwudziestu lat. Dostrzegłem wrak motocykla, zardzewiałe narzędzia i ustawione ciasno jedna na drugiej skrzynie pokryte warstwą pyłu grubą jak perski dywan, a także szary pokrowiec zarzucony na coś, co zapewne było autem. Germán chwycił za krawędź pokrowca i polecił mi uczynić to samo.

– Kiedy doliczę do trzech, proszę pociągnąć!

Na umówiony znak pociągnęliśmy jednocześnie i pokrowiec uniósł się niczym ślubny welon. Podmuch wiatru rozproszył kurz, a sączące się przez korony drzew nikłe światło odsłoniło przede mną nieziemski widok. We wnętrzu tej jaskini drzemał najprawdziwszy tucker z lat pięćdziesiątych, koloru czerwonego wina, z chromowanymi felgami. Spojrzałem na Germána oniemiały z zachwytu. On uśmiechnął się z dumą.

– Dziś już, panie Óscarze, nie produkuje się takich samochodów.

– Czy aby ruszy? – spytałem z niedowierzaniem, wpatrując się w ów, moim zdaniem, muzealny obiekt.

– To, co pan przed sobą widzi, to tucker. On nie rusza.
Wyrywa niczym rumak.

Godzinę później byliśmy już na szosie biegnącej brzegiem
morza. Germán prowadził, ubrany w strój pioniera automo-
bilizmu, z tajemniczym uśmiechem na ustach. Siedzieliśmy
z Mariną obok, z przodu, Kafka natomiast miał dla siebie
całe tylne siedzenie, na którym smacznie spał. Wyprzedzały
nas wszystkie samochody, ich pasażerowie jednak przyglą-
dali się tuckerowi ze zdumieniem i podziwem.
– Liczy się klasa, nie prędkość – stwierdził dobitnie
Germán.
Znajdowaliśmy się już w pobliżu Blanes, a ja nadal nie
miałem pojęcia, dokąd jedziemy. Germán był niezwykle
skoncentrowany za kierownicą i nie chciałem go rozpra-
szać. Prowadził z taką samą galanterią, z jaką robił wszystko: uważał, by nie rozjechać nawet mrówki, pozdrawiał
uprzejmie rowerzystów, przechodniów i motocyklistów
z gwardii cywilnej. Minęliśmy Blanes i zobaczyliśmy dro-
gowskaz na nadmorską miejscowość Tossa de Mar. Spojrzałem na Marinę, która puściła do mnie oko. Pomyślałem,
że być może udajemy się do zamku w Tossie, ale minęliśmy miejscowość i skręciliśmy w wąską szosę biegnącą
wzdłuż brzegu, na północ. Droga, niczym wstęga rozpięta
pomiędzy niebem a urwistą ścianą klifu, wiła się w dół
serpentyną. Pomiędzy gałęziami sosen, uczepionych kur-
czowo stromego zbocza, prześwitywał lśniący błękit morza.
Sto metrów niżej dziesiątkami niedostępnych zatoczek
i zakrętów ciągnęła się sekretna trasa z Tossa de Mar do

odległej o jakieś dwadzieścia kilometrów Punta Prima, nieopodal przełęczy Sant Feliu de Guíxols.

Dwadzieścia minut później Germán zatrzymał samochód na poboczu. Marina dała mi znak, że jesteśmy na miejscu. Wysiedliśmy i Kafka podreptał w stronę sosnowego zagajnika, jakby doskonale znał drogę. Podczas gdy Germán się upewniał, że dobrze zaciągnął hamulec i tucker nie stoczy się zboczem w dół, Marina zbliżyła się do krawędzi klifu. Poszedłem za nią i zapatrzyłem się w otaczający nas krajobraz. U naszych stóp zatoczka w kształcie półksiężyca obejmowała język zielonej przejrzystej wody. Dalej skaliste, pełne piaszczystych zatok wybrzeże ciągnęło się łukiem aż do Punta Prima, gdzie niczym wartownik na szczycie góry majaczyła sylwetka pustelni Sant Elm.

– Idziemy! – rozkazała niecierpliwie Marina.

Ruszyłem za nią przez sosnowy lasek. Ścieżka przecinała teren starej opuszczonej posesji, zarośniętej chaszczami. Zbliżyliśmy się do wyciętych w skale schodów prowadzących na plażę pełną złocistych głazów. Stado mew na nasz widok wzbiło się do lotu ku okalającemu zatoczkę klifowi upodabniającemu ów zakątek do bazyliki zbudowanej z kamieni, morza i światła. Woda była tak krystalicznie czysta, że można było dostrzec każdą bruzdę piasku na dnie. Wąska skała sterczała ponad falami niczym galion na dziobie zatopionego okrętu. W powietrzu unosił się mocny zapach morza, a bryza o słonym posmaku łagodnie muskała brzeg. Marina utonęła spojrzeniem w srebrzystej zamglonej linii horyzontu.

– To moje ulubione miejsce na ziemi – powiedziała.

Uparła się, że pokaże mi wszystkie zakamarki klifu. Zacząłem się bać, że za chwilę skręcę kark lub runę do wody głową w dół.

– Nie jestem kozą – zaznaczyłem, próbując przyhamować odrobiną zdrowego rozsądku ów alpinizm bez lin.

Głucha na moje protesty Marina wspinała się na skały wypolerowane przez fale i przeciskała przez szczeliny tryskające wodą niczym skamieniałe wieloryby. Ambicja nie pozwalała mi pozostać w tyle, wiedziałem jednak, że prędzej czy później boleśnie odczuję na własnej skórze powszechność prawa ciążenia. I nie pomyliłem się. Marina przeskoczyła na maleńką wysepkę, by zbadać znajdującą się tam skalną grotę. Powiedziałem sobie, że jeśli jej się udało, ja przynajmniej spróbuję, po czym wylądowałem obiema nogami w wodach Morza Śródziemnego. Trząsłem się z zimna i ze wstydu. Marina popatrzyła na mnie mocno zaniepokojona.

– Wszystko w porządku – jęknąłem. – Nic się nie stało.

– Zimna?

– Ależ skąd! – wymamrotałem. – Aż parzy.

Marina się uśmiechnęła. Patrzyłem osłupiały, jak zdejmuje białą sukienkę i pogrąża się w lagunie. Wynurzyła się tuż obok mnie, roześmiana. O tej porze roku było to kompletne szaleństwo. Ale poszedłem w jej ślady. Pływaliśmy przez chwilę, energicznie bijąc rękami, potem rozłożyliśmy się na ciepłych kamieniach. Poczułem, że pulsują mi skronie, i nie wiedziałem, czy to za sprawą lodowatej wody, czy za sprawą bielizny Mariny, która po kąpieli co nieco prześwitywała. Marina, przyłapawszy mnie na niezbyt dyskretnych spojrzeniach, wstała po rozpostartą na kamieniach sukienkę. Patrzyłem na nią, jak idzie między skałami, jak przeskakuje z kamienia na kamień, a jej mięśnie napinają się pod wilgotną skórą. Pomyślałem, że mógłbym ją pożreć wzrokiem. W całości.

Spędziliśmy całe popołudnie w tej odludnej zatoczce, pałaszując kanapki z koszyka i słuchając opowiadanej przez Marinę historii o właścicielce zagubionej wśród sosen posiadłości.

Dom należał do holenderskiej pisarki, która na skutek dziwnej choroby zaczęła powoli tracić wzrok. Świadoma, jaki los ją czeka, postanowiła zbudować sobie ustronną siedzibę na stromym wybrzeżu i zaszyć się w niej, by tam przeżyć ostatnie jasne dni, kontemplując plażę i morze.

– Mieszkała tu, mając za jedyne towarzystwo Saszę, owczarka niemieckiego, oraz ukochane książki – mówiła Marina. – Kiedy zupełnie straciła wzrok i zrozumiała, że już nie ujrzy wschodu słońca nad morzem, poprosiła rybaków, którzy cumowali w zatoce, by się zaopiekowali Saszą. Kilka dni później wzięła łódź i powiosłowała o świcie w głąb morza. Nigdy nie wróciła.

Nie wiem, z jakiego powodu zacząłem podejrzewać, że historia holenderskiej pisarki była wymysłem Mariny, i powiedziałem jej o tym.

– Czasami to, co najbardziej prawdziwe, dzieje się tylko w wyobraźni – odparła. – Wspominamy tylko to, co nigdy się nie wydarzyło.

Germán usnął w nasuniętym na twarz kapeluszu. Kafka drzemał u jego stóp. Marina popatrzyła na ojca ze smutkiem.

Korzystając z tego, że Germán śpi, wziąłem ją za rękę i poszliśmy w stronę drugiego krańca plaży. Tam usiedliśmy na wygładzonym przez fale kamieniu, po czym opowiedziałem jej o wszystkim, co się wydarzyło pod jej nieobecność. Nie pominąłem najmniejszego szczegółu: ani niespodziewanego pojawienia się kobiety w czerni na stacji, ani historii Michala Kolvenika i firmy Velo-Granell usłyszanej od Benjamína Sentísa, nie mówiąc już o przerażającej zjawie, którą ujrzałem owej burzowej nocy w jej domu na Sarriá. Marina słuchała mnie w milczeniu. Wpatrywała się w wodę, tworzącą u jej stóp wiry, i sprawiała wrażenie nieobecnej. Siedzieliśmy dobrą chwilę bez słowa, wpatrzeni w odległą sylwetkę pustelni Sant Elm.

– Co powiedział doktor z La Paz? – odważyłem się w końcu zapytać.

Uniosła głowę. Słońce już zachodziło i w promieniach koloru bursztynu ujrzałem w jej oczach łzy.

– Że nie pozostało zbyt wiele czasu...

Odwróciłem się i zobaczyłem machającego do nas Germána. Poczułem, że serce mi się kraje. Dławiło mnie wzruszenie.

– On w to nie wierzy – rzekła Marina. – Tak jest lepiej.

Kiedy spojrzałem na nią znowu, zdążyła już energicznym gestem osuszyć łzy. Nie wiem sam, w jaki sposób udało mi się zebrać dość odwagi, by pochylić się ku niej i spróbować ją pocałować. Marina położyła mi palce na ustach i pogładziwszy mnie po twarzy, delikatnie odepchnęła. Później wstała i odeszła. Westchnąłem.

Ja też się podniosłem i poszedłem w stronę Germána. Zauważyłem, że rysuje coś w małym notatniku. Przypomniałem sobie, że od lat nie miał w ręku ołówka ani pędzla. Uniósł wzrok znad kartki i uśmiechnął się.

– Ciekaw jestem pańskiej opinii na temat podobieństwa do oryginału, panie Óscarze – powiedział beztroskim tonem, pokazując mi notatnik.

Musiałem przyznać, że rysy twarzy Mariny naszkicowane były z zadziwiającą precyzją.

– Jest znakomity – wymamrotałem.

– Podoba się panu? Niezmiernie się cieszę.

Sylwetka Mariny majaczyła w oddali, nieruchoma naprzeciw morza. Germán przyglądał się długo najpierw jej, a potem mnie. Wyrwał kartkę i wręczył mi ją.

– To dla pana, panie Óscarze. Żeby nie zapomniał pan o mojej Marinie.

Kiedy wracaliśmy, zachód słońca upodobnił morze do tratwy z płynnej miedzi. Germán prowadził uśmiechnięty, bez przerwy opowiadając o swoich przygodach za kierownicą starego tuckera. Marina słuchała ojca, śmiała się z jego dowcipów i w jakiś sobie tylko znany, magiczny sposób podtrzymywała rozmowę. Ja się nie odzywałem, czoło miałem przylepione do szyby, a humor parszywy. W połowie drogi Marina wzięła moją dłoń między swoje i trzymała ją tak bez słowa.

Gdy dotarliśmy do Barcelony, było już prawie ciemno. Germán uparł się, że odwiezie mnie do internatu. Zaparkował pod płotem i podał mi rękę. Marina wysiadła ze mną i przeszła przez bramę. Jej obecność paliła mnie żywym ogniem i nie wiedziałem, jak mam od niej uciec.

– Óscarze, jeśli jest coś…

– Nie.

– Wiesz, są sprawy, których nie rozumiesz, ale…

– Jasne – uciąłem. – Dobranoc.

Odwróciłem się, by jak najprędzej odejść przez ogród.

– Zaczekaj – poprosiła Marina, stojąc przy bramie.

Zatrzymałem się obok stawu.

– Chcę, żebyś wiedział, że dzisiejszy dzień był jednym z najszczęśliwszych w moim życiu – rzekła.

Kiedy się odwróciłem, by odpowiedzieć, już jej nie było.

Wchodziłem po schodach ociężale, jakbym miał buty z ołowiu. Po drodze mijałem kolegów. Patrzyli na mnie spode łba, jak na intruza. W internacie aż huczało od plotek na temat moich tajemniczych zniknięć. Nic mnie to nie obchodziło. Ze stołu w korytarzu wziąłem gazetę i zaszyłem się w sypialni. Wyciągnąłem się na łóżku z rozłożonym dziennikiem na piersiach. Od czasu do czasu docierały do mnie głosy z korytarza. Zapaliłem nocną lampkę i zanurzyłem się w całkiem dla mnie nierzeczywistym świecie wiadomości. Zza każdej linijki wychylało się jedno i to samo słowo. „Marina". Przejdzie ci, pomyślałem. Po chwili monotonia codziennej prasy podziałała na mnie kojąco. Czytanie o cudzych problemach pozwala znakomicie zdystansować się do własnych. Wojny, oszustwa, morderstwa, przekręty, hymny, defilady i futbol. Nic nowego pod słońcem. Znacznie spokojniejszy kontynuowałem lekturę. Z początku nie zauważyłem – nie zwróciłem uwagi na króciutką notkę zamieszczoną zapewne po to, by zapełnić kolumnę.

Złożyłem gazetę i umieściłem ją w kręgu światła pod lampką.

ZWŁOKI W TUNELU ŚCIEKOWYM
POD BARRIO GÓTICO
(Barcelona), red.: Gustavo Berceo

Ciało Benjamína Sentísa, osiemdziesięciotrzyletniego mieszkańca Barcelony, znaleziono w piątek nad ranem w kolektorze numer cztery sieci kanalizacyjnej Ciutat Vella. Tajemnicą pozostaje, jak zwłoki dotarły do tego odcinka, zamkniętego od 1941 roku. Przyczyną zgonu był najprawdopodobniej zawał serca. Jak podają nasze źródła, nieboszczyk miał obcięte obie dłonie. Benjamín Sentís, emeryt, zyskał pewną popularność w latach czterdziestych w związku ze skandalem wokół przedsiębiorstwa Velo-Granell, którego był udziałowcem. Ostatnio mieszkał samotnie w małym mieszkaniu przy ulicy Princesa. Wszystko wskazuje na to, że nie miał krewnych. Żył na skraju nędzy.

12

*P*rzez całą noc nie zmru-
żyłem oka, rozpamiętując wciąż opowieść Sentísa. Kilka-
krotnie przeczytałem notatkę o jego śmierci w nadziei, iż
znajdę pomiędzy wierszami jakiś sekretny szyfr. Starzec
zataił przede mną, że był wspólnikiem Kolvenika w Velo-
-Granell. Ale jeśli reszta historii się zgadzała, oznaczało to,
moim zdaniem, że Sentís był synem założyciela przedsiębiorstwa, czyli osobą, która odziedziczyła pięćdziesiąt pro-
cent akcji towarzystwa, kiedy Kolvenik został mianowany
dyrektorem generalnym. W świetle tej hipotezy poszczególne elementy łamigłówki nabierały nowego znaczenia. Jeśli
Sentís okłamał mnie w tej kwestii, równie dobrze wszystko
mogło być jednym wielkim oszustwem. Świtało już, a ja
ciągle roztrząsałem rozmaite rozwiązania tej zagadki.

Tego samego dnia podczas długiej przerwy wymknąłem
się ze szkoły, żeby się spotkać z Mariną.

Znowu okazało się, że chyba potrafi czytać w moich
myślach, bo czekała na mnie w ogrodzie, trzymając wczo-
rajszą gazetę. Widać było, że wiadomość o śmierci Sentísa
wyraźnie ją poruszyła.

– Ten człowiek cię okłamał...

– A teraz nie żyje.

Marina ukradkiem spojrzała w stronę domu, jakby obawiając się, że Germán może nas usłyszeć.

– Przejdziemy się trochę? – zaproponowała.

Zgodziłem się, choć najpóźniej za pół godziny powinienem wrócić do szkoły. Poszliśmy w stronę parku Santa Amelia, na granicy z dzielnicą Pedralbes. W samym środku parku wznosił się świeżo odnowiony budynek dawnej rezydencji, oddanej teraz do użytku publicznego. Jeden z przestronnych salonów został przekształcony w kawiarnię. Usiedliśmy przy ogromnym oknie. Marina przeczytała na głos notkę, którą mogłem wyrecytować z pamięci.

– Nie ma żadnej wzmianki o tym, że było to zabójstwo – powiedziała tonem tak niepewnym, iż nie wiedziałem, czy pyta, czy stwierdza.

– A niby po co? Facet przez dwadzieścia lat żyje sobie z dala od wszystkiego i nagle znajdują jego ciało w kanale ściekowym. Na dodatek ktoś, zanim porzucił ciało, dla zabawy obciął trupowi dłonie.

– Zgoda. To było morderstwo.

– Coś więcej – powiedziałem podekscytowany. – Czego szukał Sentís w starych kanałach w środku nocy?

Barman wycierający szklanki za kontuarem niedyskretnie nadstawiał ucha.

– Mów ciszej – szepnęła Marina.

Pokiwałem głową i spróbowałem się nieco uspokoić.

– Może powinniśmy iść na policję i powiedzieć, co wiemy – zasugerowała Marina.

– Ale przecież nic nie wiemy – zaoponowałem.

– Przypuszczalnie oni wiedzą jeszcze mniej niż my. Tydzień temu dostajesz od jakiejś tajemniczej kobiety wizytówkę z adresem Sentísa i symbolem czarnego motyla. Odwiedzasz Sentísa, który mówi ci, że o niczym nie ma pojęcia, ale opowiada jakąś dziwną historię o Michale Kolveniku i przedsiębiorstwie Velo-Granell uwikłanym w niejasne interesy czterdzieści lat temu. Z jakiejś przyczyny zapomina poinformować cię, że ma z tym wszystkim związek, bo jest nie tylko synem założyciela firmy, ale i tym, który stracił obie dłonie w wypadku w fabryce i dla którego Kolvenik skonstruował protezy... Siedem dni później ciało Sentísa zostaje znalezione w kanale ściekowym.

– Bez protez... – dodałem, przypominając sobie, jak Sentís unikał podania mi ręki na powitanie.

Na wspomnienie jego sztywnej dłoni przebiegły mi po grzbiecie ciarki.

– Kiedy weszliśmy do oranżerii, nasze drogi przecięły się z czymś tajemniczym; nie wiadomo po co i dlaczego, ale tak się stało – powiedziałem, starając się uporządkować myśli. – A teraz jesteśmy częścią tego czegoś. Kobieta w czerni szukała mnie, żeby wręczyć mi tę wizytówkę.

– Óscarze, nie wiemy, czy szukała i czy akurat ciebie, a tym bardziej co nią kierowało. Nawet nie wiemy, kim jest...

– Ale ona wie, kim jesteśmy i gdzie nas może znaleźć. A skoro ona wie...

Marina westchnęła.

– Zadzwońmy od razu na policję i jak najszybciej zapomnijmy o wszystkim – powiedziała. – To nie nasza sprawa, a poza tym nie podoba mi się to.

– Właśnie że nasza. Od momentu, kiedy zaczęliśmy śledzić na cmentarzu damę w czerni.

Marina odwróciła głowę do okna i zaczęła patrzeć na park. Dwoje dzieci próbowało puścić latawiec. Bacznie im się przyglądając, zapytała spokojnie:

– Co wobec tego sugerujesz?

Doskonale wiedziała, co mi chodzi po głowie.

Słońce chowało się już za kościół na placu Sarriá, kiedy znaleźliśmy się z Mariną na Paseo de la Bonanova, w drodze do oranżerii. Przezornie zaopatrzyliśmy się w latarkę i pudełko zapałek. Skręciliśmy w ulicę Iradier, a potem w odludne zaułki w pobliżu torów kolejowych. Stukot kół pociągów jadących ku wzgórzom Vallvidrera przebijał się przez gąszcz drzew. Bez trudu odnaleźliśmy uliczkę, na której w swoim czasie zginęła nam z oczu dama w czerni. Stanęliśmy przy ogrodzeniu, za którym była oranżeria.

Bruk pokryty był dywanem suchych liści. Zanurzyliśmy się w chaszcze. Towarzyszyły nam migotliwe cienie. Wokół szumiały wysokie trawy, zza chmur co jakiś czas wyglądała jasna tarcza księżyca. W zapadającym zmroku bluszcz na ścianach oranżerii skojarzył mi się z głową Meduzy. Obeszliśmy budynek i stanęliśmy przed tylnym wejściem. W świetle zapałki dojrzeliśmy pokryty mchem znak firmowy Kolvenika i Vello-Granell. Przełknąłem ślinę i spojrzałem na swoją towarzyszkę. Jej twarz wydała mi się trupio blada.

– To ty chciałeś tu wrócić... – powiedziała.

Czerwonawe światło latarki wtargnęło do oranżerii. Stałem przez chwilę na progu. Za dnia to miejsce było przerażające i ponure. Teraz, w nocy, wydało mi się dekoracją przeniesioną prosto z koszmaru sennego. Z ciemności wyłaniały się kręte kształty. Posuwaliśmy się z Mariną ostrożnie. Wilgotne podłoże chrzęściło przy każdym naszym stąpnięciu. Od skrzypienia drewnianych manekinów, które chwiejąc się, pocierały o siebie nawzajem, ciarki przechodziły po plecach. Wpatrywałem się w kaskadę cieni w sercu oranżerii. Przez chwilę próbowałem sobie przypomnieć, czy kiedy wychodziliśmy stamtąd, kukły będące częścią teatralnej machinerii pozostały na dole czy w górze. Spojrzałem na Marinę i domyśliłem się, że trapi ją ta sama wątpliwość.

– Ktoś tu po nas był... – powiedziała, wskazując na manekiny wiszące teraz w połowie drogi między sufitem a ziemią.

Nad nami falowało morze stóp. Zrobiło mi się zimno, kiedy zrozumiałem, że ktoś opuścił te figury. W pośpiechu ruszyłem ku biurku i podałem Marinie latarkę.

– Czego szukasz? – wyszeptała.

Wskazałem leżący na stole stary album ze zdjęciami. Podniosłem go i schowałem do torby, którą zarzuciłem na plecy.

– Ten album nie jest nasz, Óscarze, nie wiem, czy...

Nic sobie nie robiąc z jej protestów, ukląkłem, by przeszukać szuflady biurka. W pierwszej z nich znalazłem rozmaite zardzewiałe narzędzia, noże, szpikulce i piły o stępionych ostrzach. Druga była pusta. Małe czarne pająki rozbiegły się po dnie, szukając schronienia w szczelinach drewna. Zamknąłem ją i spróbowałem szczęścia z trzecią szufladą. Była zamknięta na klucz.

– Coś nie tak? – wyszeptała Marina zaniepokojona.

Wziąłem jeden z noży z pierwszej szuflady i spróbowałem sforsować zamek. Marina, stojąc za moimi plecami, trzymała latarkę w górze i przyglądała się tańczącym na ścianach cieniom.

– Długo będziesz się guzdrał?

– Spokojnie. Jeszcze tylko minutka.

Już wyczuwałem zamek czubkiem noża. Próbowałem wykroić wokół niego dziurę. Rozległ się suchy chrzęst; stare, zbutwiałe drewno łatwo dawało się ciąć. Marina kucnęła obok i położyła latarkę na ziemi.

– Co to za dźwięk? – zapytała nagle.

– Nic takiego. To tylko szuflada, trzeszczy, kiedy...

Chwyciła mnie mocno za ręce, unieruchamiając je. Przez krótką chwilę zapanowała grobowa cisza. Poczułem przyspieszony puls Mariny. Wtedy i ja usłyszałem ów hałas. Trzask drewna w górze. Coś drgnęło pośród zawieszonych w mroku figur. Wytężyłem wzrok i ujrzałem jakiś kształt – poruszające się zygzakiem ramię. Jeden z manekinów uwolnił się ze sznurków i rozpoczął wędrówkę na dół niczym małpa skacząca z gałęzi na gałąź. Inne kukły także ożyły. Chwyciłem mocno nóż i wstałem, cały się trzęsąc. W tej samej chwili ktoś, lub coś, porwał latarkę leżącą u naszych stóp. Potoczyła się w kąt, a my znaleźliśmy się w nieprzeniknionych ciemnościach. Wówczas usłyszeliśmy świszczący dźwięk, był coraz bliżej nas.

Złapałem Marinę za rękę i rzuciliśmy się do ucieczki. W czasie kiedy biegliśmy do wyjścia, kukły powoli się opuszczały. Czuliśmy na sobie dotyk ich rąk i nóg. Usiłowały chwycić nas za ubranie. Metalowe szpony drasnęły mi kark. Usłyszałem obok krzyk Mariny i popchnąłem ją naprzód, przez ten piekielny tunel stworzeń zstępujących z krainy mroku. Nitki księżycowego światła, przekradające się przez bluszcz, pozwalały od czasu do czasu dojrzeć jakąś zniekształconą twarz, szklane oczy, emaliowane zęby.

Nie wypuszczałem z rąk noża. Dźgałem nim na oślep. Poczułem, jak rozrywa coś twardego. Palce zalała mi gęsta ciecz. Odsunąłem rękę; zobaczyłem, że jakaś postać ciągnie Marinę w głąb ciemności. Marina zawyła z przerażenia, a ja ujrzałem ślepą twarz o pustych czarnych oczodołach. To drewniana baletnica otaczała szyję Mariny ostrymi jak brzytwy palcami. Kukła miała maskę z martwej skóry. Rzuciłem się na nią z całym impetem i przewróciłem ją na podłogę. Trzymając Marinę, ruszyłem pędem w stronę drzwi; baletnica, teraz już bez głowy, podniosła się tymczasem z ziemi. Jej palce, wyswobodzone ze sznurków, trzaskały metalicznie jak nożyczki.

Wybiegliśmy ze szklarni. Krąg ciemnych postaci blokował nam drogę ucieczki. Skierowaliśmy się w przeciwną stronę, ku szopie stojącej przy murze, który oddzielał posesję od torów kolejowych. Przeszklone drzwi szopy, mlecznobiałe od nagromadzonego latami brudu, były zamknięte. Zbiłem szybę łokciem i wymacałem wewnętrzny zamek. Klamka ustąpiła i drzwi otworzyły się do wewnątrz. Weszliśmy czym prędzej. Na tylnej ścianie dostrzegłem dwie plamy mętnego światła. Okna. Za nimi rozpościerała się pajęcza sieć trakcji kolejowej. Marina odwróciła się na chwilę i spojrzała za siebie. W drzwiach szopy majaczyły kanciaste sylwetki.

– Pospiesz się! – krzyknęła.

Rozejrzałem się wokół, poszukując rozpaczliwie czegoś, czym mógłbym zbić szybę. Zardzewiały wrak automobilu dogorywał w ciemnościach. Przed nim leżała korba do uruchamiania silnika. Chwyciłem ją i zacząłem walić w szybę, osłaniając głowę przed gradem rozpryskującego się szkła. Podmuch nocnego wiatru uderzył mnie w twarz. Poczułem zatęchły powiew wydobywający się z tunelu.

– Tędy!

Marina wspięła się do otworu okiennego. Złowrogie sylwetki wpełzały powoli do szopy. Chwyciłem oburącz korbę i zamierzyłem się nią. Postacie stanęły nagle i cofnęły się o krok. Patrzyłem z niedowierzaniem. I wtedy usłyszałem nad sobą ów mechaniczny oddech. Instynktownie doskoczyłem do okna. Jakiś kształt oderwał się od sufitu. Rozpoznałem marionetkę policjanta bez rąk. Zdało mi się, że jego twarz przysłania maska przyszytej niechlujnie martwej skóry. Szwy krwawiły.

– Óscar! – krzyknęła Marina z drugiej strony okna.

Skoczyłem przez paszczę wyszczerbionej szyby. Ostry jak sztylet odłamek rozdarł mi spodnie i skórę. Rana była głęboka. Wylądowałem po drugiej stronie szopy i poczułem pulsujący ból. Marina pomogła mi wstać i zaczęliśmy przeprawę na drugą stronę torów. Nagle czyjeś szpony zacisnęły się na mojej kostce. Runąłem jak długi na szyny. Odwróciłem się, zdezorientowany, by stwierdzić, że jedna z upiornych marionetek trzyma mnie za stopę. Zapierając się na szynach, poczułem wibracje. Z tunelu wydostały się odpryski światła. Usłyszałem stukot kół nadjeżdżającego pociągu. Ziemia pode mną drżała.

Marina jęknęła. Pociąg pędził prosto na nas. Uklękła przy mnie i z całej siły próbowała odgiąć trzymające mnie palce. Światła lokomotywy zalały jej twarz. W powietrzu rozległ się przeciągły gwizd. Manekin leżał nieruchomo, ściskając swoją zdobycz w żelaznych kleszczach. Marina rozpaczliwie siłowała się z nim, próbując mnie uwolnić. Jeden z palców marionetki ustąpił. Marina odetchnęła. W tej samej chwili monstrum wstało i chwyciło moją towarzyszkę za ramię. Uświadomiłem sobie, że nadal mam w ręku korbę i zacząłem walić nią na odlew w twarz owej makabrycznej istoty, aż rozbiłem jej czaszkę. Z przerażeniem stwierdziłem, że to, co wziąłem za drewno, w rzeczywistości było tkanką kostną. W tym stworzeniu tliło się życie.

Ogłuszający ryk pociągu stłumił nasze krzyki. Kamienie między podkładami drżały. Snopy światła nas oślepiły. Zamknąłem oczy i co sił w ramionach wymierzałem kolejne razy tej przeraźliwej kukle, aż jej głowa odpadła od korpusu. Dopiero wtedy udało nam się wyswobodzić z jej szponów. Poturlaliśmy się po kamieniach. Tony stali przetoczyły się tuż obok nas, wzbijając w powietrze snopy iskier. Spod kół wystrzeliły poćwiartowane szczątki monstrum, dymiące niczym żar z ogniska.

Kiedy jazgot pociągu zaczął cichnąć, otworzyliśmy oczy. Spojrzałem na Marinę i gestem dałem jej do zrozumienia, że nic mi nie jest. Podnieśliśmy się powoli. Poczułem świdrujący ból w nodze. Wsparłem się na ramieniu Mariny i z trudem dotarliśmy na drugą stronę torów. Tam odważyliśmy się spojrzeć za siebie. Coś poruszało się między szynami. W świetle księżyca pobłyskiwała drewniana dłoń, odcięta przez pociąg. Drgała spazmatycznie, coraz wolniej, aż w końcu zamarła na zawsze. Bez słowa przedarliśmy się przez krzewy do zaułka prowadzącego do ulicy Anglí. Gdzieś w oddali rozległo się bicie dzwonów.

Kiedy dotarliśmy do domu Mariny, z ulgą stwierdziliśmy, że Germán drzemie w swoim studiu. Przemknęliśmy bezszelestnie do jednej z łazienek, by przy świetle świec zdezynfekować ranę. Płomienie odbijały się w kafelkach, którymi wyłożone były ściany i podłoga. W środku pomieszczenia stała monumentalna wanna wsparta na czterech żelaznych łapach.

– Zdejmij spodnie – zakomenderowała Marina, odwróciwszy się do mnie plecami, by wyjąć z apteczki niezbędne akcesoria.

– Co?

– Rób, co mówię.

Nie pozostało mi nic innego, jak usłuchać i położyć nogę na krawędzi wanny. Rana była głębsza, niż myślałem, jej brzeg mienił się tonami purpury. Zrobiło mi się niedobrze. Marina uklękła przy mnie i przyjrzała się ranie uważnie.

– Bardzo boli?

– Tylko kiedy na nią patrzę.

Zmoczyła watę w spirytusie i gestem profesjonalnej pielęgniarki zbliżyła ją do rany.

– Będzie szczypać.

Ledwie alkohol dotknął rany, złapałem się brzegu wanny z tak nieprawdopodobną siłą, iż pewnie zostawiłem na emalii swoje linie papilarne na wieczną pamiątkę.

– Przykro mi – wymamrotała Marina, dmuchając na ranę.

– Mnie jeszcze bardziej.

Nabrałem głęboko powietrza i zamknąłem oczy, starając się znieść zabiegi Mariny bez skargi. Ona, dokładnie przemywszy ranę, wyjęła z apteczki bandaż i z wprawą zaczęła opatrywać nogę, nie odrywając wzroku od rany.

– Nie chodziło im o nas – powiedziała.

Nie bardzo wiedziałem, o czym mówi.

– Te kukły w oranżerii – dodała, nie patrząc na mnie. – Chciały odzyskać album. Nie powinniśmy byli go brać...

Kiedy przykładała do rany czystą gazę, poczułem na skórze jej oddech.

– Wtedy na plaży... – zacząłem.

Znieruchomiała i podniosła wzrok.

– Nie ma o czym mówić – ucięła.

Umocowała końcówkę bandaża plastrem, patrząc na mnie bez słowa. Miałem nadzieję, że się w końcu odezwie, ale wstała tylko i wyszła z łazienki.

Zostałem sam na sam ze świeczkami i nienadającymi się już do niczego spodniami.

13

*G*dy nieco po północy wróciłem do internatu, wszyscy koledzy już leżeli w łóżkach, choć przez zamki i szczeliny drzwi z ich pokojów na podłogę korytarza przesączały się strużki światła. Najciszej, jak mogłem, wszedłem do sypialni. Delikatnie zamknąłem drzwi i z ciekawości spojrzałem na budzik. Dochodziła pierwsza. Zapaliłem lampkę i wyciągnąłem z torby album ze zdjęciami, wykradziony przez nas z oranżerii.

Otworzyłem go i ponownie znalazłem się w fotograficznym gabinecie osobliwości. Jedno ze zdjęć przedstawiało dłoń, której palce połączone były błoną jak u żaby. Na zdjęciu obok dziewczynka o blond loczkach, w białej sukience, odsłaniała w szatańskim niemal uśmiechu psie kły. Strona po stronie moim oczom ukazywały się okrutne wybryki natury. Dwóch braci albinosów, których skóra była tak przezroczysta, iż mogła spłonąć od samego blasku świec. Bliźnięta syjamskie zrośnięte czołami, skazane na patrzenie przez całe życie na swoje twarze. Nagie ciało kobiety, której kręgosłup skręcał się jak sucha gałąź... Większość zdjęć przedstawiała małe dzieci i nastolatków. Wielu wyglądało na młodszych ode mnie. Prawie nie było ludzi dorosłych ani starców. Pojąłem, że ci nieszczęśnicy mieli niewielkie szanse na dłuższe życie.

Marina od początku uważała, że ten album nie należy do nas i że nie powinniśmy byli go przywłaszczać. Teraz, kiedy adrenalina zniknęła już z mojej krwi, stwierdzenie to nabrało nowego sensu. Przeglądając album, bezcześciłem kolekcję cudzych wspomnień. Czułem, że owe obrazy smutku i nieszczęścia składają się na swoisty dokument rodzinny. Raz jeszcze przejrzałem stronę po stronie w nadziei, iż może odkryję jakiś wyższy porządek łączący wszystkie fotografie. W końcu zamknąłem księgę i schowałem ją do torby. Zgasiłem światło. W oczach stanęła mi Marina spacerująca po swej odludnej plaży. Patrzyłem, jak się oddala brzegiem morza, dopóki sen nie uciszył szumu fal.

Tego dnia deszcz znudził się Barceloną i przesunął bardziej na północ. Niczym nałogowy wagarowicz uciekłem z ostatniej lekcji na spotkanie z Mariną. Spod rozsuwającej się kurtyny chmur prześwitywał błękit. Słoneczne plamy pokryły ulice. Czekała na mnie w ogrodzie, skupiona nad swym sekretnym zeszytem. Ujrzawszy mnie, natychmiast go zamknęła. Byłem ciekaw, czy pisze o mnie, czy o tym, co się zdarzyło w oranżerii.

– Jak tam twoja noga? – zapytała, przyciskając zeszyt do piersi.

– Dziękuję, przeżyję. Nieważne. Muszę ci coś pokazać.

Wyjąłem album i usiadłem obok niej przy fontannie. Zacząłem szukać zdjęcia. Na widok fotografii Marina ciężko westchnęła.

– Mam – powiedziałem, odnalazłszy zdjęcie na jednej z ostatnich stron. – Rano po przebudzeniu przyszło mi to do głowy. Że też wcześniej o tym nie pomyślałem...

Marina przyjrzała się wybranej przeze mnie czarno-białej fotografii, emanującej tym dziwnym urokiem, jakim obdarzone są jedynie portrety wykonywane przez dawnych artystów fotografików w ich atelier. Przedstawiała ona mężczyznę z obrzydliwie zniekształconą czaszką, o zdeformowanym kręgosłupie, ledwo trzymającego się na nogach. Wspierał się na młodym człowieku w białym fartuchu, okrągłych okularach, ze starannie przystrzyżonym wąsikiem i elegancką krawatką. Lekarz patrzył w obiektyw. Pacjent zakrywał dłonią oczy, jakby się wstydził swego stanu. Za nimi dostrzec można było parawan i wnętrze gabinetu. Z boku widoczne były uchylone drzwi, zza których lękliwie, tuląc do siebie lalkę, wyglądała mała dziewczynka. Zdjęcie wyglądało na załącznik do historii choroby.

– Przyjrzyj się dobrze – poprosiłem.

– Widzę tylko tego biedaka...

– Nie patrz na niego. Zobacz, co jest za nim.

– Okno...

– A za oknem?

Marina zmarszczyła czoło.

– Poznajesz? – zapytałem, pokazując jej sylwetkę smoka zdobiącą fasadę budynku naprzeciwko gabinetu, w którym zostało zrobione zdjęcie.

– Gdzieś widziałam już tego smoka...

– Otóż to! – krzyknąłem. – Tu, w Barcelonie, na Ramblas, nieopodal teatru Liceo. Przejrzałem dokładnie cały album i to jest jedyna fotografia zrobiona w Barcelonie.

123

Odwróciłem odklejone zdjęcie i podałem je Marinie. Na rewersie, mimo że litery mocno już zblakły, można było odczytać:

Atelier Fotograficzne Martorell-Borrás – 1951
Kopia – Doktor Joan Shelley
Rambla de los Estudiantes 46–48, 1 piętro, Barcelona

Marina oddała mi zdjęcie, wzruszając ramionami.

– Óscarze, to zdjęcie zrobiono niemal trzydzieści lat temu... Nic z tego nie wynika...

– Dziś rano sprawdziłem w książce telefonicznej. Doktor Shelley wciąż widnieje w niej jako lokator na Rambla de los Estudiantes 46–48, pierwsze piętro. Wiedziałem, że to nazwisko coś mi mówi. I przypomniałem sobie, że Sentís powiedział, iż doktor Shelley był pierwszą osobą, z którą się zaprzyjaźnił Michal Kolvenik po przybyciu do Barcelony...

Marina przyjrzała mi się bacznie.

– I, o ile cię znam, oczywiście nie poprzestałeś na sprawdzeniu książki telefonicznej...

– Zadzwoniłem tam – przytaknąłem. – Odebrała córka doktora Shelleya, María. Powiedziałem jej, że musimy koniecznie porozmawiać z jej ojcem.

– I co, umówiła cię?

– Z początku nie miała zamiaru, ale kiedy powiedziałem o Michale Kolveniku, głos jej zadrżał. Doktor Shelley zgodził się nas przyjąć.

– Kiedy?

Spojrzałem na zegarek.

– Za mniej więcej trzy kwadranse.

Pojechaliśmy metrem na Plaza Cataluña. Zaczynało zmierzchać, kiedy schodami wychodziliśmy w kierunku Ramblas. Czuło się już atmosferę nadchodzących świąt Bożego Narodzenia, miasto przystrojone było girlandami lampek. Latarnie rzucały na chodnik wielokolorowe światła. Stada gołębi raz po raz wzbijały się do lotu pomiędzy stoiskami kwiatów i kawiarenkami, ulicznymi grajkami i żonglerami, turystami i tubylcami, policjantami i złodziejaszkami, ludźmi żywymi i duchami z innych epok. Germán miał rację: takiej ulicy jak Ramblas nie znajdzie się nigdzie indziej na świecie.

Stanęliśmy przed imponującym budynkiem Gran Teatro del Liceo. Tego wieczoru odbywało się przedstawienie operowe, więc diadem świateł rozjaśniał markizy nad głównym wejściem. Przeszliśmy na drugą stronę bulwaru i szybko natrafiliśmy na kamienicę, z której fasady zielony smok przyglądał się tłumom spacerowiczów. Ujrzawszy go, pomyślałem, że legenda dla świętego Jerzego zarezerwowała ołtarze i dewocjonalia, ale zabity przez niego smok był wszechobecny na bramach, fasadach i latarniach całej Barcelony.

Dawny gabinet doktora Joana Shelleya znajdował się na pierwszym piętrze starego budynku o wielkopańskiej aparycji, ale licho oświetlonego. Pokonawszy tonący w półmroku hall, znaleźliśmy się przy okazałych spiralnych schodach. Nasze kroki głucho zadudniły. Moją uwagę zwróciły kołatki z kutego żelaza w kształcie aniołów. Iście katedralne witraże otaczające świetlik sprawiały, iż budynek zdawał się największym kalejdoskopem świata. Jak to zwykle bywa w starych kamienicach, pierwsze piętro znajdowało się dopiero na trzeciej kondygnacji. Minęliśmy parter i antresolę i stanęliśmy przed drzwiami, na których wisiała stara tabliczka z napisem: Dr Joan Shelley. Spojrzałem na zegarek. Do umówionej godziny brakowało jeszcze dwóch minut, kiedy Marina zadzwoniła do drzwi.

Kobieta, która nam otworzyła, wyglądała, jakby przed chwilą zeszła ze świętego obrazka. Eteryczna dziewica, mistyczka żyjąca poza realnym światem. Jej skóra była biała jak śnieg i niemal przezroczysta; oczy tak jasne, że trudno orzec, jaki naprawdę miały kolor. Jednym słowem, anioł bez skrzydeł.

– Pani Shelley? – zapytałem grzecznie.

Skinęła głową, a w jej oczach zabłysło zainteresowanie.

– Dzień dobry – zacząłem. – Nazywam się Óscar. Dzwoniłem dziś rano...

– Przypominam sobie. Zapraszam do środka.

María Shelley tanecznym krokiem poprowadziła nas w głąb mieszkania. Poruszała się jakby w zwolnionym tempie. Była wątłej postury i pachniała wodą różaną. Oszacowałem ją na jakieś trzydzieści parę lat, chociaż wyglądała młodziej. Nadgarstek miała zabandażowany, łabędzią szyję przewiązała chustką. Ściany korytarza, ciemnego jak camera obscura, obite były aksamitem i obwieszone przydymionymi lustrami. Dom pachniał niczym muzeum, jakby wypełniające go powietrze uwięziono w nim wieki temu.

– Jesteśmy bardzo wdzięczni, że zgodziła się pani nas przyjąć. To moja przyjaciółka Marina.

María bacznie przyjrzała się Marinie. Zawsze fascynował mnie sposób, w jaki kobiety taksują się nawzajem. Tym razem było podobnie.

– Bardzo mi miło – powiedziała w końcu María Shelley przeciągle. – Mój ojciec ma już swoje lata. I dość krewki temperament. Proszę, abyście go zbytnio nie męczyli.

– Może być pani spokojna – obiecała Marina.

María, swoim zwiewnym krokiem nimfy, prowadziła nas dalej.

– Wspominał pan, że ma pan coś, co należało do nieżyjącego pana Kolvenika? – zapytała.

– Znała go pani? – odpowiedziałem pytaniem na pytanie.

Jej twarz rozjaśniły wspomnienia z innych czasów.

– Tak naprawdę nie bardzo. Za to wiele o nim słyszałam. Jeszcze kiedy byłam mała – powiedziała cicho, jakby mówiła do siebie.

Na ścianach obitych czarnym aksamitem wisiały obrazki przedstawiające świętych, Matkę Boską, męczenników w agonii. Ciemne dywany pochłaniały promyczki światła, którym udało się przekraść przez szczeliny w zamkniętych żaluzjach. Idąc za naszą gospodynią przez galerię, zastanawiałem się, jak długo mieszka tutaj, mając za jedyne towarzystwo starego ojca. Czy gdyby udało się jej uciec poza przytłaczający świat tych czterech ścian, poszłaby za głosem serca, zakochała się, wyszła za mąż?

María Shelley zatrzymała się przed rozsuwanymi drzwiami i cicho zapukała.

– Tato?

Doktor Joan Shelley – a raczej to, co z niego zostało – siedział na fotelu przed kominkiem, okryty stosem pledów. Jego córka wyszła i zostawiła nas z nim sam na sam. Kiedy opuszczała pokój, nie mogłem oderwać wzroku od jej talii osy. Stary doktor, w którym ciężko było rozpoznać mężczyznę ze zdjęcia, patrzył na nas w milczeniu. W jego spojrzeniu czaiła się nieufność. Zauważyłem, że dłoń oparta na poręczy fotela lekko drży. Ciało lekarza wydawało z siebie odór choroby, którego nie zdołałaby zamaskować żadna woda kolońska. Sarkastyczny uśmiech Shelleya zdradzał jego pogardę dla stanu, w jakim się znajdował, i dla całej reszty świata.

– Czas robi z ciałem to samo co głupota z duszą – powiedział, wskazując na siebie. – Rozkłada je. Czego chcecie?

– Myśleliśmy, że mógłby nam pan opowiedzieć coś o Michale Kolveniku.

– Mógłbym, ale nie wiem po co – uciął doktor. – W swoim czasie powiedziano o nim zbyt wiele, w dodatku same kłamstwa. Gdyby ludzie zastanawiali się nad jedną czwartą tego, co mówią, świat byłby rajem.

– Ale nas interesuje prawda – zaznaczyłem.

Twarz starca wykrzywiła się w sarkastycznym grymasie.

– Prawdy się nie szuka, synu. To ona znajduje nas.

Spróbowałem się uśmiechnąć przymilnie, ale zacząłem podejrzewać, że nasz rozmówca nie ma najmniejszego zamiaru puścić pary z gęby. Marina, przejrzawszy moje obawy, przejęła inicjatywę.

– Panie doktorze – powiedziała słodkim głosem – przez przypadek weszliśmy w posiadanie kolekcji zdjęć, która być może należała do Michala Kolvenika. Jest wśród nich fotografia przedstawiająca pana i jednego z pańskich pacjentów. Tylko dlatego ośmieliliśmy się pana niepokoić. Chcielibyśmy zwrócić kolekcję jej prawowitemu właścicielowi.

Tym razem doktor nie wycedził przez zęby jednego ze swoich lapidarnych zdań. Popatrzył za to na Marinę z nieukrywanym zaskoczeniem. Byłem zły, że to nie mnie przyszedł do głowy ten wybieg. Uznałem, że będzie lepiej, jeśli Marina weźmie na siebie ciężar rozmowy.

– Nie wiem, o jakich zdjęciach pani mówi, moja panno.

– Chodzi o kolekcję fotografii pacjentów cierpiących na rozmaite schorzenia deformujące ich ciała... – powiedziała Marina.

Oczy doktora zabłysły żywiej. Niewątpliwie poruszyliśmy bliski mu temat. Chociaż przypominał mumię, pod tym stosem pledów siedział jednak żywy człowiek.

– A co każe pani przypuszczać, iż owa kolekcja należała do Michala Kolvenika? – spytał, siląc się na obojętność. – I że ja mam z tym coś wspólnego?

– Pańska córka powiedziała nam, że się przyjaźniliście – wyjaśniła Marina, nie odpowiadając wprost na pytanie.

– Cnotą Maríí jest naiwność – rzekł Shelley mało przyjaznym tonem.

Marina pokiwała głową, wstała i skinęła na mnie, bym zrobił to samo.

– Rozumiem – powiedziała uprzejmie. – Widzę, że się pomyliliśmy. Przepraszamy za kłopot. Óscarze, idziemy. Zdjęcia trzeba będzie oddać komu innemu.

– Chwileczkę – zaprotestował Shelley.

Odchrząknął, po czym poprosił, byśmy znów usiedli.

– Macie jeszcze te zdjęcia?

Marina uśmiechnęła się, wytrzymując wzrok starca. Niespodziewanie Shelley parsknął czymś w rodzaju śmiechu, chociaż zabrzmiało to raczej jak szelest starej gazety.

– Skąd mogę mieć pewność, że mówicie prawdę?

Marina skinęła na mnie rozkazująco. Wyjąłem fotografię z kieszeni i wręczyłem ją doktorowi. Wziął ją drżącą ręką i zlustrował mnie spojrzeniem. Milczał przez długą chwilę. Potem odwrócił oczy ku trzaskającym w kominku płomieniom i zaczął mówić.

Doktor Shelley opowiedział nam, że jego ojciec był Anglikiem, matka Katalonką. Uzyskał specjalizację z traumatologii w szpitalu Bournemouth. Później, osiadłszy w Barcelonie, odkrył, że z racji swojej kondycji cudzoziemca nie jest mile widziany w kręgach społecznych, do których powinien był należeć ktoś marzący o karierze. Z wielkim trudem udało mu się uzyskać stanowisko lekarza więziennego. Właśnie w więzieniu udzielił pomocy Michalowi Kolvenikowi, gdy ten padł ofiarą brutalnej napaści towarzyszy z celi. Wówczas Kolvenik nie mówił po kastylijsku ani po katalońsku. Miał szczęście, że Shelley potrafił jako tako porozumieć się po niemiecku. Shelley pożyczył Kolvenikowi pieniądze na zakup ubrań, ugościł go w swoim domu i pomógł mu znaleźć pracę w Velo-Granell. Kolvenik przywiązał się do niego i nigdy nie zapomniał o jego dobroci. Narodziła się pomiędzy nimi wielka przyjaźń.

Przyjaźń ta zaowocowała później współpracą na niwie zawodowej. Wielu pacjentów doktora Shelleya potrzebowało protez. Przedsiębiorstwo Velo-Granell było jednym z ich największych producentów, a Michal Kolvenik niewątpliwie najzdolniejszym z projektantów. Z czasem Shelley został osobistym lekarzem Kolvenika. Kiedy do Kolvenika uśmiechnęła się fortuna, ten, chcąc pomóc przyjacielowi, sfinansował budowę centrum leczenia wad wrodzonych i chorób zwyrodnieniowych.

Zainteresowanie Kolvenika tym tematem sięgało jego dzieciństwa w Pradze. Shelley opowiedział nam, że matka Kolvenika urodziła bliźniaki. Michal przyszedł na świat zdrowy i silny. Drugi z braci, Andrej, nie miał tego szczęścia. Choroba zwyrodnieniowa kości i mięśni stała się przyczyną jego przedwczesnej śmierci w wieku zaledwie siedmiu lat. Michal bardzo przeżył śmierć brata, powracał do niej często pamięcią; w pewnym sensie owa śmierć zdecydowała o powołaniu Kolvenika. Uważał on bowiem, że Andrej żyłby znacznie dłużej i cierpiał o wiele mniej, gdyby mógł skorzystać z odpowiedniej opieki medycznej i zdobyczy nowoczesnej techniki. To przekonanie sprawiło, iż włożył całe swe serce i talent w projektowanie mechanizmów – jak sam lubił je nazywać – „kompletujących" ciała, które opatrzność potraktowała po macoszemu.

„Natura jest niczym dziecko bawiące się naszym życiem. Znudziwszy się popsutymi zabawkami, porzuca je i zastępuje nowymi – mawiał Kolvenik. – To my musimy pozbierać części i naprawić szkodę".

Tam, gdzie niektórzy dostrzegali arogancję ocierającą się o herezję, inni widzieli tylko i wyłącznie nadzieję. Cień brata nigdy nie opuścił Michala, przekonanego, iż tylko za sprawą ślepego zrządzenia losu to on urodził się zdrowy, Andrej zaś przyszedł na świat z zakodowanym w ciele wyrokiem przedwczesnej śmierci. Shelley mówił nam, że Kolvenik odczuwał z tego powodu wyrzuty sumienia i w głębi serca uważał, iż ma do spłacenia dług wobec brata i wszystkich, podobnie jak on, napiętnowanych stygmatem niedoskonałości. Michal zaczął nawet gromadzić szczególną kolekcję zdjęć z całego świata dokumentujących przeróżne zwyrodnienia i wady wrodzone. Dla niego owe istoty, tak tragicznie doświadczone przez los, były krewnymi Andreja. Jego niewidzialną rodziną.

– Michal Kolvenik było człowiekiem niezwykle błyskotliwym – ciągnął doktor Shelley. – Tacy jak on zawsze prędzej czy później budzą niechęć. Zawiść jest jak ślepiec, który chce ci wykłuć oczy. Wszystko, co powiedziano o nim w ostatnich latach jego życia i po jego śmierci, to kalumnie... A ten przeklęty inspektor... Florián. Nigdy nie zrozumiał, że jest tylko pionkiem w rozgrywce obliczonej na zrujnowanie Kolvenika.

– Florián? – zapytała Marina.

– Inspektor Florián był szefem brygady śledczej – wycedził Shelley najbardziej pogardliwym tonem, jaki mógł z siebie wydobyć. – Pijawką, karierowiczem, który chciał zyskać rozgłos kosztem Velo-Granell i Kolvenika. Pocieszająca jest jedynie myśl, że nigdy nie zdołał mu niczego udowodnić. A zawziętość zniszczyła mu karierę. To on wymyślił cały ten skandal z ciałami...

– Jakimi ciałami?

Shelley milczał przez długą chwilę. Potem spojrzał na nas i cyniczny uśmiech znów pojawił się na jego twarzy.

– A ten inspektor Florián – podjęła Marina – wie pan może, gdzie moglibyśmy go znaleźć?

– Pewnie w cyrku, tam jest miejsce pajaców – odparł Shelley.

– Czy znał pan Benjamína Sentísa, doktorze? – spytałem, próbując skierować rozmowę na inne tory.

– Oczywiście – powiedział. – Widywałem go regularnie. Jako wspólnik Kolvenika Sentís był odpowiedzialny za sprawy administracyjne Velo-Granell. Zachłanny człowiek, który nie wiedział, gdzie jest jego miejsce. Przez całe życie zżerała go zawiść.

– Słyszał pan o tym, że ciało Sentísa znaleziono tydzień temu w kanale ściekowym? – zapytałem.

– Czytam gazety – odburknął szorstko.

– I nie wydało się to panu dziwne?

– Nie bardziej niż inne rzeczy, o których pisze prasa. Ten świat jest chory. A ja zaczynam być zmęczony. Coś jeszcze?

Chciałem zapytać o damę w czerni, ale Marina, uśmiechając się, dała mi znak, bym tego nie robił. Shelley sięgnął po dzwonek. Na ten dźwięk w rogu stanęła María Shelley, ze wzrokiem wbitym w ziemię.

– Ci młodzi ludzie zaraz sobie pójdą.

– Tak, ojcze.

Wstaliśmy. Już miałem zabrać fotografię, ale drżąca dłoń doktora uprzedziła mnie.

– To zdjęcie zachowam sobie, jeśli nie macie nic przeciwko temu.

Nie powiedział nic więcej, dał tylko córce znak, by odprowadziła nas do drzwi. Zanim wyszliśmy z biblioteki, spojrzałem na niego raz jeszcze. Wrzucił fotografię do ognia i zatopił swój szklany wzrok w trawiących ją płomieniach.

Kiedy znaleźliśmy się w korytarzu, María Shelley uśmiechnęła się do nas przepraszająco.

– Mój ojciec ma trudny charakter, ale dobre serce – powiedziała, starając się go usprawiedliwić. – Doznał w życiu wielu rozczarowań i czasem bywa opryskliwy...

Otworzyła nam drzwi i zapaliła światło na klatce schodowej. W jej spojrzeniu czaiła się jakaś wątpliwość, jakby chciała nam coś powiedzieć i jednocześnie bała się to zrobić. Marina też to zauważyła. Wyciągnęła do niej dłoń na pożegnanie i podziękowała. María Shelley uścisnęła jej rękę. Wszystkimi porami ciała niby zimny pot wydzielała się z niej samotność.

– Nie wiem, czy ojciec wspominał wam... – zaczęła ściszonym głosem, spoglądając lękliwie za siebie.

– Marío – dobiegł nas z wnętrza mieszkania głos doktora. – Z kim rozmawiasz?

Twarz Maríi pociemniała.

– Już idę, ojcze. Już idę.

Posłała nam ostatnie melancholijne spojrzenie i wróciła do mieszkania. Kiedy zamykała drzwi, moją uwagę przykuł medalion na jej szyi. Mógłbym przysiąc, że jest na nim motyl o rozłożonych czarnych skrzydłach, nie zdążyłem się jednak upewnić. Staliśmy tak na klatce, światło już zgasło, a my nadal słyszeliśmy, jak doktor grzmi w mieszkaniu, wylewając na córkę całą swą furię. Nagle zdało mi się, że czuję zapach rozkładającego się ciała, jakby na pogrążonych w mroku schodach leżało jakieś martwe zwierzę. Potem usłyszałem oddalające się w górę kroki, a zapach, albo wrażenie, zniknął.

— Chodźmy stąd — powiedziałem.

14

K iedy szliśmy do pałacyku na Sarriá, Marina co rusz zerkała na mnie.

– Nie pojedziesz do rodziny na święta?

Pokręciłem głową, zapatrzony w przejeżdżające samochody.

– Czemu nie?

– Moi rodzice ciągle podróżują. Od kilku już lat nie spędzamy razem Bożego Narodzenia.

Chociaż nie miałem takiego zamiaru, ton mojego głosu zabrzmiał szorstko i agresywnie. Przez resztę drogi milczeliśmy. Odprowadziłem Marinę do domu i pożegnałem się z nią pod bramą.

W drodze powrotnej do internatu złapał mnie deszcz. Z daleka popatrzyłem na rząd okien na czwartym piętrze szkoły. Tylko w kilku paliło się światło. Większość kolegów wyjechała już na ferie i miała wrócić dopiero za trzy tygodnie. Rok w rok było tak samo; internat pustoszał. Nieszczęśników, którzy, podobnie jak ja, spędzali święta pod opieką wychowawców, można było policzyć na palcach jednej ręki. Przez dwa poprzednie lata bardzo to przeżywałem, tym razem jednak nie martwiłem się zbytnio. W gruncie rzeczy wolałem zostać. Nie mogłem sobie nawet wyobrazić rozstania z Mariną i Germánem. W ich towarzystwie nie czułem się samotny.

Wszedłszy po schodach na czwarte piętro, stwierdziłem, że korytarz tonie w ciszy. Całe skrzydło internatu świeciło pustkami. Z trzeciego piętra dobiegał nieprzerwany pomruk telewizora. Domyśliłem się, że telewizor włączony był w maleńkim mieszkaniu zajmowanym przez doñę Paulę, owdowiałą szkolną sprzątaczkę. Minąłem puste pokoje i w końcu dotarłem do swojej sypialni. Otworzyłem drzwi. Grzmot zadudnił na niebie Barcelony, aż cały budynek zatrząsł się w posadach. Światło błyskawicy przemknęło przez szczeliny w zamkniętych żaluzjach. Położyłem się do łóżka, nie zdejmując ubrania. Wsłuchiwałem się w odgłosy szalejącej burzy. Otworzyłem szufladę nocnej szafki i wyjąłem z niej naszkicowany przez Germána ołówkiem na plaży portret Mariny. Wpatrywałem się w niego w półmroku, aż sen i zmęczenie wzięły górę. Zasnąłem, przyciskając portret do piersi niczym talizman. Kiedy się obudziłem, już go nie miałem w rękach.

Nagle otworzyłem oczy. Poczułem na twarzy zimny podmuch wiatru. Okno było otwarte i deszcz wdarł się do sypialni. Skołowany zerwałem się z łóżka, szukając po omacku nocnej lampki. Spróbowałem ją zapalić. Nie było prądu. Wtedy uświadomiłem sobie, że portret, który ściskałem, zasypiając, zniknął z moich rąk. Nie leżał w łóżku ani na podłodze. Przetarłem oczy, nic nie rozumiejąc. Nagle poczułem ów świdrujący przenikliwy zapach. Smród padliny. Unosił się powietrzu. Był w całym pokoju. Nawet na moim ubraniu, jakby ktoś wysmarował je ścierwem zwierzęcia. Z trudem powstrzymałem mdłości. Chwilę później zamarłem z przerażenia. Nie byłem w pokoju sam. Coś wślizgnęło się przez okno, kiedy spałem.

Powoli, macając meble, dotarłem do drzwi. Spróbowałem zapalić górne światło. Bezskutecznie. Wyjrzałem na pogrążony w ciemnościach korytarz. Poczułem znów ten sam zapach, jeszcze intensywniejszy. Woń dzikiego zwierzęcia. Nagle w ostatniej sypialni, zamajaczyła mi jakaś postać.

– Doña Paula? – spytałem niemal szeptem.

Drzwi zamknęły się delikatnie. Nabrałem powietrza i ruszyłem korytarzem. Stanąłem jak wryty, słysząc dobiegający z zamkniętej sypialni szept podobny do syku węża. Głos powtarzał w kółko jedno słowo. Moje imię.

– Doña Paula, czy to pani? – wyjąkałem, starając się opanować drżenie rąk.

Postawiłem pierwszy krok w ciemność. Znów ktoś mnie zawołał. Nigdy nie słyszałem podobnego głosu. Trzęsącego się, okrutnego, złego do szpiku kości. Głosu z sennego koszmaru. Nogi wrosły mi w ziemię, stałem jak skamieniały. Wtedy drzwi sypialni otwarły się raptownie. Przez kilka sekund, które dla mnie stanowiły całą wieczność, zdawało mi się, że podłoga rozciąga się i kurczy pod moimi stopami, przesuwając mnie w stronę owych drzwi.

Na środku pokoju dostrzegłem wyraźnie jakiś przedmiot leżący na łóżku. Był to portret Mariny, z którym przedtem zasnąłem. Trzymały go dwie drewniane dłonie, dłonie

kukły. Z nadgarstków wystawały zakrwawione druty.
Ogarnęła mnie absolutna pewność, że były to dłonie, które Benjamín Sentís stracił w czeluściach kanałów. Wy-
rwane z bezwzględną brutalnością. Poczułem, że brak mi
tchu.

Odór stał się nie do wytrzymania. W jasności umysłu,
jaką osiągamy w stanie przerażenia, ujrzałem wiszącą na
ścianie nieruchomą postać ubraną na czarno, z rozłożonymi ramionami. Twarz przysłaniały jej zmierzwione włosy.
Nie mając odwagi przekroczyć progu, patrzyłem, jak twarz
unosi się nieskończenie powolnym ruchem i wreszcie
w uśmiechu odsłania białe kły. Szpony w rękawiczkach
zaczęły się wić niczym kłębowisko żmij. Cofnąłem się
i znów usłyszałem głos szepczący moje imię. Postać zaczęła
zbliżać się do mnie jak ogromna tarantula.

Krzyknąłem ze strachu i zatrzasnąłem drzwi. Spróbowałem zablokować wyjście z sypialni, ale nagle poczułem
potężne uderzenie. Dziesięć paznokci niczym sztylety prze-
biło się przez drewno. Słysząc za sobą trzask rozpadających
się w drzazgi drzwi, rzuciłem się do ucieczki w głąb korytarza, który z każdym moim krokiem stawał się coraz dłuż-
szy, niczym niekończący się tunel. Kiedy od schodów dzie-
liło mnie kilka metrów, obejrzałem się za siebie. Piekielna
istota sunęła prosto na mnie. Błysk jej potwornych oczu
rozpruwał ciemności. Znalazłem się w pułapce.

Na pamięć znałem wszystkie zakamarki internatu i szkoły, więc pobiegłem korytarzem prowadzącym do zaplecza
kuchennego. Zamknąłem za sobą drzwi kuchenne. Nadaremnie. Potwór wyrwał je z zawiasów i rzucił razem ze
mną na podłogę. Potoczyłem się po kamiennej posadzce

i schowałem pod stołem. Nogi potwora stanęły tuż przed moim nosem. Wokół mnie rozległ się ogłuszający huk tłuczonych talerzy i szklanek. Podłoga pokryła się odłamkami szkła i ceramiki. Pośród nich dostrzegłem zębate ostrze noża do chleba. W akcie rozpaczy chwyciłem trzonek. Potwór nachylił się nade mną niczym pies myśliwski nad norą. Wbiłem nóż w zbliżającą się do mnie twarz. Ostrze zanurzyło się w nią jak w miękką glinę. Odskoczył na pół metra, co pozwoliło mi uciec w głąb kuchni. Desperacko rozejrzałem się za czymś, czym mógłbym się bronić. Natrafiłem rękami na gałkę szuflady. Otworzyłem. Sztućce, świece, benzynowa zapalniczka, przybory kuchenne… Bezużyteczny złom. Instynktownie złapałem zapalniczkę. Raz i drugi próbowałem ją zapalić. Przede mną zamajaczył ciemny kształt monstrum. Poczułem jego cuchnący oddech. Szponiasta dłoń sięgała mojego gardła. Wreszcie z kamienia zapalniczki sypnęły iskry, buchnął płomień i oświetlił stojącą przede mną postać. Zamknąłem oczy i wstrzymałem oddech, przekonany, iż spojrzałem w twarz śmierci i że pozostało mi tylko czekać. Trwało to całą wieczność.

Kiedy znów otworzyłem oczy, już go nie było. Słyszałem oddalające się kroki. Szedł do mojej sypialni. Poszedłem za nim. Zdawało mi się, że słyszę jęki. Jęki bólu lub wściekłości, takie przynajmniej odniosłem wrażenie. Ostrożnie zajrzałem do swojego pokoju. Stwór grzebał w mojej torbie. Wyciągnął album fotografii, które wykradłem z oranżerii. Odwrócił się. Przez chwilę przyglądaliśmy się sobie. Przez ułamek sekundy mogłem zobaczyć zarys jego postaci w widmowym świetle nocy. Chciałem coś powiedzieć, ale stwór wyskoczył już przez okno.

Podbiegłem do parapetu i wyjrzałem, sądząc, że ujrzę spadające w przepaść ciało, ale potwór zsuwał się po rynnach z nieprawdopodobną zręcznością. Wiatr targał jego czarną peleryną. Szybko przeskoczył na dach wschodniego skrzydła. Ominął las gargulców i wieżyczek. Przyglądałem się odrętwiały, jak ta piekielna zjawa oddala się w strugach ulewy, giętka i zwinna niczym pantera, jakby dachy Barcelony były dżunglą. Nagle zdałem sobie sprawę, że rama okna jest cała we krwi. Idąc za śladami krwi, cofnąłem się na korytarz. Dopiero tam pojąłem, że to nie ja krwawię. Uderzyłem i zraniłem nożem żywą istotę. Oparłem się o ścianę. Nie mogłem opanować drżenia kolan. Osunąłem się na podłogę, skuliłem, całkowicie wyczerpany.

Nie wiem, ile czasu spędziłem w tej pozycji. Kiedy wreszcie zdołałem wstać, postanowiłem udać się tam, gdzie miałem nadzieję poczuć się bezpiecznie. Do tego jednego jedynego miejsca.

15

Dotarłem do domu Mariny i po omacku przeszedłem przez ogród tonący w ciemnościach. Okrążyłem budynek i skierowałem się do kuchennego wejścia. Przez żaluzje przeciekały strumyki ciepłego światła. Zrobiło mi się raźniej. Zapukałem i pchnąłem drzwi. Jak zwykle były otwarte. Mimo późnej pory Marina siedziała przy stole w kuchni, pisząc w swoim zeszycie przy świetle świec. Kafka siedział na jej kolanach. Ledwo mnie ujrzała, pióro wypadło jej z ręki.

– Óscarze, na miłość boską! Co się stało? – wykrzyknęła, patrząc na moją poplamioną koszulę i poszarpane spodnie i dotykając zadrapań na mojej twarzy. – Co ci się stało?

Dopiero po paru gorących herbatach zdołałem opowiedzieć Marinie o tym, co mnie spotkało – w każdym razie sądziłem, że mnie spotkało, bo, prawdę mówiąc, zaczynałem już wątpić we własne zmysły i rozum. Słuchała mnie, uspokajająco gładząc moją dłoń. Przeszło mi przez myśl, że pewnie wyglądam znacznie gorzej, niż sądziłem.

– Mogę tu zostać na noc? Nie mam gdzie pójść, a do internatu nie chcę wracać.

– Nawet bym ci na to nie pozwoliła. Możesz z nami zostać, jak długo zechcesz.

– Dziękuję.

W jej oczach dostrzegłem ten sam niepokój, który i mnie dręczył. Po tym, co wydarzyło się tej nocy, jej dom był równie niebezpieczny jak mój internat czy jakiekolwiek inne miejsce. To, co nas prześladowało, dobrze wiedziało, gdzie nas szukać.

– I co teraz zrobimy?

– Moglibyśmy odnaleźć tego inspektora Floriána, o którym wspominał Shelley. Być może pomógłby nam zrozumieć, o co w tym wszystkim chodzi.

Marina prychnęła.

– A może jednak sobie pójdę... – obruszyłem się nieco.

– Nie ma mowy. Chodź na górę. Przygotuję ci pokój obok mojej sypialni.

– A Germán nie będzie miał nic przeciwko?

– Wprost przeciwnie. Powiemy mu, że masz zamiar spędzić z nami święta Bożego Narodzenia.

Poszliśmy na górę. Nigdy jeszcze nie byłem w tej części domu. Światło kandelabru wydobyło z ciemności korytarz, po którego obu stronach znajdowały się szeregi drzwi z dębowego drewna. Wybrany przez Marinę pokój znajdował się na końcu i przylegał do jej sypialni. Meble kojarzyły się z salonem antykwarycznych rupieci, ale pokój był ładnie utrzymany i czysty.

– Pościel jest świeża – powiedziała Marina, składając narzutę. – W szafie masz koce, gdyby ci było chłodno. Tam są ręczniki. Zaraz poszukam ci jakiejś piżamy Germána.

– Chyba chcesz, żebym się w niej utopił – zażartowałem.

– Od przybytku głowa nie boli. Zaraz wracam.

Na korytarzu rozległy się jej kroki. Rozebrałem się, złożyłem ubranie na krześle i wślizgnąłem w czystą i wykrochmaloną pościel. Nigdy w życiu nie czułem się tak zmęczony. Powieki ciążyły mi jak ołów. Marina wróciła, niosąc dwumetrowej długości nocną koszulę jakby wykradzioną z kolekcji bielizny infantki.

– Mowy nie ma – zaoponowałem. – Nie będę spał w czymś takim.

– Niczego innego nie znalazłam. Będziesz w tym wyglądać bosko. Poza tym Germán nie pozwala, żeby nocujący u nas chłopcy spali nago. Takie są zasady.

Rzuciła mi nocną koszulę i położyła zapasowe świece na komodzie.

– Gdybyś czegokolwiek potrzebował, zapukaj w ścianę. Jestem obok.

Patrzyliśmy na siebie przez chwilę. W końcu Marina spuściła wzrok.

– Dobrej nocy – szepnęła.

– Dobranoc.

Obudziłem się w pokoju zalanym światłem. Sypialnia wychodziła na wschód, a za szybą okna można było podziwiać unoszące się nad miastem i lśniące w całej okazałości słońce. Zanim wstałem, zdążyłem zauważyć, że na krześle nie ma ubrania, które tam w nocy złożyłem. Zrozumiałem, w czym rzecz, i przekląłem zbytek gościnności, przekonany, że Marina zrobiła to celowo. Przez drzwi wpadał zapach ciepłego pieczywa i świeżo zaparzonej kawy. Porzuciwszy wszelką nadzieję, że uda mi się zachować choćby resztki godności, przełamałem się wreszcie i odważyłem zejść do kuchni w tej żenująco koszmarnej koszuli nocnej. Wyszedłem na korytarz. Nie wierzyłem własnym oczom. Cały dom tonął w tej magicznej światłości. Usłyszałem dochodzące z kuchni głosy gospodarzy. Uzbroiłem się w odwagę i zszedłem po schodach. Stanąłem przed progiem kuchni i odchrząknąłem. Marina nalewała Germánowi kawę. Usłyszawszy mnie, podniosła wzrok.

– Dzień dobry, śpiąca królewno – powiedziała.

Germán odwrócił się, powoli wstał i elegancko podsunął krzesło.

– Witam serdecznie, drogi przyjacielu! – przywitał się ze mną wylewnie, ściskając mi dłoń. – Miło nam, że mogliśmy panu udzielić noclegu. Marina powiedziała mi już o pracach remontowych w internacie. Może pan u nas gościć, jak długo pan zechce, proszę mi wierzyć, mówię to z całego serca. Niech się pan czuje jak u siebie w domu.

– Wielkie dzięki…

Marina podała mi filiżankę kawy, uśmiechając się łobuzersko na widok mojego nocnego przyodziewku.

– Leży na tobie jak ulał.

– Fantastycznie wprost. Jak ulęgałka raczej. Gdzie jest moje ubranie?

– Pozwoliłam sobie zrobić małą przepierkę. A teraz schnie.

Germán przysunął mi tacę z ciepłymi jeszcze croissantami z ciastkarni Foix. Poczułem wodospady śliny w ustach.

– Proszę skosztować tych wspaniałości. To mercedes wśród croissantów. I proszę nie dać się nabrać, bo to, co pan widzi na spodeczku, to nie konfitura, to arcydzieło.

Rzucałem się na wszystko, czym mnie częstowano, z łapczywością wyłowionego z morza rozbitka. Germán w tym czasie przerzucał gazetę. Tryskał dobrym humorem i choć skończył już śniadanie, nie wstał, dopóki nie spałaszowałem wszystkiego, co było na stole, oprócz sztućców i talerzy. Dopiero wtedy spojrzał na zegarek.

– Spóźnisz się, tato, na spotkanie z księdzem – przypomniała Marina.

Germán pokiwał głową bez zbytniego entuzjazmu.

– Właściwie nie wiem, czy warto zawracać sobie tym głowę – powiedział. – Ten spryciarz zastawia więcej zabójczych sideł niż kłusownik.

– To koloratka – powiedziała Marina. – Myśli, że dzięki niej więcej mu wolno…

Patrzyłem tępym wzrokiem to na nią, to na niego, nie mając zielonego pojęcia, o czym mówią.

– Szachy – pospieszyła z wyjaśnieniem Marina. – Germán i ksiądz od wielu lat prowadzą morderczy pojedynek.

– Drogi przyjacielu, niech pan nigdy nie staje do partii szachów z jezuitą. Proszę mi wierzyć. A teraz, jeśli pan pozwoli… – powiedział Germán, wstając od stołu.

– Ależ oczywiście. Życzę powodzenia.

Germán wziął płaszcz, kapelusz, hebanową laskę i wyruszył na spotkanie z wielebnym mistrzem strategii. Jak tylko wyszedł, Marina zniknęła w ogrodzie, by po chwili wrócić z moim ubraniem.

– Z przykrością muszę cię powiadomić, że Kafka zrobił sobie w twoim ubraniu legowisko.

Ubranie było suche, ale nawet pięć prań nie zdołałoby usunąć z niego kociej sierści.

– Kiedy rano poszłam po pieczywo, zadzwoniłam z baru na rogu do komisariatu. Inspektor Víctor Florián jest już na emeryturze i mieszka w Vallvidrerze. Nie ma telefonu, ale zdobyłam jego adres.

– Za minutę jestem gotowy.

Dolna stacja funikularu na Vallvidrerę znajdowała się parę ulic od domu Mariny. Idąc szybkim krokiem, znaleźliśmy się w dziesięć minut przed kasą, gdzie nabyliśmy bilety. Czekając na peronie u podnóża góry, mogliśmy przyjrzeć się całej dzielnicy Vallvidrera, górującej nad miastem niczym taras widokowy. Domy zdawały się wisieć na podczepionych do chmur niewidzialnych nitkach. Usiedliśmy z tyłu wagonu. Patrzyliśmy na coraz mniejszą, w miarę powolnego wspinania się kolejki, i oddalającą się Barcelonę.

– To musi być niezła fucha – odezwałem się. – Motorniczy kolejki linowej. Windziarz do nieba.

Marina spojrzała na mnie z niedowierzaniem.

– Co takiego złego powiedziałem? – spytałem.

– Nie, nic takiego. Do tego sprowadzają się twoje aspiracje?

– Nie mam pojęcia, jakie są moje aspiracje. Nie wszyscy mają tak poukładane w głowie jak ty. Marina Blau, laureatka Nagrody Nobla w dziedzinie literatury i kustoszka kolekcji nocnych koszul familii Burbonów.

Marina przybrała tak poważny wyraz twarzy, iż w tej samej chwili pożałowałem swoich słów.

– Kto nie wie, dokąd zmierza, nigdy nigdzie nie dojdzie – skwitowała chłodno.

– Ja wiem, dokąd zmierzam – odparłem, wymachując swoim biletem.

Spojrzała w dół. Przez parę minut sunęliśmy w górę w milczeniu. W oddali widziałem sylwetkę swojej szkoły.

– Chcę studiować architekturę – szepnąłem.

– Proszę?

– Chcę być architektem. Oto moje aspiracje. Nigdy nikomu tego nie mówiłem.

Wreszcie się do mnie uśmiechnęła. Wagon kolejki docierał na szczyt góry, stukocząc jak stara pralka.

– Zawsze chciałam mieć swoją własną katedrę – oznajmiła Marina. – Masz jakiś pomysł?

– Gotyk. Daj mi trochę czasu, a ja ci ją zbuduję.

Promienie słońca smagnęły ją po twarzy. Wpatrzone we mnie oczy rozbłysły.

– Przyrzekasz? – zapytała, wyciągając do mnie rękę.

Uścisnąłem ją mocno.

– Przyrzekam.

Pod zdobytym przez Marinę adresem znajdował się stary dom, praktycznie na skraju ruiny. Posiadłość została pożarta przez chaszcze. Pośród nich stała zardzewiała skrzynka pocztowa niczym pozostałość epoki katalońskiej rewolucji przemysłowej. Przedarliśmy się do drzwi wejściowych. Poniewierały się przy nich pudła pełne starych, przewiązanych sznurkiem gazet. Pokrywająca elewację farba, zmaltretowana przez wiatry i wilgoć, łuszczyła się całymi płatami. Inspektor Víctor Florián nie wyrzucał pieniędzy na koszty reprezentacyjne i remontowe.

– Tu dopiero by się przydał architekt – skomentowała Marina.

– Albo zakład robót wyburzeniowych i rozbiórkowych...

Delikatnie zapukałem do drzwi. Bałem się, że w wyniku zbyt mocnych uderzeń cały dom może runąć w dół stoku.

– A może lepiej zadzwoń?

Przycisk dzwonka rozpadł się już dawno temu, a z miejsca, które niegdyś zajmował, wystawały elektryczne kable pamiętające czasy Edisona.

– Ja tam nie będę palców wkładał – zaoponowałem, raz jeszcze pukając.

Nagle drzwi uchyliły się na jakichś dziesięć centymetrów. Przytrzymujący je łańcuch zabłysł na wysokości szaro błyszczących oczu.

– Kto tam?

– Czy pan Víctor Florián?

– Tak, to ja. Ale pytam: „kto tam".

Głos był zdecydowany, autorytarny, absolutnie bez krzty cierpliwości. Głos orzekający karę mandatu.

– Posiadamy informacje o Michale Kolveniku... – zaczęła Marina miast słów prezentacji.

Drzwi natychmiast stanęły otworem. Víctor Florián okazał się rosłym i krzepkim mężczyzną. Miał na sobie ten sam garnitur co w dniu, w którym przestał pracować. Tak przynajmniej przyszło mi na myśl. Przypominał sta-

150

rego pułkownika bez pułku, na tyłach wojny, której nie ma. Z ust sterczało mu zgaszone cygaro, a krzaczaste brwi mogły konkurować z zaroślami wokół jego domu.

– A co wy wiecie o Kolveniku? Kim jesteście? Kto dał wam adres?

Inspektor Florián nie zadawał pytań – on nimi po prostu strzelał. Wpuścił nas do środka, wyjrzawszy wpierw na zewnątrz, by sprawdzić, czy ktoś nas nie śledził. Wewnątrz było brudno jak w chlewie i unosił się piwniczny odór. Wszędzie leżały papiery, stosy papierów, pliki papierów jakby poukładanych za pomocą propelera.

– Wejdźcie dalej.

Przeszliśmy obok pokoju, w którym na ścianie wisiała broń wszelkiego rodzaju. Rewolwery, pistolety automatyczne, mauzery, bagnety… Do niejednej rewolucji przystępowano z mniejszym arsenałem.

– Matko Boska… – szepnąłem.

– Cicho mi tu, nie jesteśmy w kaplicy – uciął Florián, zamykając drzwi tej zbrojowni.

Wnętrze, do którego tak uprzejmie nas zaprosił, okazało się maleńką jadalnią. Rozciągał się z niej widok na całą Barcelonę. Pomimo że czas jakiś temu zwolniony z obowiązków służbowych, inspektor wciąż czuwał nad miastem z wysokości. Wskazał nam sofę podziurawioną jak sito. Na stole stała opróżniona do połowy puszka fasolki po bretońsku i butelka piwa Estrella Dorada. Policyjny fundusz emerytalny gwarantem starości dziada proszalnego, pomyślałem. Florián usadowił się na krześle naprzeciwko i sięgnął po budzik, niewątpliwie kupiony na pchlim targu. Nieomal wbił go w stół przed nami.

– Piętnaście minut. Jeśli w kwadrans nie powiecie mi czegoś, czego nie wiem, wykopię was stąd.

Opowieść o wszystkim, co się nam zdarzyło, zabrała nam znacznie więcej niż piętnaście minut. Inspektor słuchał coraz uważniej tego, co mówimy, a z jego oblicza zaczęła powoli opadać maska bezdusznego gliniarza. W wyłaniającej się twarzy zacząłem dostrzegać człowieka zmęczonego i wystraszonego, który ukrywa się w tej ruderze, barykadując się za swymi starymi gazetami i kolekcją broni. Gdy nasza historia dobiegała końca, inspektor Florián sięgnął po swoje cygaro i przyjrzawszy mu się bacznie i długo, wreszcie je zapalił.

Następnie, ze wzrokiem zagubionym w mirażu tonącego we mgle miasta, zaczął opowiadać.

16

W roku 1945 byłem inspektorem brygady śledczej w Barcelonie – zaczął Florián. – Zamierzałem właśnie wystąpić o przeniesienie do Madrytu, kiedy przydzielono mi sprawę Velo-Granell. Od trzech lat brygada prowadziła dochodzenie w sprawie Michala Kolvenika, cudzoziemca, niechętnie traktowanego przez władze. Mimo usilnych starań nie potrafiliśmy znaleźć na niego jakiegokolwiek haka ani tym bardziej niczego mu udowodnić. Mój poprzednik na tym stanowisku poddał się i ustąpił. Za firmą Velo-Granell stał mur prawników, a w skomplikowanych układach finansowych związanych z tym przedsiębiorstwem spółek nie sposób się było połapać. Moi szefowie podpuścili mnie, czarując, że jest to unikalna szansa na awans. Takie sprawy windują człowieka do ministerialnego gabinetu z samochodem służbowym i szoferem, bez potrzeby punktualnego przychodzenia do pracy, mówili mi. Chorobliwa ambicja i kretynizm często chodzą w parze.

Florián przerwał na chwilę, zamyślając się nad tym, co przed chwilą powiedział, i sarkastycznie uśmiechnął się do własnych myśli. Zagryzał cygaro, jakby to była pańska skórka.

– Kiedy przestudiowałem akta sprawy – kontynuował
– stwierdziłem, iż to, co się zaczęło jak rutynowe śledztwo
dotyczące nieprawidłowości finansowych z podejrzeniem
o defraudację, przeistoczyło się z czasem w sprawę, której
nikt nie potrafił zakwalifikować, a tym samym przydzie-
lić konkretnemu wydziałowi. Wymuszenie. Kradzież. Pró-
ba zabójstwa. A to tylko na dzień dobry. Zważcie, że moje
dotychczasowe doświadczenie ograniczało się do malwersa-
cji, oszustw podatkowych, defraudacji i sprzeniewierzeń...
Inna sprawa, że nie zawsze ścigaliśmy te przestępstwa, to
były inne czasy, ale wiedzieć, wiedzieliśmy o nich wszystko.

Inspektor, trochę zakłopotany, skrył się za zasłoną
dymną swojego cygara.

– To dlaczego wziął pan tę sprawę? – zapytała Marina.

– Z arogancji. Z ambicji i chciwości – podsumował sam
siebie tonem, który, jak przypuszczałem, rezerwował dla
najgorszych zbrodniarzy.

– A może żeby dojść prawdy – odważyłem się wtrącić.
– Żeby sprawiedliwości stało się zadość.

Na ustach inspektora Floriána pojawił się smutny
uśmiech. W jego spojrzeniu można było dostrzec niemija-
jące od trzydziestu lat rozgoryczenie.

– Z końcem tysiąc dziewięćset czterdziestego piątego roku Velo-Granell stała się praktycznie bankrutem – ciągnął
inspektor. – Trzy największe banki Barcelony zamknęły jej
linie kredytowe, a akcje spółki zostały wycofane z obrotu
giełdowego. Kiedy ostatecznie zabrakło środków, wszystkie obronne konstrukcje wzniesione przez prawników i za-
wiła struktura spółek widm runęły jak domek z kart. Dni
chwały minęły bezpowrotnie. Gran Teatro Real, zamknięty

po tragedii, która oszpeciła Evę Irinovą w dniu jej ślubu, zamienił się w ruinę. Zamknięto fabrykę i warsztaty. Majątek firmy zajęto. Plotki rozszerzały się jak gangrena. Kolvenik, nie tracąc zimnej krwi, postanowił zorganizować wytworne przyjęcie w budynku Lonja del Mar w Barcelonie, by zademonstrować światu, że panuje nad sytuacją. Jego wspólnik, Sentís, wpadł natomiast w histerię. Nie było pieniędzy nie tylko na wynajęcie sal jednego z najbardziej prestiżowych barcelońskich budynków, ale nawet na opłacenie części zamówionego jedzenia. Zaproszenia wysłane zostały do wszystkich największych akcjonariuszy i najznamienitszych rodzin katalońskich. W dniu przyjęcia lało jak z cebra. Budynek Lonjy był oświetlony niczym pałac z bajki. Gdy wybiła dziewiąta wieczorem, zaczęli się pojawiać służący najbogatszych domów w mieście, z których wiele zawdzięczało swoje fortuny Kolvenikowi, z liścikami usprawiedliwiającymi nieobecność na przyjęciu. Gdy tam przybyłem, tuż po północy, Kolvenik, w nienagannym fraku, stał sam w sali, paląc papierosa, z tych sprowadzanych specjalnie z Wiednia. Przywitał się ze mną i podał mi kieliszek szampana. „Proszę coś zjeść, panie inspektorze, szkoda, żeby się to wszystko zmarnowało", powiedział. Po raz pierwszy byliśmy ze sobą sam na sam. Rozmawialiśmy godzinę. Mówił mi o książkach, które przeczytał w dzieciństwie i wczesnej młodości, o podróżach, których nigdy nie zdołał odbyć… Był człowiekiem obdarzonym niezwykłą charyzmą, wyjątkową inteligencją. Choć próbowałem mu nie ulegać, w końcu musiałem przyznać w duchu, że trudno mi się oprzeć sile jego osobowości. Gorzej: zrobiło mi się go żal, choć w założeniu ja byłem myśliwym, a on zwierzyną.

155

W pewnej chwili zauważyłem, że trzymana przezeń laska z kunsztownie wyrzeźbioną rączką z kości słoniowej nie służy mu wcale ku ozdobie. Kolvenik kulał. „Chyba nikt nie stracił tylu przyjaciół w ciągu jednego dnia", powiedziałem mu. Uśmiechnął się i spokojnie zdementował moją supozycję. „Jest pan w błędzie, inspektorze. Na przyjęcia wydawane z takich okazji nigdy się nie zaprasza przyjaciół". Zapytał mnie nader uprzejmie, czy mam zamiar nadal nań dybać. Odparłem, że nie spocznę, dopóki nie postawię go przed sądem. Pamiętam, że zapytał mnie: „A co miałbym zrobić, drogi inspektorze, żeby zrezygnował pan ze swych zamiarów?". „Musiałby mnie pan zabić", odparłem. „Na wszystko przyjdzie czas, panie inspektorze, na wszystko przyjdzie czas", powiedział, uśmiechając się. I odszedł, kulejąc. Nigdy więcej już go nie zobaczyłem… ale żyję. Kolvenik nie spełnił swej ostatniej groźby.

Inspektor Florián przerwał i sięgnął po szklankę. Pił wodę, jakby były to ostatnie jej krople na świecie. Oblizał usta i wrócił do swej opowieści.

– Od tamtego dnia Kolvenik, osamotniony i opuszczony przez wszystkich, żył ze swą żoną, odcięty od świata, w tej groteskowej wieży, jaką kazał sobie zbudować. Nikt go już potem nie widział. Tylko dwie osoby miały do niego dostęp. Dawny szofer, Luis Claret, ślepo zapatrzony w Kolvenika, nieudacznik i pechowiec, który nie chciał odejść od swego pracodawcy, nawet kiedy ten nie mógł grosza zapłacić za jego usługi. Drugą osobą był zaś osobisty lekarz Kolvenika, doktor Shelley, którego zresztą też wzięliśmy pod lupę. I nikt więcej. A oświadczenia Shelleya zapewniającego nas, że Kolvenik przebywa w swej rezydencji nieopodal parku Güell, cierpiąc na dolegliwość, o której doktor nie potrafił nic powiedzieć, nie przekonywały nas w najmniejszym stopniu, zwłaszcza po tym, jak zdołaliśmy przejrzeć jego archiwum i dokumenty księgowe. Przez jakiś czas podejrzewaliśmy, że Kolvenik zmarł albo uciekł za granicę i cała ta maskarada jest jedną wielką farsą. Shelley jednakże uparcie twierdził, że Kolvenik nabawił się dziwnej przypadłości, która nie pozwalała mu opuszczać rezydencji. Nie mógł ani nikogo przyjmować, ani wychodzić, pod żadnym pozorem; tak zarządził lekarz. Nikt z nas w to nie wierzył, ani w policji, ani w prokuratorze. Trzydziestego pierwszego grudnia czterdziestego ósmego roku uzyskaliśmy wreszcie nakaz rewizji miejsca pobytu Kolvenika i nakaz jego aresztowania. Duża część poufnej dokumentacji przedsiębiorstwa zniknęła. Podejrzewaliśmy, że została ukryta w rezydencji Kolvenika. Zgromadziliśmy już dość poszlak, by oskarżyć go o malwersacje i oszustwa podatkowe. Odwlekanie sprawy nie miało najmniejszego sensu. Ostatni dzień roku tysiąc dziewięćset czterdziestego ósmego miał być ostatnim dniem wolności dla Kolvenika. Oddział specjalny był już gotów przystąpić z samego rana do działania. Czasem, szczególnie w przypadku wielkich przestępców, trzeba zrezygnować z drobiazgowego zbierania dowodów...

Cygaro inspektora znowu zgasło. Florián przyjrzał mu się z dezaprobatą i odrzucił je do doniczki wypełnionej nie ziemią, ale innymi niedopałkami po cygarach. Urna z prochami dla petów.

– Tej nocy jednak przerażający pożar strawił dom i zabił Kolvenika i jego żonę Evę. O świcie odnaleziono na poddaszu obydwa ciała zwęglone i wtulone w siebie... Nasze nadzieje na zamknięcie sprawy spłonęły wraz z nimi. Nigdy nie wątpiłem, że ogień został celowo podłożony. Przez jakiś czas sądziłem, że kryje się za tym Benjamín Sentís i inni członkowie zarządu przedsiębiorstwa.

– Sentís? – przerwałem.

– Nie było żadną tajemnicą, że Sentís nienawidził Kolvenika za przejęcie kontroli nad firmą swego ojca, ale zarówno on sam, jak i pozostali mieli znacznie poważniejsze powody, żeby pragnąć, by sprawa nigdy nie trafiła do sądu. Zdechł wściekły pies, wścieklizna też... Bez Kolvenika puzzle już nie miały sensu. Można by stwierdzić, że tej nocy wiele rąk splamionych krwią obmyło się z niej w płomieniach pożaru. Po raz kolejny dochodzenie utknęło w martwym punkcie. Wszystko obróciło się w popiół. Do dziś śledztwo dotyczące Velo-Granell jest największą zagadką w historii wydziału śledczego barcelońskiej policji. I największą porażką w moim życiu...

– Przecież pożar nie wybuchł z pańskiej winy – podsunąłem życzliwie.

– O karierze w wydziale śledczym mogłem już zapomnieć. Została raz na zawsze przekreślona. Przydzielono mnie do brygady antydywersyjnej. Wiecie, co to jest? Łowcy duchów. Tak ich nazywano w wydziale. Zrezygnowałbym z tej pracy, ale to były czasy głodu, a ja za swoją pensję musiałem jeszcze utrzymać brata i jego rodzinę. Poza tym byłemu policjantowi nikt by nie dał pracy. Ludzie mieli już dość szpicli i donosicieli. Zostałem więc tam. Moja praca polegała na przeprowadzaniu o północy rewizji w zapyziałych pensjonatach przechowujących emerytów i wojennych inwalidów, w poszukiwaniu kopii *Kapitału* i socjalistycznych ulotek przechowywanych w plastikowych torbach ukrytych w rezerwuarach i takie tam rzeczy... Na początku tysiąc dziewięćset czterdziestego dziewiątego roku myślałem, że wszystko przegrałem. Wszystko, co mogło źle się skończyć, skończyło się jeszcze gorzej. Przynajmniej tak mi się wydawało. O świcie trzynastego grudnia 1949 roku, niemal rok po owym pożarze, w którym zginął Kolvenik z żoną, przy bramie starego magazynu Velo-Granell znalezione zostały poćwiartowane ciała dwóch inspektorów z mojej byłej jednostki. Ponoć udali się tam, by zweryfikować anonimową informację dotyczącą sprawy Velo-Granell. Pułapka. Takiej śmierci, jaka ich spotkała, nie życzyłbym największemu wrogowi. Nawet koła pociągu nie mogą doprowadzić ciał do takiego stanu, w jakim zobaczyłem je w prosektorium... To byli dobrzy policjanci, profesjonaliści. Wiedzieli, co mają robić. Byli uzbrojeni. W raporcie napisano, że okoliczni mieszkańcy słyszeli strzały. Na miejscu zbrodni znaleziono czternaście łusek po dziewięciomilimetrowych nabojach. Wszystkie pochodziły z przydziałowej broni inspektorów. Na ścianach nie znaleziono jednak najmniejszego śladu po jakimkolwiek strzale ani wbitego naboju.

– I jak to wytłumaczyć? – zapytała Marina.

– Nie da się tego wytłumaczyć. To po prostu niemożliwe. Ale takie są fakty... sam widziałem łuski i dokładnie zbadałem teren.

Spojrzeliśmy z Mariną na siebie.

– A czy mogło być tak, że strzały zostały oddane w stronę jakiegoś przedmiotu, samochodu na przykład albo jakiegoś innego pojazdu? I że ten pojazd, dajmy na to, po ostrzale odjechał stamtąd, nie zostawiając śladu? – spytała Marina.

– Byłabyś dobrą policjantką. Rozważaliśmy taką hipotezę przez jakiś czas, ale prawdę mówiąc, nie mieliśmy zbyt wielu dowodów na jej potwierdzenie. Naboje tego kalibru zazwyczaj odbijają się rykoszetem od powierzchni metalowych, zostawiając ślady kilku uderzeń, a w każdym razie ślady naboju. Tu, na miejscu zbrodni, nie znaleziono nic.

– Parę dni później, na pogrzebie moich kolegów, spotkałem Sentísa – kontynuował Florián swą opowieść. – Wyglądał okropnie, jakby już kolejny dzień nie spał. Miał na sobie brudne ubranie i cuchnął alkoholem. Wyznał mi, że nie ma odwagi wrócić do domu, że od kilku już dni włóczy się po mieście i śpi w miejscach publicznych... „Moje życie niewarte jest funta kłaków, panie inspektorze – powiedział mi. – Ja już jestem martwy". Zaproponowałem mu policyjną ochronę. Zaczął się śmiać. Zaoferowałem mu nawet mieszkanie u mnie. Odmówił. „Nie chcę mieć pańskiej śmierci na sumieniu, panie inspektorze", powiedział i zniknął mi z oczu, wmieszawszy się w tłum. W ciągu kilku miesięcy wszyscy byli członkowie rady nadzorczej Velo-Granell zmarli śmiercią naturalną, teoretycznie oczywiście. „Zatrzymanie pracy serca", takie było lekarskie orzeczenie za każdym razem. Okoliczności też były podobne. Wszyscy konali sami w swoich łóżkach, zawsze o północy, zawsze czołgając się po podłodze w ucieczce przed śmiercią niepozostawiającą żadnego śladu. Wszyscy, poza Benjamínem Sentísem. Na trzydzieści lat straciłem go z oczu. A ostatni raz rozmawiałem z nim parę tygodni temu.

– Pewnie tuż przed jego śmiercią – odważyłem się zasugerować.

Florián przytaknął.

– Zadzwonił do komisariatu i zapytał o mnie. Twierdził, że jest w posiadaniu informacji o morderstwach w fabryce i o sprawie Velo-Granell. Zadzwoniłem do niego i rozmawialiśmy chwilę. Uznałem, że bredzi, ale zgodziłem się z nim spotkać. Z litości. Umówiliśmy się na następny dzień, w winiarni na ulicy Princesa. Nie przyszedł. Dwa dni później przyjaciel z komisariatu zadzwonił do mnie i powiedział, że odnaleziono ciało Sentísa w jednym z tuneli kanałów Starego Miasta. Sztuczne dłonie, które Kolvenik dla niego stworzył, były amputowane. Ale to podała prasa. Za to w gazetach nie napisano, że policja natrafiła na wymalowany krwią na ścianie tunelu napis: *Teufel*.

– *Teufel*?

– To po niemiecku – powiedziała Marina. – Znaczy *diabeł*.

– Ale jest to również nazwa symbolu firmy Kolvenika – objaśnił nam inspektor.

– Czarny motyl?

Pokiwał głową.

– A dlaczego tak się nazywa? – zapytała Marina.

– Nie jestem entomologiem. Wiem tylko, że Kolvenik kolekcjonował motyle.

Zbliżało się południe, więc Florián zaprosił nas na poczęstunek do baru znajdującego się przy stacji funikularu. Wszyscy mieliśmy ochotę wyjść na chwilę z domu.

Właściciel baru wyglądał na zaprzyjaźnionego z inspektorem. Od razu zaprowadził nas do stojącego nieco na uboczu i przy oknie stolika.

– Wnuki przyszły z wizytą, szefie? – zapytał, uśmiechając się.

Inspektor pokiwał głową, ale słowem się nie odezwał. Kelner przyniósł nam parę porcji tortilli i bułkę z pomidorem. Doniósł również paczkę ducadosów dla Floriána. Racząc się specjałami domowej kuchni, słuchaliśmy dalszego ciągu opowieści inspektora.

– Kiedy zacząłem śledztwo w sprawie Velo-Granell, ustaliłem, że przeszłość Michala Kolvenika jest dość niejasna. W Pradze nie można było w żadnym urzędzie sprawdzić jego danych osobowych; nie było ani metryki urodzenia, ani dokumentów potwierdzających jego obywatelstwo. Przypuszczalnie imię i nazwisko też były przybrane.

– To kim był Kolvenik?

– Od trzydziestu lat zadaję sobie to pytanie. Co prawda kiedy się skontaktowałem z policją praską, uzyskałem informacje o niejakim Michale Kolveniku, ale pochodziły one z WolfterHausu.

– To znaczy? – zapytałem.

– Z miejskiego zakładu dla obłąkanych. Ale nie sądzę, by Kolvenik kiedykolwiek tam przebywał. Sądzę, iż po prostu przybrał imię i nazwisko jednego z pacjentów. Kolvenik nie był wariatem.

– Z jakiego powodu Kolvenik miałby przyjąć tożsamość pacjenta domu wariatów? – zdziwiła się Marina.

– W tamtej epoce nie było w tym nic nadzwyczajnego – wyjaśnił inspektor. W czasie wojny wiele osób zmienia tożsamość, by się narodzić na nowo. Zostawić za sobą niewygodną przeszłość. Jesteście młodzi, nie pamiętacie, co to wojna. Kto jej nie poznał, nie wie, co się naprawdę kryje w człowieku...

– Czy Kolvenik miał coś na sumieniu? – spytałem.

– Skoro figurował w kartotekach praskiej policji...

– Czysta zbieżność nazwisk. Biurokracja. Możecie mi wierzyć, wiem, co mówię – zapewnił Víctor Florián. – Jeśli Kolvenik figurujący w archiwach to nasz Kolvenik, nie ma na jego temat zbyt wielu informacji. Wspomina się o nim przy okazji śledztwa w sprawie śmierci pewnego czeskiego chirurga, Antonina Kolvenika. Dochodzenie zamknięto, uznając, iż zmarł on śmiercią naturalną.

– W takim razie dlaczego ów Michal Kolvenik znalazł się w zakładzie dla obłąkanych? – zapytała tym razem Marina.

Víctor Florián zawahał się przez chwilę, jakby bał się odpowiedzieć.

– Podejrzewano, że zrobił coś z ciałem zmarłego...

– „Coś"? A dokładnie co?

– Praska policja tego już nie wyjaśniła – odparł inspektor sucho i zapalił kolejnego papierosa.

Pogrążyliśmy się w długim milczeniu.

– A historia, którą opowiedział nam doktor Shelley? O bracie bliźniaku Kolvenika i jego postępującej chorobie...

– Zapewne Shelley rzeczywiście usłyszał ją z ust Kolvenika, który kłamał z tą samą naturalnością, z jaką oddychał. Shelley zaś miał swoje powody, by wierzyć we wszystko i nie zadawać zbyt wielu pytań – powiedział Víctor Florián. – Prowadził swoje badania, swoją klinikę, a pieniądze na ich finansowanie płynęły szerokim strumieniem z kieszeni Kolvenika. Shelley był w gruncie rzeczy jeszcze jednym pracownikiem Velo-Granell. Najemnikiem.

– Więc brat Kolvenika to jeszcze jedna mistyfikacja? – zapytałem zupełnie zbity z tropu. – Jak wobec tego wytłumaczyć obsesję Michala na punkcie chorób zniekształcających ciało?

– Nie sądzę, by Kolvenik wymyślił tego chłopca – odparł inspektor. – Nie, na pewno nie.

– Teraz już zupełnie nie rozumiem.

– Podejrzewam, że mówiąc o tym dziecku, mówił w rzeczywistości o sobie.

– Jeszcze jedno pytanie, inspektorze...

– Już nie jestem inspektorem, moja droga.

– Panie Víctorze, w takim razie. Jest pan jeszcze Víctorem, prawda?

Po raz pierwszy zobaczyłem, że Florián uśmiecha się w sposób swobodny i niewymuszony.

– Jak więc brzmi pytanie?

– Powiedział pan, że prowadząc dochodzenie w sprawie zarzutów o defraudację w Velo-Granell, odkryliście znacznie więcej...

– Tak. Z początku myśleliśmy, że chodzi o jakiś kruczek, taki typowy wybieg: księgowanie nieistniejących płatności po to, by uniknąć podatków, przelewy na rzecz szpitali, przytułków dla bezdomnych i tak dalej. Jednego z moich ludzi zastanowiły jednak faktury, aprobowane zresztą przez samego doktora Shelleya własnoręcznym podpisem, wystawiane przez służby zajmujące się wynoszeniem zwłok z oddziałów rozmaitych barcelońskich szpitali. Przez szpitalne kostnice, krótko mówiąc – wyjaśnił były policjant.

– Kolvenik handlował ciałami? – domyśliła się Marina.

– Dokładnie rzecz ujmując, kupował je. Tuzinami. Zwłoki żebraków. Włóczęgów, niemających rodziny ani bliskich. Samobójców, topielców, opuszczonych starców... Wszystkich zapomnianych przez Boga i ludzi.

Gdzieś w kącie odzywał się pomruk radia, niczym echo naszej rozmowy.

– I co Kolvenik robił z tymi ciałami?

– Tego nie wie nikt – odrzekł Víctor Florián. – Nigdy ich nie znaleźliśmy.

– Ale pan ma na ten temat jakąś teorię, prawda panie Víctorze?

Inspektor spojrzał na nas w milczeniu.

– Nie.

Jak na policjanta, nawet w stanie spoczynku, kłamał fatalnie. Marina nie nalegała. Inspektor wyglądał na zmęczonego, jakby cienie zamieszkujące jego pamięć wyssały z niego całą energię. Poprzednia surowość ulotniła się bez śladu. Papieros drżał mu w ręku, choć odnosiło się wrażenie, że to on drży, trzymany przez papierosa.

– Co do oranżerii, o której mi opowiadaliście... Nie wracajcie tam więcej. Zapomnijcie o całej tej historii. O tym albumie zdjęć, o bezimiennym grobie i damie, która go odwiedza. Zapomnijcie o Sentísie, o Shelleyu i o mnie, biednym starcu, który sam nie wie, co mówi. Tę sprawę zbyt wiele osób przypłaciło życiem. Zostawcie ją.

Gestem poprosił kelnera, by dopisał dzisiejsze zamówienie do jego rachunku, i odezwał się do nas, już bardziej stanowczym tonem:

– Obiecajcie, że mnie posłuchacie.

Zastanawiałem się, jak mamy zapomnieć o tej sprawie, skoro to ona uparcie nie chciała zapomnieć o nas. Po tym, co się stało poprzedniej nocy, słuchałem jego rad jak bajeczek dla grzecznych dzieci.

– Postaramy się – przyrzekła Marina za nas oboje.

– Dobrymi chęciami jest piekło wybrukowane – odparł.

Inspektor odprowadził nas do stacji kolejki linowej i podał numer telefonu do baru.

– Znają mnie tam dobrze. Jeśli będziecie czegokolwiek potrzebować, zadzwońcie, przekażą mi wiadomość. Manu, właściciel, cierpi na chroniczną bezsenność i całymi nocami słucha BBC. Myśli, że w ten sposób nauczy się języków. Na pewno go nie obudzicie...

– Nie wiem, jak mamy panu dziękować...

– Gdybyście usłuchali mojej rady i trzymali się z dala od całej tej afery, uznałbym to za najlepsze podziękowanie – uciął Florián.

Pokiwaliśmy głowami. Drzwi kolejki otworzyły się.

– A pan, Víctorze? – zapytała Marina. – Co pan zrobi?

– To samo co wszyscy starzy ludzie: usiądę i będę deliberował nad tym, co by było, gdybym zrobił wszystko inaczej. No, idźcie już...

Wsiedliśmy do wagonika i zajęliśmy miejsce przy oknie. Zmierzchało. Rozległ się gwizd i drzwi się zamknęły. Funikular gwałtownym szarpnięciem ruszył w dół. Powoli zostawialiśmy za sobą światła Vallvidrery i nieruchomą postać inspektora Floriána na peronie.

Germán przygotował znakomite włoskie danie o nazwie, która brzmiała, jakby zaczerpnięto ją z libretta jakiejś opery. Zjedliśmy kolację w kuchni, słuchając opowieści Germána o jego szachowym pojedynku z księdzem. Pojedynku, który ojciec Mariny jak zwykle przegrał z kretesem. Marina przez całą kolację milczała, co było dla niej dość niezwykłe. Zacząłem się nawet zastanawiać, czy nie powiedziałem czegoś, co mogło ją urazić. Po kolacji Germán zaproponował mi partyjkę szachów.

– Z chęcią bym zagrał, ale dziś moja kolej zmywania – odparłem.

– Ja pozmywam – powiedziała Marina cichutko za moimi plecami.

– Nie, w żadnym wypadku… – zaprotestowałem.

Germán był już w drugim pokoju. Podśpiewywał, ustawiając figury na szachownicy. Patrzyłem na Marinę, która spuściła wzrok i zaczęła zmywać.

– Pozwól, że ci pomogę.

– Nie, Germán na ciebie czeka. Zrób mu tę przyjemność.

– Idzie pan, Óscarze? – dobiegł nas z salonu głos Germána.

Przyjrzałem się Marinie w świetle stojących na półce świec. Wydała mi się jakaś blada, zmęczona.

– Dobrze się czujesz?

Spojrzała na mnie i uśmiechnęła się. A uśmiechała się w taki sposób, że czułem się przy niej jak skończony smarkacz.

– Idź lepiej. I daj mu wygrać.

– Z tym akurat nie będzie problemu.

Posłusznie podreptałem do salonu, zostawiając ją samą. Germán już na mnie czekał. Zasiadłem po drugiej stronie szachowego stolika, pod kryształowym żyrandolem, by spędzić z nim jakiś czas, tak jak sobie życzyła jego córka.

– Pan zaczyna, panie Óscarze.

Wykonałem ruch. Mój przeciwnik zakasłał znacząco.

– Przypominam, iż piony nie poruszają się w ten sposób.

– Przepraszam.

– Nie ma o czym mówić. Młodzieńczy impet. Niech mi pan wierzy, zazdroszczę go panu. Młodość to kapryśna kochanka. Zaczynamy ją rozumieć i doceniać dopiero wtedy, gdy odchodzi z innym, by nigdy nie wrócić. Ach, młodość... Ale dość już tych dywagacji. Skupmy się... Pion...

O północy jakiś dziwny hałas wyrwał mnie ze snu. Dom tonął w mroku. Usiadłem na łóżku i znów go usłyszałem. Był to stłumiony, dobiegający gdzieś z daleka kaszel. Zaniepokojony wstałem i wyszedłem na korytarz. Hałas dochodził z parteru. Przeszedłem obok sypialni Mariny.

Drzwi były otwarte, a łóżko – puste. Poczułem lekkie ukłucie strachu.

– Marina?

Nie doczekałem się odpowiedzi. Na palcach zszedłem po zimnych stopniach. U podnóża schodów dostrzegłem błyszczące w ciemności oczy Kafki. Kot zamiauczał cicho i poprowadził mnie ciemnym korytarzem. W głębi, spod zamkniętych drzwi sączyło się światło. To tam ktoś zanosił się kaszlem. Bolesnym. Gwałtownym. Kafka podszedł do drzwi i zatrzymał się przy nich, miaucząc. Delikatnie zapukałem.

– Marina?

Zapadło długie milczenie.

– Odejdź, Óscarze.

Jej głos zabrzmiał jak rozpaczliwy jęk. Odczekałem kilka sekund i wszedłem do środka. Stojąca na podłodze świeczka rzucała skąpe światło na wyłożoną białymi kafelkami łazienkę. Marina klęczała, z czołem opartym na umywalce. Trzęsła się i była zlana potem. Koszula nocna, w której wyglądała jak zjawa, przyklejała jej się do ciała. Odwróciła twarz, ale zdążyłem zobaczyć lecącą z nosa krew i szkarłatne plamy na piersi. Nie byłem zdolny zareagować. Całkiem mnie sparaliżowało.

– Co ci jest? – wymamrotałem.

– Zamknij drzwi – niemal mi rozkazała. – Natychmiast.

Zrobiłem, co mi kazała, i wróciłem do niej. Płonęła gorączką. Włosy oblepiały jej czoło zlane lodowatym potem. Przerażony rzuciłem się, chcąc zawołać na pomoc Germána, ale jej dłoń powstrzymała mnie z siłą, o którą trudno ją było podejrzewać.

– Nie!

– Ale...

– Nic mi nie jest.

– Właśnie że jest!

– Nie wołaj Germána, błagam! Nie rób tego! On i tak nic tu nie pomoże. Już mi lepiej. Czuję się dobrze. Już mi przeszło.

Jej opanowanie zamiast mi się udzielać, przerażało mnie. Czułem, że szuka mojego wzroku. I choć unikałem jej oczu, w końcu poddałem się. Wówczas pogłaskała mnie po twarzy.

– Nie bój się. Naprawdę czuję się dobrze.

– Blada jesteś jak trup... – wyjąkałem.

Wzięła mnie za rękę i przyłożyła ją do swojej piersi. Poczułem serce bijące pod żebrami. Cofnąłem dłoń, skonsternowany.

– Widzisz, zipię i żyję. Przyrzeknij mi, że nic nie powiesz Germánowi.

– A niby dlaczego? – zaprotestowałem. – Możesz mi szczerze powiedzieć, co ci jest?

Spuściła wzrok, skrajnie już wymęczona. Zamilkłem.

– Musisz mi to przyrzec.

– Musisz iść do lekarza.

– Óscarze, przyrzeknij mi.

– Zgoda, ale pod warunkiem, że ty z kolei mi przyrzekniesz, że pójdziesz do lekarza.

– Dobrze. Przyrzekam.

Zmoczyła ręcznik i zaczęła wycierać sobie nim krew z twarzy. Zły byłem na siebie, że nie potrafiłem jej pomóc. Czułem się całkowicie bezużyteczny.

– Niezbyt gustowny widok, co? Pewnie teraz przestanę ci się podobać.

– Głupstwa gadasz.

Wycierała się w milczeniu, wciąż wpatrując się we mnie. Jej ciało oblepione przezroczystym niemal płótnem sprawiało wrażenie niezwykle słabego i kruchego. Ku swemu zdziwieniu nie odczuwałem najmniejszego zmieszania, widząc ją w tym stanie. A i po niej nie widać było żadnych oznak zawstydzenia z powodu mojej obecności. Wytarła cały pot i krew z twarzy i ciała. Ręce jej drżały. Dostrzegłem wiszący na drzwiach czysty szlafrok kąpielowy i okryłem nim jej ramiona. Marina włożyła go na siebie, przewiązała się i odetchnęła głęboko.

– Co mogę zrobić? – zapytałem skołowany.

– Zostań przy mnie.

Usiadła przed lustrem. Wzięła szczotkę i spróbowała uczesać zmierzwione od wycierania ręcznikiem włosy. Szybko się poddała, brakowało jej sił.

– Pozwól, ja cię uczeszę – powiedziałem, biorąc szczotkę z jej rąk.

Czesałem ją w milczeniu. Od czasu do czasu nasze spojrzenia spotykały się w lustrze. W pewnym momencie Marina chwyciła raptownie moją dłoń i przycisnęła ją do twarzy. Poczułem spływające po jej policzku łzy, ale zabrakło mi odwagi, żeby zapytać, dlaczego płacze.

Odprowadziłem Marinę do sypialni i pomogłem jej się położyć. Nie dygotała już, a na policzki wracał rumieniec.

– Dziękuję – wyszeptała.

Uznałem, że najlepiej będzie zostawić ją samą, by spokojnie odzyskała siły, więc wróciłem do swojego pokoju. Wyciągnąłem się na łóżku i spróbowałem zasnąć, ale bezskutecznie. Pełen niepokoju, leżałem w mroku, słuchając, jak stary dom trzeszczy, a wiatr targa koronami drzew. Ogarniała mnie narastająca, niema trwoga. Działo się zbyt wiele i za szybko. Mój mózg nie był zdolny przyswoić tego wszystkiego za jednym zamachem. W ciemnościach, jakie panują tuż przed brzaskiem, napływały mi różne myśli i obrazy. Ale największy lęk budziło we mnie to, że nie potrafiłem zrozumieć ani wytłumaczyć sobie uczuć, jakie żywiłem wobec Mariny. Wstawał świt, kiedy wreszcie udało mi się zasnąć.

We śnie biegłem przez sale tonącego w ciemnościach i wyludnionego pałacu z białego marmuru, w którym pełno było posągów. Kiedy je mijałem, rzeźby otwierały swe kamienne oczy i szeptały niezrozumiałe dla mnie słowa. Nagle wydało mi się, że widzę w oddali Marinę i pobiegłem ku niej. Świetlista postać przypominająca anioła prowadziła ją za rękę korytarzem, z którego ścian spływała krew. Usiłowałem ich doścignąć, kiedy w korytarzu otworzyły się drzwi i wyłoniła się z nich María Shelley, unosząc się nad ziemią i powłócząc za sobą zniszczone giezło. Płakała, a jej łzy, miast spadać na ziemię, zawisały w powietrzu. Wyciągnęła do mnie ramiona, ale dotknąwszy mnie, rozsypała się w popiół. Wołałem Marinę, błagając, by zawróciła, ona jednak zdawała się mnie nie słyszeć. Wciąż biegłem, ale korytarz z każdym moim krokiem wydłużał się w nieskończoność. Wówczas świetlisty anioł odwrócił się do mnie, ukazując swe prawdziwe oblicze. Z twarzy wyzierały ziejące pustką oczodoły, na głowie miast włosów wiły się białe węże. Śmiejąc się bezlitośnie, piekielny anioł nakrył swoimi białymi skrzydłami Marinę i zniknął w oddali. We śnie poczułem, jak cuchnący oddech owiewa mi kark. Był to niedający się z niczym pomylić odór śmierci, szeptem wypowiadającej moje imię. Odwróciłem głowę i ujrzałem, jak czarny motyl sfruwa na moje ramię.

17

*O*budziłem się, próbując złapać oddech. Byłem bardziej zmęczony niż przed pójściem do łóżka. W skroniach mi pulsowało, jakbym wypił dwa dzbanki kawy. Nie wiedziałem która godzina, ale sądząc po blasku słońca, dochodziło południe. Wskazówki budzika potwierdziły moje przypuszczenia. Wpół do pierwszej. Zszedłem na dół, jak mogłem najszybciej, ale w kuchni było pusto. Na stole stało zimne już śniadanie, a przy nim liścik.

Óscarze!

Musieliśmy iść do lekarza. Nie będzie nas przez cały dzień. Nie zapomnij nakarmić Kafki. Zobaczymy się przy kolacji,

Marina

Łapczywie jadłem śniadanie, czytając list i rozkoszując się kaligraficznym pismem. Kafka był łaskaw pojawić się parę minut później, więc dałem mu miseczkę mleka. Na dzisiaj nie miałem żadnych planów. Postanowiłem zajrzeć do internatu, wziąć trochę ubrań i powiedzieć doñi Pauli, by darowała sobie sprzątanie mojego pokoju, bo spędzę święta z rodziną.

Przechadzka do internatu bardzo dobrze mi zrobiła. Wszedłem głównym wejściem i poszedłem do mieszkania doñi Pauli na trzecim piętrze.

Doña Paula była poczciwą kobietą, która zawsze i dla każdego z nas miała ciepły uśmiech. Owdowiała przed trzydziestu laty i Bóg jeden wie, od ilu lat zachowywała ścisłą dietę. „Bo, wie pan, mam niestety naturalne skłonności do tycia", mówiła nieustannie. Nie miała dzieci i nawet teraz, licząc sobie już sześćdziesiąt pięć lat, pożerała wzrokiem każde niemowlę w wózku spotykane po drodze na targowisko. Mieszkała sama, w towarzystwie pary kanarków i ogromnego telewizora marki Zenit, który wyłączała dopiero wtedy, gdy ekran rozświetlał się portretem rodziny królewskiej, życząc jej, w akompaniamencie hymnu narodowego, dobrej nocy. Skórę na dłoniach miała przeżartą od bielinki. A od samego widoku żylaków na jej opuchniętych kostkach człowiek potwornie cierpiał. Jedyne zbytki, na jakie sobie pozwalała, ograniczały się do wizyty u fryzjera, raz na dwa tygodnie, i zakupu kolorowego tygodnika „Hola". Uwielbiała czytać o życiu księżniczek i podziwiać kreacje gwiazd. Kiedy zapukałem do jej drzwi, oglądała w telewizji *Słowika z Pirenejów*, nadawanego w ramach cyklu filmów muzycznych z dziecięcą gwiazdą sprzed wielu lat, Joselitem. Jakby jej było mało przyjemności, przygotowała sobie na dodatek tosty polane skondensowanym mlekiem i posypane cynamonem.

— Dzień dobry, doño Paulo. Przepraszam, że przeszkadzam.

— Ależ skąd, Óscarze, wcale nie przeszkadzasz! No, wchodź, wchodź…

Na ekranie Joselito śpiewał małej kózce jedną z tych swoich andaluzyjskich pieśni. Rzewnej scenie przyglądała się rozanielona i wniebowzięta, dwójka żandarmów z gwardii cywilnej. Wokół telewizora rozstawione były figurki Matki Boskiej i stare zdjęcia nieboszczyka męża, don Rodolfa, prężącego się dumnie przed obiektywem, z włosami lśniącymi od brylantyny i w nienagannym mundurze faszystowskiej Falangi. Doña Paula, pomimo czci, jaką darzyła swego zmarłego męża, zachwycona była demokracją, albowiem, jak twierdziła, teraz telewizja jest kolorowa i należało iść z duchem czasu.

– Którejś nocy obudziły mnie takie okropne hałasy, słyszałeś je? W wiadomościach mówili o trzęsieniu ziemi w Kolumbii i taki mnie strach obleciał, że sobie nie wyobrażasz...

– Doño Paulo, proszę się tak nie przejmować, Kolumbia leży bardzo daleko stąd.

– Masz rację, synu, masz rację, ale tak sobie pomyślałam, że skoro tam też mówią po hiszpańsku, to może... sama już nie wiem..

– Może pani spać spokojnie, naprawdę nic nam nie grozi. Aha, i chciałem panią poinformować, że nie musi się pani zajmować moim pokojem. Święta spędzę z rodziną.

– Och, Óscarze, nawet nie wiesz, jak się cieszę!

Doña Paula znała mnie niemal od urodzenia i była przekonana, że jestem uosobieniem niewinnego aniołka. „Masz talent, moje dziecko, prawdziwy talent", powtarzała często, choć nigdy nie wyjawiła, na czym ów talent miał polegać. Nie chciała mnie puścić, dopóki nie wypiłem szklanki mleka i nie zjadłem pieczonych przez nią samą ciasteczek. Ustąpiłem, mimo że w ogóle nie czułem głodu. Posiedziałem z doñą Paulą przez jakiś czas, oglądając telewizję i przytakując wygłaszanym przez nią komentarzom. Zawsze w towarzystwie gadała jak najęta.

– No śliczny był z niego chłopczyk, musisz przyznać – mówiła, wskazując na Joselita, uosobienie niewinności.

– Tak, doño Paulo. Ale niestety muszę już iść...

Pocałowałem ją na pożegnanie w policzek i wyszedłem. Wpadłem do swego pokoju i zebrałem, jak mogłem najszybciej, parę koszul, spodnie i czystą bieliznę. Wrzuciłem wszystko do torby i nie zwlekając ani chwili, ruszyłem dalej. Zajrzałem jeszcze do sekretariatu, gdzie powtórzyłem bajeczkę o swym wyjeździe do rodziny na święta. Nawet powieka mi nie drgnęła. Wyszedłem ze szkoły, życząc sobie, by wszystko szło mi tak łatwo jak kłamstwo.

Milcząc, zjedliśmy kolację w salonie obrazów. Germán siedział przy stole poważny, zatopiony w myślach, właściwie nieobecny. Od czasu do czasu nasze spojrzenia się krzyżowały, wówczas uśmiechał się do mnie, ale z czystej kurtuazji. Marina mieszała jedynie łyżką w talerzu, nawet nie usiłując choćby skosztować zupy. Miast konwersacji rozlegało się zgrzytanie i pobrzękiwanie sztućców o talerze i syk knotów. Nietrudno było zgadnąć, że lekarz nie miał nic dobrego do przekazania na temat stanu zdrowia Germána. Było to tak oczywiste, iż wolałem nie zadawać żadnych pytań. Zjadłszy kolację, Germán przeprosił i udał się do siebie. Wyglądał starzej, jakby czuł się bardziej niż dotąd zmęczony. Ani razu nie spojrzał na portrety żony. Jakby ich tam w ogóle nie było. Po raz pierwszy widziałem, że się tak zachowywał. Gdy odszedł, Marina odsunęła swój talerz i ciężko westchnęła.

– Nic nie zjadłaś.

– Nie jestem głodna.

– Złe wieści?

– Możemy mówić o czymś innym? – przerwała mi oschle, niemal wrogo.

Ton jej głosu sprawił, że poczułem się kimś całkowicie obcym w tym domu. Jakby chciała mi przypomnieć, że nie jestem u siebie, że nie są moją rodziną i że ich problemy nie są moimi problemami, choćbym nie wiem jak starał się podtrzymać w sobie odwrotne mniemanie.

– Przepraszam – szepnęła po chwili, wyciągając ku mnie dłoń.

– Nie ma za co – skłamałem.

Wstałem, żeby zanieść talerze do kuchni. Marina siedziała przy stole, głaszcząc Kafkę mruczącego na jej kolanach. Zostałem w kuchni, ociągając się z wszystkim ponad miarę. Zmywałem talerze tak dokładnie i tak długo, że przestałem czuć ręce pod strugami zimnej wody. Kiedy wróciłem do salonu, Mariny już tam nie było. Zostawiła dwie palące się świece. W pozostałej części domu panowała ciemność i cisza. Zdmuchnąłem płomienie świec i wyszedłem do ogrodu. Czarne chmury z wolna pokrywały niebo. Lodowaty wiatr targał drzewami. Odwróciłem się w stronę domu i zobaczyłem, że w oknie Mariny pali się światło. Pomyślałem, że pewnie się położyła. W chwilę później światło zgasło. Budynek w ciemnościach przeistoczył się w ruinę, za jaką go wziąłem pierwszego dnia. Przez chwilę miałem również ochotę udać się na spoczynek, ale czułem już zaczątki chandry, która zapowiadała długą i bezsenną noc. Wybrałem, wobec tego, wieczorną przechadzkę, która pozwoliłaby mi uporządkować myśli albo przynajmniej porządnie się zmęczyć. Ledwo przeszedłem parę kroków, zaczęło błyskać. Aura była mało przyjemna, więc i ulice opustoszały. Schowałem ręce do kieszeni i ruszyłem przed siebie. Włóczyłem się ze dwie godziny. Ani ziąb, ani deszcz nie potrafiły wymęczyć mnie tak, jak tego chciałem. Cały czas chodziło mi coś po głowie i im bardziej próbowałem o tym zapomnieć, z tym większym uporem ta myśl wracała.

Nogi same poniosły mnie w stronę cmentarza na Sarriá. Deszcz bryzgał na twarze z poczerniałego kamienia i przechylone krzyże. Za ogrodzeniem majaczył orszak widmowych sylwetek. Znad mokrej ziemi unosił się zapach martwych kwiatów. Przyłożyłem głowę do prętów. Zimny metal aż parzył. Poczułem na skórze chropowatą warstewkę rdzy. Próbowałem przebić wzrokiem ciemności, jakbym miał nadzieję odnaleźć w tym miejscu wyjaśnienie wszystkich ostatnich wydarzeń. Ale poza śmiercią i ciszą nie zdołałem niczego więcej wypatrzeć. Co ja tu robię? Gdyby ostały się we mnie resztki rozsądku, wróciłbym do starego domu w ogrodzie, położyłbym się i spał sto godzin bez przerwy. Byłby to pewnie najlepszy pomysł, jaki mi wpadł do głowy przez ostatnie trzy miesiące.

Odwróciłem się i zacząłem wracać wąską cyprysową alejką ku widocznej w oddali i błyszczącej w deszczu latarni. Nagle aureola jej światła przygasła. Jakiś ciemny kształt przesłonił wszystko. Usłyszałem stukot końskich kopyt o bruk i zobaczyłem, jak zbliża się do mnie i rozchyla zasłonę deszczu czarny powóz. Z nozdrzy dwóch karych koni biły kłęby pary. Na koźle rysowała się anachroniczna sylwetka woźnicy. Spróbowałem szybko znaleźć miejsce, w którym mógłbym się schować, ale wzdłuż pobocza ciągnął się mur. Poczułem pod stopami drżącą ziemię. Jedyne, co mi pozostało, to się cofnąć. Przemoczony, ledwo łapiąc oddech, wspiąłem się na ogrodzenie i zeskoczyłem na teren cmentarza.

18

Spadłem na rozmiękłe od ulewy muliste podłoże. Rozlewające się między grobami strumyki brudnej wody unosiły wyschnięte kwiaty. Stopy i dłonie ugrzęzły mi w błocie. Wstałem i pobiegłem się ukryć za wznoszącym ręce ku niebu marmurowym posągiem. Powóz zatrzymał się po drugiej stronie ogrodzenia. Woźnica zsiadł z kozła. Był ubrany w płaszcz sięgający do kostek; w ręku niósł latarkę. Kapelusz z szerokim rondem i szal chroniły go przed zimnem i wiatrem, całkowicie zasłaniając twarz. Znałem ten powóz. To z niego wysiadła dama w czerni, kiedy spotkałem ją owego ranka na dworcu Francia. Na drzwiczkach zauważyłem symbol czarnego motyla. Portiery z czarnego aksamitu nie pozwalały dojrzeć wnętrza. Ciekawe, czy siedzi tam teraz, pomyślałem.

Woźnica podszedł do płotu i patrzył przez chwilę na cmentarz. Przytuliłem się do posągu i zamarłem. Usłyszałem szczękanie kluczy, potem metaliczny trzask otwieranej kłódki. Zakląłem pod nosem. Rozległ się zgrzyt żelaznej bramy i odgłos kroków grzęznących w błocie. Woźnica zbliżał się do mojej kryjówki. Musiałem stamtąd wyjść. Odwróciłem się i spojrzałem na cmentarz za plecami. Welon czarnych chmur rozchylił się. Strużka widmowego światła księżyca wydobyła na chwilę z mroku galerię nagrobków. Przesunąłem się pomiędzy płytami w głąb cmentarza. Dotarłem do wejścia do jakiegoś mauzoleum. Dostępu do niego strzegły drzwi z kutego żelaza i szkła. Woźnica był coraz bliżej. Wstrzymałem oddech i skuliłem się w cieniu. Przeszedł niecałe dwa metry ode mnie, trzymając latarkę na wysokości twarzy. Kiedy mnie minął, odetchnąłem z ulgą. Zobaczyłem, jak się oddala w głąb cmentarza i natychmiast zrozumiałem, dokąd zmierza.

Choć zakrawało to na szaleństwo, poszedłem za nim. Przemykałem się pomiędzy grobami ku północnemu skrzydłu cmentarza. Tam wspiąłem się na platformę, z której rozciągał się widok na tę część nekropolii. Dwa metry niżej zauważyłem latarkę woźnicy oświetlającą bezimienny nagrobek. Deszcz spływał po skrzydłach czarnego motyla niczym krople krwi. Zobaczyłem, jak woźnica pochyla się nad mogiłą. Zza pazuchy wyciągnął metalowy pręt i zaczął podważać płytę. Ciarki przeszły mi po plecach, kiedy zrozumiałem, że chce otworzyć grób. Z całych sił zapragnąłem uciec stamtąd jak najprędzej, ale nie mogłem się ruszyć. Podważając prętem płytę, mężczyzna zdołał przesunąć ją o kilka centymetrów. Czarna czeluść grobu otwierała się powoli, aż płyta przechyliła się na jedną stronę pod własnym ciężarem i z hukiem rozpadła na dwoje. Poczułem, jak ziemia pode mną zadrżała. Woźnica uniósł latarkę i oświetlił wnętrze głębokiej na dwa metry mogiły. Windy do piekła. Na dnie połyskiwała czarna trumna. Mężczyzna spojrzał w niebo i niespodziewanie wskoczył do środka. Zniknął mi z oczu w jednej chwili, jakby wessała go mroczna otchłań. Usłyszałem odgłosy uderzeń i trzask starego pękającego drewna. Skoczyłem i ostrożnie podpełzłem do krawędzi mogiły. Zajrzałem.

Ulewa wdarła się do grobu; na jego dnie utworzyło się małe jezioro. Woźnica nadal tam był. W tej chwili podważał wieko trumny, które ustąpiło z łoskotem. Ze środka wyzierało stare płótno i zbutwiałe drewno. Trumna była pusta. Mężczyzna znieruchomiał na ten widok. Usłyszałem, że coś mamrocze pod nosem. Zrozumiałem, że najwyższa pora brać nogi za pas. Próbując się wycofać, poruszyłem kamyk, który spadł do czeluści i uderzył o trumnę. Woźnica natychmiast na mnie spojrzał. W prawej dłoni trzymał rewolwer.

W popłochu rzuciłem się do ucieczki. Biegłem ku wyjściu, lawirując między pomnikami i nagrobkami. Słyszałem, że woźnica krzyczy za mną, gramoląc się na powierzchnię. Dostrzegłem bramę i sylwetkę stojącego za nią powozu. Ruszyłem tam co sił w nogach. Kroki ścigającego mnie mężczyzny dudniły coraz bliżej. Zrozumiałem, że kiedy tylko znajdziemy się na otwartej przestrzeni, natychmiast mnie dogoni. Przypomniałem sobie, że jest uzbrojony, i rozejrzałem się, rozpaczliwie poszukując kryjówki. Zatrzymałem wzrok na kufrze na bagaże z tyłu powozu. Nic lepszego nie przyszło mi do głowy. Modliłem się w duchu, by woźnicy nie przyszło do głowy tam mnie szukać. Wskoczyłem na platformę i dałem nura do środka. Kilka sekund później szybkie kroki mężczyzny zabrzmiały w wysadzanej cyprysami alejce.

Wyobraziłem sobie widok, który miał teraz przed sobą. Pusta ścieżka w strugach deszczu. Kroki się zatrzymały.

Obeszły dookoła powóz. Przestraszyłem się, że zostawiłem ślady, które mnie wydadzą. Powóz zachybotał i zrozumiałem, że woźnica wspina się na kozioł. Zamarłem. Konie zarżały. Chwila oczekiwania ciągnęła się w nieskończoność. Wreszcie usłyszałem przeszywający powietrze trzask z bicza i pod wpływem gwałtownego szarpnięcia potoczyłem się po dnie kufra. Ruszyliśmy.

Koła powozu turkotały, a ja dość szybko zacząłem odczuwać ostre i przykre drgania, biczujące moje zesztywniałe z zimna mięśnie. Spróbowałem nieco unieść wieko kufra i wyjrzeć na zewnątrz, ale huśtanie pojazdu nie pozwalało mi zbyt długo utrzymać się w tej pozycji.

Wyjeżdżaliśmy z Sarriá. Zacząłem się zastanawiać, jak realne jest skręcenie karku przy próbie wyskoczenia w biegu. Pomysł wydał mi się głupi. Nie czułem się już na siłach zgrywać bohatera, a poza tym w gruncie rzeczy chciałem wiedzieć, dokąd jedziemy. Postanowiłem płynąć z prądem. Ułożyłem się w kufrze, jak mogłem najwygodniej. Musiałem odzyskać siły, spodziewałem się bowiem, że w najbliższej przyszłości będą mi potrzebne.

Miałem wrażenie, że podróż nigdy się nie skończy. Moja walizkowa perspektywa nie ułatwiała sprawy; zdawało mi się, że przemierzyliśmy w strugach deszczu dziesiątki kilometrów. Przemoczony i zziębnięty do szpiku kości, czułem, że coraz bardziej sztywnieję. Zostawiliśmy za sobą uczęszczane aleje i zapuściliśmy się w wyludnione uliczki. Zmieniłem pozycję i uniosłem nieco wieko, by zobaczyć, gdzie właściwie jesteśmy. Jechaliśmy przez ciemne zaułki, wąskie niczym wyrąbane w skale przejścia. Z mgły wyłaniały się latarnie i gotyckie fasady. Skuliłem się, całkiem już skołowany. Znajdowaliśmy się na starówce, gdzieś na Ravalu. Wszędzie unosił się odór przelewających się kloak, jakbyśmy byli w samym środku rozległych bagien. Przez niemal pół godziny błądziliśmy po barcelońskim jądrze ciemności. Wreszcie stanęliśmy. Usłyszałem, jak woźnica schodzi z kozła. Chwilę później rozległ się zgrzyt otwieranych wrót. Powóz ruszył i powoli wjechał do pomieszczenia, które, sądząc po zapachu, służyło kiedyś za stajnię. Wrota zamkęły się za nami.

Leżałem nieruchomo. Woźnica wyprzągł konie, szepcąc im coś, czego nie mogłem dosłyszeć. Przez szparę przy wieku wpadał snop światła. Usłyszałem wodę płynącą z kranu i tłumione przez słomę kroki. Po chwili światło zgasło. Wreszcie woźnica wyszedł ze stajni. Po paru minutach słychać było jedynie oddech koni. Wtedy postanowiłem wygramolić się z kufra. Stajnia tonęła w niebieskawym półmroku. Najciszej, jak mogłem, poszedłem w stronę małych bocznych drzwi prowadzących do ciemnego i wysokiego garażu, którego sufit wzmocniony był belkami. W głębi dostrzegłem drzwi wyglądające na wyjście ewakuacyjne. I tak rzeczywiście było. Pchnąłem ostrożnie dźwignię i znalazłem się na ulicy.

Stałem oto w jednym z ciemnych zaułków Ravala. Był tak wąski, że rozkładając ramiona, można było dotknąć przeciwległych ścian. Wyżłobionym w bruku kanalikiem spływała cuchnąca struga. Kilkanaście metrów dalej ujrzałem wylot uliczki. Ruszyłem w tamtą stronę. Wyszedłem na szerszą ulicę, rozjaśnioną światłem parującym

187

z ponadstuletnich latarni. Ujrzałem wrota do stajni z boku szarego lichego budynku. Na nadprożu widniała data oddania do użytku: 1888. Stojąc w tym miejscu, mogłem stwierdzić, że budynek jest tylko aneksem do znacznie większego gmachu, ciągnącego się do najbliższej przecznicy. Miał on rozmiary pałacu. Ustawiony na nim szkielet rusztowań całkowicie przysłonięty był brudnymi płachtami. Pod nimi kryła się przestrzeń, która mogłaby pomieścić katedrę. Daremnie usiłowałem przypomnieć sobie, co to za gmach. Nie przychodziła mi na myśl żadna podobna budowla na Ravalu.

Podszedłem bliżej, by zajrzeć za drewniane ogrodzenie osłaniające dolną część rusztowań. Gęsty mrok spowijał duży, naśladujący markizę kapnik w stylu secesyjnym. Wytężając wzrok, dostrzegłem kolumny i rząd okienek ozdobionych kutymi w żelazie wijącymi się motywami roślinnymi. Okienka kas. Arkady wejścia, które widać było nieco dalej, skojarzyły mi się z portykiem jakiegoś baśniowego zamku. Wszystko pokryte było warstwą gruzu, wilgoci i zapomnienia. W mig zrozumiałem, gdzie mnie przyniosło. To był Gran Teatro Real, wystawny pomnik, który Michal Kolvenik kazał zrekonstruować dla swej żony Evy i na którego scenie nigdy nie dane jej było wystąpić. Teatr przypominał teraz ogromne katakumby w ruinie. Nieślubne dziecko paryskiej Opery i świątyni Sagrada Familia, przybytek czekający na wyburzenie.

Wróciłem do budyneczku, w którym mieściły się stajnie. W głównej, drewnianej bramie, z daleka sprawiającej wrażenie ogromnej czarnej dziury, wycięte były małe drzwi niczym klasztorna furta. Albo furta więzienna. Pchnąłem je.

Były otwarte. Wszedłem do sieni. Z witrażowego sufitu, w którym ocalało niewiele szybek, padało sinawe światło. Pajęczyna sznurów obwieszonych suszącymi się łachmanami powiewała na wietrze. Cuchnęło nędzą, kloaką i chorobą. Ściany ociekały breją spływającą z pękniętych rur. Dojrzawszy w kącie szereg pordzewiałych skrzynek pocztowych, podszedłem do nich. Pod nogami wyczuwałem jedną wielką kałużę. Skrzynki w większości były puste, zniszczone i brakowało w nich tabliczek z nazwiskami. Tylko jedna wydawała się używana. Przeczytałem imię i nazwisko, pokryte warstwą brudu.

Luis Claret i Milá, 3. piętro

Coś mi to nazwisko mówiło, aczkolwiek nie mogłem przypomnieć sobie, gdzie i od kogo je słyszałem. Zacząłem się zastanawiać, czy pod nim nie kryje się przypadkiem mój woźnica. Raz i drugi powtórzyłem nazwisko w myślach, usiłując przypomnieć sobie, skąd je znam. Nagle olśniło mnie. Inspektor Florián opowiedział nam, że pod koniec życia Kolvenik i jego żona kontaktowali się tylko z dwiema osobami i tylko one miały prawo wstępu do zamczyska przy parku Güell: był to osobisty lekarz Kolvenika, Shelley, oraz szofer, który za nic nie chciał opuścić swego pana – Luis Claret. Zacząłem nerwowo szukać po kieszeniach karteczki z telefonem, którą dał nam inspektor Florián na wypadek, gdybyśmy czegoś od niego potrzebowali. Wydawało mi się, że już na nią trafiłem, kiedy usłyszałem dochodzące z góry klatki schodowej głosy. Uciekłem.

Wyskoczywszy z budynku, zastanawiałem się, gdzie mógłbym się ukryć. Schowałem się za rogiem. Po chwili z bramy wyłonił się jakiś mężczyzna i zdecydowanie, nie bacząc na deszcz, ruszył przed siebie. Był to mój woźnica. Claret. Minął mnie. Odczekałem chwilę i podążyłem za odgłosem jego kroków.

19

Idąc śladem Clareta, prze-
istoczyłem się w jeszcze jeden cień w tej dzielnicy cieni.
Całe powietrze Ravala przesycone było ubóstwem i nędzą. Claret długimi krokami przemierzał ulice, na których
nigdy wcześniej nie byłem. Nie wiedziałem, gdzie jestem,
dopóki po raz kolejny nie skręcił w jedną z przecznic,
w której rozpoznałem ulicę Conde del Asalto. Dotarłszy
do Ramblas, Claret skręcił w lewo, w kierunku Plaza Cataluña.

Niewielu przechodniów snuło się po barcelońskich plan-
tach. Oświetlone kioski wyglądały jak statki na mieliźnie.
Przy teatrze Liceo Claret przeszedł na drugą stronę ulicy.
Zatrzymał się w bramie budynku, w którym mieszkali doktor Shelley i jego córka María. Zauważyłem, że wchodząc,
z wewnętrznej kieszeni płaszcza wyciąga błyszczący przedmiot. Rewolwer.

Fasada budynku wyglądała jak przykryta ogromną ma-
ską reliefów i gargulców dławiących się wypluwaną przez
siebie wodą. Z jednego z okien kamienicy padało ostrze
złotawego światła. Z gabinetu Shelleya. Wyobraziłem sobie
starego doktora, jak siedzi w swoim wózku inwalidzkim,
nie mogąc zmrużyć oka. Pobiegłem ku bramie. Drzwi były

zaryglowane od środka. Claret musiał je zamknąć. Poszedłem wzdłuż budynku, gorączkowo szukając innego wejścia. Na tyłach kamienicy znajdowały się schodki pożarowe na gzyms biegnący wokół całego gmachu. Gzyms stanowił coś w rodzaju kamiennej kładki prowadzącej do balkonów głównej fasady. Stamtąd do okien gabinetu doktora Shelleya było już tylko kilka metrów. Wdrapałem się po schodkach na górę. Raz jeszcze oszacowałem swoje siły. Teraz mogłem zobaczyć na własne oczy, że na gzymsie ledwo mieściły się dwie stopy. Gdy spojrzałem w dół, wydało mi się, że stoję nad przepaścią. Zaczerpnąłem głęboko powietrza i zrobiłem pierwszy krok.

Przylgnąłem do ściany i zacząłem się przesuwać centymetr po centymetrze. Ściana była śliska. Niektóre fragmenty występu ruszały się pod moimi nogami. Miałem wrażenie, jakby gzyms z każdym moim krokiem stawał się coraz węższy. Mur, o który się opierałem, zdawał się przechylać do przodu. Cały pełen był płaskorzeźb przedstawiających fauny. Złapałem się palcami jednej z tych paszcz, wykrzywionych w demonicznym grymasie, nie bez obawy, że szczęki nagle okażą się pułapką, która się zatrzaśnie, odcinając mi palce. Trzymając się wyrzeźbionych twarzy niczym występów skalnych, zdołałem dojść do barierki z kutego żelaza okalającej oszkloną galerię przy gabinecie Shelleya.

Udało mi się dostać na siatkową platformę tuż przy zaparowanych oknach. Przykleiłem twarz do szyby, usiłując cośkolwiek zobaczyć. Okno było uchylone; popchnąłem je delikatnie, by uchyliło się nieco bardziej. Uderzył mnie w twarz podmuch ciepłego powietrza przesyconego wonią

192

palącego się w kominku drewna. Doktor siedział wpatrzony w ogień, jakby w ogóle się stamtąd nie ruszył. W tym momencie za jego plecami otworzyły się drzwi. Claret. Przybyłem za późno.

– Złamałeś przysięgę – odezwał się Claret.

Po raz pierwszy słyszałem tak wyraźnie jego głos. Ochrypły i niski. Taki sam jak głos naszego szkolnego ogrodnika Daniela, postrzelonego podczas wojny w gardło. Lekarze zrobili wszystko, co w ich mocy, ale i tak tego biednego człowieka kosztowało dziesięć lat wysiłku, zanim ponownie zaczął mówić. Kiedy się odzywał, dźwięk wydostający się z jego ust brzmiał identycznie jak głos Clareta.

– Mówiłeś, że zniszczyłeś ostatni flakonik – powiedział Claret, zbliżając się do Shelleya.

Ten nawet się nie odwrócił. Zobaczyłem, jak Claret unosi rewolwer i mierzy nim w lekarza.

– Mylisz się co do mnie – odparł Shelley.

Claret obszedł wózek i stanął naprzeciwko starca. Shelley uniósł wzrok. Jeśli nawet się bał, nie okazywał tego. Claret wycelował rewolwer w jego głowę.

– Kłamiesz. W ogóle nie powinienem z tobą gadać, tylko wpakować ci kulkę w łeb – powiedział, przeciągając każdą sylabę, jakby go bolała.

Przyłożył lufę między brwi Shelleya.

– Śmiało. Tylko wyświadczysz mi przysługę – rzekł doktor spokojnie.

Przełknąłem ślinę. Claret odciągnął kurek.

– Gdzie on jest?

– Na pewno nie tu.

– Wobec tego gdzie?

– Dobrze wiesz gdzie – odparł Shelley.

Usłyszałem, jak Claret ciężko wzdycha. Zdjął lufę z czoła doktora i zrezygnowany opuścił ramię.

– Wszyscy jesteśmy przeklęci – powiedział Shelley. – To tylko kwestia czasu. Zawsze trudno było ci to pojąć, a teraz w ogóle tego nie rozumiesz.

– Ciebie nie rozumiem – odrzekł bez namysłu Claret. – Ja będę miał czyste sumienie, kiedy przyjdzie moja pora.

Shelley zaśmiał się sarkastycznie.

– Słuchaj, Claret. Śmierć w ogóle się nie przejmuje sumieniem.

– Ale ja się przejmuję.

Nagle w pokoju pojawiła się María Shelley.

– Wszystko w porządku, tato?

– Tak, tak Marío. Wracaj do łóżka. To tylko nasz drogi Claret przyszedł z wizytą. Ale już wychodzi.

María się zawahała. Claret bacznie jej się przyglądał i przez chwilę miałem wrażenie, że pomiędzy nimi toczy się jakaś bliżej nieokreślona gra.

– Rób, co ci każę. Idź.

– Tak, ojcze.

María opuściła pokój. Shelley ponownie utkwił wzrok w płomieniach kominka.

– Ty się zajmuj swoim sumieniem. Ja mam córkę, którą muszę się zająć. Idź do domu. Nie możesz nic uczynić. Nikt nic nie może. Sam widziałeś, jaki koniec spotkał Sentísa.

– Taki, na jaki sobie zasłużył – skwitował Claret.

– Masz zamiar się z nim spotkać?

– Ja nie opuszczam przyjaciół.

– Ale oni opuścili ciebie – powiedział doktor.

Claret zmierzał już ku wyjściu, ale stanął, usłyszawszy głos Shelleya:

– Poczekaj...

Doktor podjechał do szafy stojącej obok biurka. Spod kołnierzyka wyciągnął łańcuszek, na którym wisiał kluczyk. Otworzył szafę. Coś z niej wyjął i podał Claretowi.

– Weź je – powiedział tonem rozkazu. – Brak mi odwagi, by ich użyć. I brak mi wiary.

Wytężyłem wzrok, usiłując dojrzeć, co takiego podawał Claretowi. Był to futerał. Zdawało mi się, że błysnęły w nich posrebrzone kapsułki. Naboje.

Claret wyjął je z futerału i zaczął się im dokładnie przyglądać. Jego wzrok napotkał oczy Shelleya.

– Dziękuję – wymamrotał Claret.

Doktor w milczeniu pokręcił głową, jakby nie życzył sobie jakichkolwiek oznak wdzięczności. Patrzyłem, jak Claret opróżnia bębenek rewolweru i ładuje go wręczonymi mu przez Shelleya nabojami. Tymczasem starzec przyglądał mu się w napięciu, nerwowo pocierając dłonią o dłoń.

– Nie idź tam – poprosił doktor.

Claret zatrzasnął bębenek i zakręcił nim.

– Nie mam wyboru – odburknął, kierując się już w stronę wyjścia.

Gdy tylko zniknął za drzwiami, wróciłem na gzyms. Deszcz przestał padać. Starałem się cofnąć jak najszybciej, żeby nie stracić śladu Clareta. Dotarłem wreszcie do schodków pożarowych, czym prędzej po nich zszedłem i obiegłem budynek. Udało mi się dojrzeć Clareta idącego Ramblas w stronę portu. Przyspieszyłem kroku, by się doń zbliżyć. Dopiero przy skrzyżowaniu z ulicą Fernando skręcił w stronę placu San Jaime. Pod arkadami Plaza Real dostrzegłem telefon. Wiedziałem, że muszę niezwłocznie zadzwonić do inspektora Floriána i opowiedzieć mu o wszystkim, czego byłem świadkiem, ale gdybym się teraz zatrzymał, straciłbym Clareta z oczu.

Zanurzyłem się za nim w zaułki Barrio Gótico. Jego postać zniknęła pod kamiennymi mostkami łączącymi pałace. Na murach tańczyły cienie nieprawdopodobnych łuków. Znajdowaliśmy się w sercu magicznej Barcelony, w labiryncie duchów, gdzie w nazwach ulic pobrzmiewały echa starych legend, a za naszymi plecami czaiły się baśniowe stwory.

20

Śledząc Clareta, dotarłem aż do małej uliczki na tyłach katedry. Na rogu znajdował się sklep z maskami. Mijając witrynę, poczułem na sobie puste spojrzenie papierowych twarzy. Nie mogłem się oprzeć, by nie rzucić na nie okiem. Claret stał dwadzieścia metrów ode mnie, tuż przy pokrywie studzienki kanalizacyjnej. Usiłował ją podważyć i odsunąć. Kiedy mu się to w końcu udało, wszedł do otworu. Zniknął w nim i dopiero wtedy odważyłem się podejść nieco bliżej. Dobiegły mnie odgłosy kroków na metalowych stopniach i zdawało mi się, że widzę poświatę rzucaną przez latarkę. Odczekawszy chwilę, podszedłem do studzienki i ostrożnie zajrzałem w głąb. Moją twarz owiał strumień śmierdzącego powietrza. Czekałem tam, aż kroki Clareta całkiem umilkły, a ciemności pochłonęły niesione przezeń światło.

Teraz nadszedł najlepszy moment, by zadzwonić do inspektora Floriána. Skierowałem się ku światłom albo już otwartej, albo jeszcze czynnej winiarni. Lokal okazał się ciasną i przesiąkniętą zapachem wina norą, mieszczącą się w suterenie co najmniej trzystuletniego budynku. Stojący za kontuarem wyraźnie skwaszony oberżysta o małych oczkach miał na głowie furażerkę wojskowego kroju. Na mój widok uniósł brwi i spojrzał z głęboką niechęcią. Na ścianie za nim wisiały chorągiewki Błękitnej Dywizji, pocztówki z frankistowskiego mauzoleum w Dolinie Poległych i portret Mussoliniego.

– Zmykaj, ale już – przywitał mnie bez ceregieli. – Lokal jest czynny od piątej.

– Ale ja chcę tylko skorzystać z telefonu. To pilne. Muszę.

– Zapraszamy o piątej.

– Gdybym mógł wrócić o piątej, nie byłoby to takie pilne... Błagam. Muszę zadzwonić na policję.

Oberżysta przyjrzał mi się uważnie, wreszcie wskazał telefon wiszący na ścianie.

– Poczekaj, aż ci włączę. A masz czym zapłacić?

– Jasne – skłamałem.

Słuchawka była brudna i zatłuszczona. Przy telefonie, na szklanym spodku, leżały pudełka zapałek z wydrukowaną nazwą lokalu i imperialnym orłem. Bodega Valor. Korzystając z tego, że właściciel zajęty był podłączaniem licznika, szybko zgarnąłem możliwie najwięcej pudełek i wepchnąłem je do kieszeni. Kiedy oberżysta się odwrócił, uśmiechnąłem się doń z miną niewiniątka. Wykręciłem numer podany mi przez Floriána. W słuchawce rozległ się pierwszy sygnał, drugi, następny. Nikt nie odbierał. Już zamierzałem się rozłączyć, przekonany, że cierpiącego ponoć na bezsenność towarzysza mojego inspektora zmogły jednak biuletyny BBC, kiedy ktoś w końcu podniósł słuchawkę.

– Dobry wieczór, przepraszam, że przeszkadzam o tak niestosownej porze – zacząłem. – Muszę natychmiast rozmawiać z inspektorem Floriánem. To bardzo pilne. Sam dał mi ten numer na wypadek, gdyby...

– A kto dzwoni?

– Óscar Drai.

– Óscar co?

Musiałem cierpliwie przeliterować swoje nazwisko.

– Chwileczkę. Nie wiem, czy Florián jest u siebie. Nie widzę, żeby się u niego paliło. Poczeka pan?

Rzuciłem okiem na właściciela baru, który wycierał szklanki w rytm marsza wojskowego pod nieulękłym spojrzeniem Il Duce.

– Tak – odparłem zuchwale.

Czekanie trwało wieczność. Oberżysta nie spuszczał ze mnie oka, jakbym był uciekającym skazańcem. Spróbowałem się doń uśmiechnąć. Nie zrobiło to na nim żadnego wrażenia.

– Mógłbym zamówić u pana kawę z mlekiem? – spytałem. – Przemarzłem na kość.

– Od piątej.

– A która teraz jest godzina? Proszę... – nie ustępowałem.

– Jeszcze nie ma piątej – odrzekł. – Na pewno dzwonisz na policję?

– A dokładniej do gwardii cywilnej – nie zwlekałem z odpowiedzią.

W końcu usłyszałem głos inspektora Floriána. Nie wyglądało na to, by został gwałtownie wyrwany ze snu, wprost przeciwnie.

– Óscarze? Gdzie jesteś?

Jak mogłem najszybciej, zrelacjonowałem najistotniejsze rzeczy. A kiedy dotarłem do tunelu kanałów, poczułem w jego głosie nagłe napięcie.

– Óscarze, słuchaj mnie uważnie. Nigdzie się nie ruszaj, czekaj na mnie w tej winiarni. Natychmiast łapię taksówkę i przyjeżdżam. Gdyby się coś zaczęło dziać, uciekaj bez namysłu i co tchu biegnij do komisariatu na Vía Layetana. Tam zapytaj o Mendozę. On mnie zna. Możesz mieć do niego pełne zaufanie. Cokolwiek by się działo, rozumiesz, pod żadnym pozorem nie schodź do tych tuneli. Jasne?

– Jak słońce.

– Za minutkę jestem.

Odłożył słuchawkę.

– Siedemdziesiąt peset się należy – zawyrokował oberżysta za moimi plecami. – Taryfa nocna.

– Zapłacę o piątej, panie generale – wypaliłem ze stoickim spokojem.

Obwisłe policzki oberżysty w jednej chwili zrobiły się czerwone jak wino Rioja.

– Słuchaj, smarkaczu, a w pysk chcesz? – zagroził, trzęsąc się z wściekłości.

Wziąłem nogi za pas, zanim zdążył wyskoczyć zza kontuaru ze swoją policyjną pałką do tłumienia zamieszek. Zaczekam na inspektora Floriána przy sklepie z maskami. Na pewno zaraz tu będzie, pomyślałem.

Dzwony katedry wybiły czwartą. Zacząłem chodzić w kółko, by przezwyciężyć dotkliwe zimno i ogarniającą mnie senność. Wyczerpanie krążyło wokół mnie niczym stado wygłodniałych wilków. Po chwili usłyszałem odgłos kroków na trotuarze. Odwróciłem się, chcąc ujrzeć inspektora Floriána, ale postać, którą miałem przed sobą, niczym nie przypominała starego policjanta. Była to kobieta. Instynktownie się schowałem, w obawie, iż to dama w czerni przybyła mi na spotkanie. Ze swojej kryjówki dostrzegłem najpierw rzucany na ulicę cień, a potem samą kobietę, która przeszła obok, nieświadoma mojej obecności. Rozpoznałem w niej Maríę, córkę doktora Shelleya.

Zbliżyła się do studzienki i zajrzała do środka. W ręku miała szklany flakonik. W świetle księżyca jej twarz błyszczała, wykrzywiona w nienaturalnym grymasie. Uśmiechała się demonicznie. Natychmiast zrozumiałem, że coś jest nie tak. Przyszło mi nawet do głowy, że María porusza się w lunatycznym transie. Nie mogłem znaleźć innego, bardziej racjonalnego wyjaśnienia. Czułem, że powinienem do niej podejść, zawołać ją, zrobić coś, by się otrząsnęła ze swego dziwnego stanu. Zdobyłem się na odwagę i zrobiłem krok do przodu. María odwróciła się natychmiast, czujna i szybka niczym kot, jakby wyczuła w powietrzu moją obecność. Jej oczy zalśniły w ciemnościach, a wyraz twarzy przeraził mnie.

– Idź sobie – powiedziała nieswoim głosem.

– María? – wyjąkałem speszony.

Chwilę później wskoczyła do studzienki. Podbiegłem do krawędzi, obawiając się, że ujrzę na jej dnie roztrzaskane ciało Maríi Shelley. Promień księżyca przelotnie oświetlił wnętrze kanału. Przekonałem się, że córka starego doktora jest cała i zdrowa.

– María! – krzyknąłem. – Zaczekaj!

Zszedłem po schodkach najszybciej jak mogłem. Już po kilku metrach dopadł mnie zgniły przenikliwy fetor. Światło docierające z ulicy z każdym krokiem stawało się coraz słabsze. Wyjąłem pudełko zapałek i zapaliłem jedną. Moim oczom ukazał się upiorny widok.

Tunel zakręcał łukiem i gubił się w mroku. Śmierdziało ściekami i wilgocią. Słychać było popiskiwanie szczurów. I nieskończone echo labiryntu biegnących pod miastem tuneli. Spod warstwy brudu wyzierał napis na murze:

SGAB/1881
KOLEKTOR SEKTOR IV/POZIOM 2 – ODCINEK 66

Ściana po drugiej stronie tunelu waliła się. Część kolektora była zasypana ziemią i gruzami. Kolejne warstwy, spiętrzone jedna na drugiej, skrywały coraz to starsze ślady przeszłości naszego miasta.

Zapatrzyłem się na to cmentarzysko Barcelony minionych epok, na którym stała współczesna metropolia. Pomyślałem o Sentísie, po którego śmierć przyszła w tej właśnie scenerii. Zapaliłem kolejną zapałkę. Z trudem opanowałem mdłości i posunąłem się kilka metrów w stronę, skąd dobiegał odgłos kroków.

– María?

Mój głos odbił się widmowym echem, od którego ciarki przeszły mi po plecach; nie śmiałem ponownie otworzyć ust. Zauważyłem tuziny czerwonych punkcików poruszających się niczym owady nad stawem. Szczury. Płomień zapalanych jedna po drugiej zapałek utrzymywał je w bezpiecznej odległości.

Wahałem się, czy kontynuować moją ekspedycję, kiedy usłyszałem dobiegający z oddali głos. Spojrzałem po raz ostatni w kierunku wyjścia na ulicę. Ani śladu inspektora Floriána. Znów dobiegł mnie ów głos. Westchnąłem i ruszyłem w głąb mrocznego labiryntu.

Wnętrze tunelu skojarzyło mi się z przewodem pokarmowym gigantycznego potwora. Pod moimi nogami płynęły strumienie ścieków. Szedłem, oświetlając sobie drogę płomieniem zapałki. Żeby ani na chwilę nie znaleźć się w całkowitej ciemności, odpalałem jedną zapałkę od drugiej. W miarę jak się zagłębiałem w labirynt kanałów, mój węch przyzwyczajał się do kloacznego smrodu. Poczułem również, że robi się coraz cieplej, a moją skórę, ubranie i włosy oblepia wilgoć.

W pewnym momencie dostrzegłem na ścianie krzyż namalowany czerwoną farbą. Niebawem pojawiły się następne, podobne krzyże, niczym znaki na szlaku turystycznym. Moją uwagę zwróciło coś lśniącego na ziemi. Przykląkłem, by zobaczyć, co to jest, i zdumiony podniosłem zdjęcie. Natychmiast je rozpoznałem. Był to jeden z portretów umieszczonych w albumie, który wynieśliśmy z oranżerii. Na ziemi walało się więcej fotografii. Znałem je wszystkie. Niektóre były podarte. Kilkadziesiąt metrów dalej znalazłem zniszczony album. Podniosłem go i przekartkowałem puste strony. Wyglądało, jakby ktoś szukał w nim czegoś konkretnego i nie znalazłszy, z wściekłości podarł i powyrzucał fotografie.

Dotarłem do miejsca przypominającego rozstaje, czegoś w rodzaju węzła rozdzielczego, w którym się schodziły poszczególne kanały. Spojrzałem w górę i zobaczyłem, że tuż nade mną znajduje się ujście innego tunelu. Wydawało mi się, że dostrzegam kratkę. Uniosłem zapaloną zapałkę, ale powiew cuchnącego powietrza wydobywającego się z jednego z kolektorów zgasił płomień. W tej samej chwili usłyszałem, że coś porusza się bardzo wolno, ocierając się o mur i wydając galaretowaty chlupot. Przebiegły mnie ciarki. Nerwowo wyciągnąłem kolejną zapałkę i próbowałem po omacku ją zapalić, ale bezskutecznie. Teraz już byłem pewien. Coś ruszało się w tunelach, coś żywego. I nie były to szczury. Zrobiło mi się duszno. Smród kanałów uderzył mnie w nozdrza. Wreszcie udało się. Jedna z zapałek rozbłysła w ciemności. Jej płomień z początku mnie oślepił. Później zobaczyłem, że coś pełznie w moim kierunku. Ze wszystkich tuneli wychodziły bezkształtne postacie, uczepione murów jak pająki. Zapałka wypadła mi z trzęsących się rąk. Chciałem rzucić się do ucieczki, ale mięśnie odmówiły mi posłuszeństwa.

Nagle promień światła przeciął mroki, zatrzymując w swym błysku przelotny ruch wyciągniętej w moją stronę ręki.

– Óscar!

Zobaczyłem inspektora Floriána. W jednej ręce trzymał latarkę, w drugiej rewolwer. Znalazłszy się obok mnie, poświecił latarką na wszystkie strony. Do naszych uszu docierał mrożący krew w żyłach odgłos cofających się, uciekających przed światłem stworów. Inspektor nie opuszczał dłoni z rewolwerem.

– Co to było?

Chciałem odpowiedzieć, ale głos uwiązł mi w gardle.

– A co ty tu robisz, do jasnej cholery?

– María – wykrztusiłem.

– Co?

– Gdy na pana czekałem, zobaczyłem jak María Shelley wskoczyła do studzienki, więc...

– Córka Shelleya? – zapytał inspektor zdziwiony. – Tutaj?

– Tak.

– A Claret?

– Nie mam pojęcia. Próbowałem iść ich śladem, ale dalej nie dotarłem...

Inspektor Florián rozejrzał się badawczo. W głębi jednego z korytarzy znajdowały się żelazne zardzewiałe drzwi. Zmarszczył czoło i podszedł do nich powoli. Trzymałem się go najbliżej, jak mogłem.

– To gdzieś tutaj odnaleziono Sentísa?

Florián przytaknął, wskazując jeden z tuneli.

– Ta sieć kolektorów rozciąga się aż do dawnego targowiska na Borne. I tam właśnie zostało znalezione ciało Sentísa, ale ślady wskazywały, że zwłoki jakiś czas wleczono.

– To tam mieści się stara fabryka Velo-Granell?

Inspektor ponownie przytaknął.

– Sądzi pan, że ktoś korzysta z tych podziemnych przejść, by przemieszczać się pod miastem, z fabryki do...

– Masz, weź latarkę – uciął szorstko Florián. – I to też.

Mówiąc „to", miał na myśli rewolwer. Trzymałem go, podczas gdy on usiłował otworzyć metalowe drzwi. Rewolwer był cięższy, niż się spodziewałem. Położyłem palec na spuście i przyjrzałem się broni w świetle latarki. Myślałem, że byly policjant zabije mnie wzrokiem.

– Ostrożnie, to nie jest zabawka. Wygłupiaj się tak dalej, a z twojego łba nie będzie co zbierać.

Drzwi wreszcie ustąpiły. Fetor, jaki zza nich buchnął, był nie do zniesienia. Powstrzymując mdłości, cofnęliśmy się parę kroków.

– Co tam tak cuchnie, do diabła? – krzyknął Florián.

Wyjął chusteczkę i przytknął ją do ust i nosa. Podałem mu rewolwer i wyciągnąłem latarkę przed siebie. Inspektor kopnął drzwi. Poświeciłem do środka. W gęstym powietrzu niewiele było widać. Inspektor odwiódł kurek i przekroczył próg.

– Ty zostań tutaj – rozkazał mi.

Puściłem jego polecenie mimo uszu i poszedłem za nim.

– Boże święty! – Usłyszałem, jak jęknął.

Zamurowało mnie. Nie wierzyliśmy własnym oczom. I nie chcieliśmy uwierzyć. Na zardzewiałych hakach rzeźniczych wisiały w ciemnościach dziesiątki bezwładnych i okaleczonych ciał. Na dwóch ogromnych stołach piętrzył się stos rozrzuconych narzędzi: dziwnych metalowych części, kół zębatych i mechanicznych konstrukcji z drewna i stali. Za szklaną witryną stał komplet flakoników i zestaw strzykawek różnej wielkości. Cała ściana obwieszona była brudnymi, poczerniałymi instrumentami chirurgicznymi.

– Co to jest? – wymamrotał Florián, wyraźnie nieswój.

Na jednym ze stołów spoczywał korpus z drewna i skóry, z metalu i kości, wyglądający niczym niedokończona makabryczna zabawka. Była to postać dziecka z okrągłymi oczami gada; z czarnych ust wystawał rozdwojony język. Na czole widniał wypalony ogniem znak czarnego motyla.

– To jego warsztat... To tutaj je tworzy... – wyrwało mi się.

I wtedy oczy tej piekielnej pałuby poruszyły się. Odwróciła głowę. Z jej wnętrzności dobiegł odgłos nakręcanego zegarka. Poczułem, jak jej oczy węża wbijają się we mnie. Oblizała się podwójnym językiem. Z jej twarzy nie znikał uśmiech.

– Spadamy stąd – powiedział Florián. – I to już.

Cofnęliśmy się do tunelu i zamknęliśmy za sobą drzwi. Inspektor dyszał ciężko. Ja nie mogłem wydać z siebie głosu. Wyrwał mi z rąk latarkę i zaczął oświetlać sobie drogę. W snopie światła dostrzegłem spadającą kroplę. I kolejną. I jeszcze jedną. Lśniące, szkarłatne krople. Spojrzeliśmy na siebie bez słowa. Krew skapywała tuż przed nami. Inspektor Florián dał mi znak ręką, bym się nieco cofnął, i skierował światło latarki na sufit. Zobaczyłem, jak policjant blednie, a jego pewna dotąd dłoń zaczyna dygotać.

– Uciekaj! – wykrztusił z trudem. – Uciekaj stąd!

Spojrzał na mnie i uniósł rewolwer. W jego wzroku malowało się przekonanie o niechybnej śmierci. Rozchylił wargi, jakby chciał mi coś jeszcze powiedzieć, ale z jego ust nie zdążył się wydobyć żaden dźwięk. Jakaś ciemna postać rzuciła się na niego i zanim inspektor zdołał zareagować, z nieprawdopodobnym impetem zadała mu cios. Rozległ się odgłos wystrzału, ogłuszający huk odbijał się od ścian. Latarka zatoczyła w powietrzu łuk i wylądowała w strumieniu wody. Ciało Floriána roztrzaskało się o mur z taką

siłą, że aż odcisnęło ślad w kształcie krzyża na poczernia-
łych blokach. Inspektor osunął się i padł bezwładnie na
ziemię. Wiedziałem, że nie żyje.

Rzuciłem się do ucieczki, szukając rozpaczliwie drogi
powrotnej. Zwierzęce wycie rozdarło powietrze. Odwróciłem się. Kilkanaście postaci pełzło, próbując mnie osaczyć.
Biegłem co sił w nogach, potykając się co chwila. Uszy
rozsadzał mi skowyt niewidzialnej sfory. Przed oczami miałem wciąż obraz roztrzaskanego o ścianę ciała inspektora
Floriána. Znajdowałem się już blisko wyjścia, kiedy parę
metrów przede mną ktoś zeskoczył z góry, odcinając mi
dostęp do schodów prowadzących na powierzchnię. Nogi
wrosły mi w ziemię. Sącząca się poświata pozwoliła mi
dojrzeć twarz arlekina. W oprawie dwóch czarnych rom-
bów lśniły szklane oczy, a z drewnianych oszlifowanych
warg wystawały stalowe kły. Cofnąłem się. Czyjeś dłonie
chwyciły mnie za ramiona. Czyjeś szpony zaczęły rozszar-
pywać moje ubranie. Coś zimnego i lepkiego owinęło mi się
wokół szyi. Poczułem, jak zaciska się pętla, dusząc mnie.
Oczy zaszły mi mgłą. Coś złapało mnie za kostki. Arlekin
klęknął przede mną i wyciągnął ręce ku mojej twarzy. Wydawało mi się, że zaraz stracę przytomność. Zresztą bardzo tego chciałem. W tej samej chwili owa głowa z drewna, skóry i metalu eksplodowała, rozrywając się na drobne
szczątki.

Strzał padł z mojej prawej strony. Huk całkowicie mnie
ogłuszył, a w powietrzu zawisł zapach prochu. Arlekin padł
pod moje nogi. Rozległ się kolejny strzał. Uścisk na mojej szyi rozluźnił się i upadłem. Czułem tylko ostry zapach
prochu. Ktoś mną potrząsał. Otworzyłem oczy i jak przez

mgłę zobaczyłem mężczyznę, który się nade mną pochylał i podnosił mnie. W chwilę później oślepiło mnie światło dnia, a świeże powietrze zalało mi płuca. Zemdlałem. Pamiętam, że śnił mi się stukot końskich kopyt i dźwięk bijących nieustannie dzwonów.

21

*P*okój, w którym się przebudziłem, wydał mi się znajomy. Okna były zamknięte, a przejrzysta jasność sączyła się przez szpary żaluzji. Ktoś siedział przy łóżku i przyglądał mi się w milczeniu. Marina.

– Witamy w świecie żywych.

Odruchowo usiadłem. Ale natychmiast zrobiło mi się ciemno przed oczami, a setki lodowatych igiełek wbiły mi się w czaszkę, boleśnie świdrując mózg. Marina przytrzymała mnie. Ból powoli ustępował.

– Spokojnie – szepnęła.

– Jak się tu dostałem…?

– Ktoś cię tu przywiózł nad ranem. W powozie. Ale się nie przedstawił.

– Claret – wymamrotałem. Zacząłem powoli dopasowywać elementy łamigłówki.

To Claret wyciągnął mnie z kanałów i przywiózł do domu Germána i Mariny. Zrozumiałem, że uratował mi życie.

– Przestraszyłeś mnie nie na żarty. O mało nie dostałam przez ciebie zawału. Gdzieś ty był? Całą noc nie zmrużyłam oka. Nigdy więcej mi tego nie rób, słyszysz? Nigdy więcej.

Bolało mnie całe ciało, nawet głowa, kiedy spróbowałem przytaknąć. Marina przyłożyła mi do ust szklankę zimnej wody. Wypiłem ją duszkiem. Potem się położyłem.

– Jeszcze się napijesz?

Zamknąłem oczy. Usłyszałem, jak nalewa wody do szklanki.

– A gdzie Germán? – zapytałem.

– W pracowni. Martwił się o ciebie. Powiedziałam mu, że coś ci zaszkodziło.

– I uwierzył?

– Mój ojciec wierzy we wszystko, co mu powiem – odparła Marina bez cienia ironii.

Podała mi szklankę.

– A co on robi tyle czasu w swojej pracowni, skoro już nie maluje?

Marina ujęła mnie za przegub i zmierzyła puls.

– Mój ojciec jest artystą – powiedziała po chwili. – Artyści żyją przyszłością lub przeszłością, nigdy w czasie teraźniejszym. Germán żyje wspomnieniami. To wszystko, co ma.

– Przecież ma ciebie.

– Ja jestem najżywszym z jego wspomnień – stwierdziła, patrząc mi w oczy. – Przyniosłam ci coś do jedzenia. Musisz odzyskać siły.

Dałem znak ręką, że nie chcę jeść. Na samą myśl o jedzeniu dostawałem mdłości. Marina jedną ręką podtrzymywała mi głowę, żebym mógł znowu napić się wody. Nigdy nie sądziłem, że zimna, krystaliczna woda może być aż takim błogosławieństwem.

– Która godzina?

– Minęło południe. Spałeś prawie osiem godzin.

Przyłożyła mi na chwilę dłoń do czoła.

– Przynajmniej już nie masz gorączki.

Otworzyłem oczy i uśmiechnąłem się. Marina przyglądała mi się dziwnie poważnie. Była niezwykle blada.

– Majaczyłeś. Gadałeś cały czas przez sen.

– A co mówiłem?

– Głupoty.

Obmacałem sobie gardło. Czułem w nim nieznośny ból.

– Nie dotykaj – powiedziała Marina, chwytając mnie za rękę. – Masz nieźle poharataną szyję. I pokiereszowane ramiona i plecy. Kto ci to zrobił?

– Nie mam pojęcia.

Marina westchnęła, jakby traciła do mnie cierpliwość.

– Przez ciebie umierałam ze strachu. Nie wiedziałam, co robić. Poszłam do budki, żeby zadzwonić do inspektora Floriána, ale jego przyjaciel z baru powiedział mi, że właśnie telefonowałeś i że inspektor wybiegł, nie mówiąc, dokąd idzie. Zadzwoniłam nad ranem jeszcze raz, ale ciągle go nie było...

– Florián nie żyje – poczułem, jak głos mi się łamie, gdy wymawiam nazwisko biednego inspektora. – Wczoraj w nocy jeszcze raz poszedłem na cmentarz – zacząłem.

– Zwariowałeś – przerwała mi Marina.

Przypuszczalnie miała rację. Bez słowa podała mi trzecią szklankę wody. Wypiłem ją do dna. Później powoli zrelacjonowałem jej to, co przydarzyło mi się w nocy. Gdy dotarłem do końca opowieści, Marina się nie odezwała. Patrzyła na mnie w milczeniu. Zdawało mi się, że martwi się czymś więcej, czymś, co nie miało nic wspólnego z tym, co jej opowiedziałem. Raz jeszcze zaczęła nalegać, bym zjadł choć trochę z tego, co przyniosła, czy jestem głodny, czy nie. Podała mi bułkę i czekoladę i srogo mi się przyglądała, dopóki nie wmusiłem w siebie pół tabliczki czekolady i buły wielkości latającego spodka. Natychmiast odczułem, że podniósł mi się poziom cukru we krwi. Wracałem do życia.

– Kiedy spałeś, ja też się zabawiłam w policjantów i złodziei – powiedziała Marina, wskazując na gruby, oprawny w skórę tom leżący na stoliczku.

Rzuciłem okiem na wytłoczony na grzbiecie tytuł.

– Interesujesz się entomologią?

– A konkretnie motylami – wyjaśniła Marina. – Znalazłam naszego ulubionego czarnego motyla.

– *Teufel...*

– Bardzo milutkie stworzenie. Żyje w piwnicach i tunelach, z daleka od światła. Jego cykl życia trwa czternaście dni. Przed śmiercią zagrzebuje się w gruzach i po trzech dniach wylęga się z niego nowa larwa.

– Zmartwychwstaje?

– Można tak powiedzieć.

– A czym się odżywia? W piwnicach nie ma kwiatów ani pyłków kwiatowych.

– Zjada własne poczwarki – odparła Marina. – Wszystko znajdziesz w tej książce. Przykładne życie naszych owadzich kuzynów.

Marina podeszła do okna i rozsunęła zasłony. Do pokoju wlało się słońce. Została przy oknie, patrząc przed siebie. Czułem, że gorączkowo się nad czymś zastanawia.

214

– Po co ktoś miałby napadać na ciebie, żeby odebrać ci album, jeśli później wyrzuca wszystkie fotografie? Przecież to nie ma sensu.

– Pewnie ten, kto mnie zaatakował, czegoś w tym albumie szukał...

– Tak. Ale tego czegoś jednak tam nie znalazł – dopowiedziała Marina.

– Doktor Shelley. – Nagle mnie olśniło.

Marina spojrzała na mnie pytającym wzrokiem.

– Kiedy go odwiedziliśmy, pokazaliśmy mu to jego zdjęcie w gabinecie – przypomniałem.

– I zabrał je nam!

– Mało tego, kiedy wychodziliśmy, zobaczyłem, że wrzucił je do ognia.

– Ale po co Shelley miałby niszczyć to zdjęcie?

– Pewnie było na nim coś, co Shelley koniecznie chciał ukryć – krzyknąłem, wyskakując z łóżka.

– A gdzie ty lecisz, wariacie?

– Do Luisa Clareta – odparłem. – To on ma klucz do tej zagadki.

– Nie ruszysz się z tego domu przez najbliższe dwadzieścia cztery godziny. Masz szlaban – oświadczyła stanowczo Marina, własnym ciałem zasłaniając drzwi. – Inspektor Florián zginął, żebyś ty mógł uciec.

– W ciągu dwudziestu czterech godzin to coś, co się ukrywa w kanałach, przyjdzie po nas, jeśli w jakiś sposób go nie powstrzymamy. Musimy to zrobić, żeby śmierć inspektora nie poszła na marne. Żeby być w porządku z własnym sumieniem.

– Shelley powiedział, że śmierć się nie przejmuje sumieniem – przypomniała mi Marina. – Być może miał rację.

– Być może – przyznałem. – Ale my się przejmujemy.

Kiedy dotarliśmy do granic Ravala, mgła, zabarwiona światłami tingel-tangli i szynków zalewała zaułki. Zostawiliśmy za sobą przyjazny gwar Ramblas i zanurzyliśmy się w najpodlejszy rewir całego miasta. I turyści, i mieszkańcy innych dzielnic omijali to miejsce z daleka. Z cuchnących bram i z okien w fasadach popękanych jak sucha ziemia śledziły nas podejrzliwe spojrzenia. Dźwięki dobiegające z telewizorów i radioodbiorników unosiły się zwielokrotnionym echem nad kanionami nędzy, nie sięgając ponad dachy. Głos Ravala nigdy nie dociera do nieba.

Niebawem spośród zrujnowanych budynków, pokrytych odkładającym się przez lata brudem, wyłonił się ciemny monumentalny zarys Gran Teatro Real. Na samym szczycie, niczym wiatrowskaz, odcinała się na tle nieba sylwetka czarnoskrzydłego motyla. Stanęliśmy, by się przyjrzeć temu baśniowemu widziadłu. Najbardziej obłąkańczy budynek, jaki kiedykolwiek wzniesiono w Barcelonie, rozkładał się niczym trup w bagnie.

Marina uniosła rękę, pokazując mi jasne okna na trzecim piętrze przybudówki teatru, w której chwilę przedtem rozpoznałem znajome wrota stajni. Światło paliło się w mieszkaniu Clareta. Skierowaliśmy się ku bramie. Przy schodach jeszcze stała kałuża po nocnej ulewie. Zaczęliśmy wchodzić po zniszczonych, wyrobionych stopniach.

– A jeśli nas nie wpuści? – zapytała zaniepokojona Marina.

– Raczej stawiałbym na to, że na nas czeka – powiedziałem, by dodać odwagi nam obojgu.

Gdy doszliśmy na drugie piętro, zauważyłem, że Marina z trudem łapie powietrze. Zatrzymałem się. Była blada jak ściana.

– Coś ci jest?

– Zmęczyłam się trochę – odparła z uśmiechem, który wcale mnie nie przekonał. – Za szybko chodzisz. Trudno mi za tobą nadążyć.

Wziąłem ją za rękę i pomogłem wejść na trzecie piętro, schodek po schodku. Zatrzymaliśmy się przed drzwiami do mieszkania Clareta. Marina ciężko westchnęła. Widać było, że nie może zapanować nad drżeniem całego ciała.

– Spokojnie, nic mi nie jest. Naprawdę – powiedziała, wyczuwając moje obawy. – Na co czekasz, pukaj. Przecież nie przyszliśmy tu na wycieczkę krajoznawczą.

Zastukałem do drzwi ze starego, solidnego i grubego jak mur drewna. Zapukałem jeszcze raz. Zza drzwi usłyszeliśmy odgłos kroków. Otworzyły się i ukazał się w nich Luis Claret, człowiek, który uratował mi życie.

– Wchodźcie – rzekł oschle, odwracając się do nas plecami i idąc od razu w głąb mieszkania.

Zamknęliśmy za sobą drzwi. W mieszkaniu było ciemno i zimno. Z sufitu zwisały serpentyny łuszczącej się farby. Lampy bez żarówek zasnute były pajęczynami. Stąpaliśmy po podłodze ze spękanych płytek.

– Tutaj chodźcie. – Usłyszeliśmy z głębi mieszkania głos Clareta. Dotarliśmy do pokoju skąpo oświetlonego żarem piecyka koksowego, przy którym siedział Claret, wpatrując się w nikłe pełzające płomienie. Na ścianach wisiały stare portrety, ukazujące twarze i stroje z innych epok. Były szofer spojrzał na nas. Miał jasne, przenikliwe oczy, srebrzyste włosy i pergaminową skórę. Czas wykarbował na jego twarzy dziesiątki bruzd i zmarszczek, ale mimo podeszłego wieku biła z tej twarzy siła, o jakiej ludzie trzydzieści lat młodsi mogą tylko pomarzyć. Wodewilowy amant, który postarzał się z godnością i w wielkim stylu.

– Nie zdążyłem panu podziękować. Za uratowanie mi życia.

– To nie mnie należą się podziękowania. A jak mnie znaleźliście?

– Słyszeliśmy o panu od inspektora Floriána – pospieszyła z wyjaśnieniem Marina. – Opowiedział nam, że razem z doktorem Shelleyem byliście jedynymi, którzy towarzyszyli do ostatniej chwili Michalowi Kolvenikowi i Evie Irinovej. Inspektor powiedział, że nigdy ich pan nie opuścił. A jak pan poznał Michala Kolvenika?

Na ustach Clareta pojawił się blady uśmiech.

– Pan Kolvenik przybył do miasta wraz z najgorszymi mrozami w tym stuleciu – zaczął. – Wygłodzony i przemarznięty do szpiku kości skrył się w bramie starego budynku, żeby przetrwać noc. Przy sobie miał zaledwie parę groszy na jakąś bułkę albo kawę, i to wszystko. Zastanawiając się, co dalej robić, zauważył, że w tej bramie chowa się ktoś jeszcze. Był to pięcioletni żebrak, owinięty w łachmany, który, podobnie jak Kolvenik, skrył się tu przed mrozem. Nie mówili w tym samym języku, więc trudno im się było porozumieć. Ale Kolvenik uśmiechnął się do dzieciaka i dał mu swoje monety, na migi pokazując, żeby kupił sobie coś do jedzenia. Maluch, nie mogąc uwierzyć w to, co go spotkało, pobiegł natychmiast do otwartej przez całą noc piekarni przy Plaza Real, by kupić ciepły bochen chleba. Wrócił do bramy, chcąc się podzielić z nieznajomym, ale zdążył tylko zobaczyć, jak policja zabiera Kolvenika. W lochach komisariatu Kolvenik został brutalnie pobity przez współwięźniów. Przez cały czas jego pobytu w więziennym szpitalu dzieciak dzień i noc warował przy bramie niczym bezpański pies. Kiedy Kolvenik po dwóch tygodniach wyszedł wreszcie na wolność, widać było, że wyraźnie kuleje. Poruszał się z trudem. Chłopiec stał się jego przewodnikiem. Przyrzekł sobie, iż nigdy nie opuści człowieka, który w najgorszą noc jego życia podzielił się z nim wszystkim, co miał... To ja byłem tym chłopcem.

Claret wstał i dał nam znak, byśmy poszli za nim wąskim korytarzem, na którego końcu znajdowały się drzwi. Wyciągnął z kieszeni klucz i otworzył je. Ukazało się niewielkie pomieszczenie z drugimi identycznymi drzwiami.

Kiedy weszliśmy do środka, szofer zapalił świecę, by rozproszyć panujące tam ciemności. Kolejnym kluczem otworzył tamte drzwi. Powiew zimnego powietrza wdarł się do środka, płomień świecy zachybotał z sykiem. Poczułem, jak Marina, przechodząc przez próg, ściska moją dłoń. Znalazłszy się po drugiej stronie, stanęliśmy zauroczeni. Mieliśmy przed sobą wnętrze Gran Teatro Real.

Jedno po drugim kolejne piętra wznosiły się pod olbrzymią kopułą. W lożach wisiały aksamitne zasłony. Wielkie kryształowe żyrandole nad ogromną opustoszałą widownią od lat nadaremnie wyczekiwały, by ktoś je podłączył do prądu. Staliśmy w bocznym wejściu na scenę. Nad nami rozciągała się gigantyczna teatralna machineria, ginące gdzieś wysoko, pod sklepieniem kurtyny, rusztowania, żurawie i mostki.

– Tędy – wskazał nam drogę Claret.

Przeszliśmy przez scenę. W fosie orkiestrowej drzemały porzucone instrumenty. Na podeście dyrygenta zauważyłem zarośniętą pajęczynami partyturę, otwartą na pierwszej stronie. Wielki dywan w centralnym przejściu między rzędami na parterze widowni przywodził na myśl szosę wiodącą donikąd. Claret wyprzedził nas i stanąwszy przed oświetlonymi drzwiami, dał znak, byśmy zaczekali. Wymieniliśmy z Mariną porozumiewawcze spojrzenia.

Drzwi prowadziły do garderoby. Na metalowych wieszakach wisiały setki olśniewających kreacji. Jedną ze ścian całkowicie przysłaniały obramowane żarówkami lustra. Druga była obwieszona starymi fotografiami, przedstawiającymi nieopisanej wręcz urody kobietę – Evę Irinovą, królową opery. To na jej cześć Michal Kolvenik zbudował to sanktuarium. Dopiero wtedy ją zauważyłem. Czarna dama w milczeniu przyglądała się swej odbitej w lustrze twarzy, okrytej woalką. Usłyszawszy nasze kroki, odwróciła się powoli i skinęła ku nam głową. Dopiero wtedy Claret pozwolił nam wejść. Podchodziliśmy do niej tak, jak się podchodzi chyba do ducha: czując strach przemieszany z fascynacją. Zatrzymaliśmy się dwa metry od niej. Claret stał ciągle w progu, czujny. Kobieta odwróciła się znowu do lustra, wpatrując się w swoje odbicie.

Nagle, bardzo powoli, zaczęła unosić woalkę. W skąpym świetle kilku nieprzepalonych jeszcze żarówek ukazała się nam odbita w lustrze jej twarz czy raczej to, co z niej zostało. Naga kość i resztki skóry. Jedynie zarys ust, kreska w rozmazanych rysach. Oczy, które nie mogły już płakać. Przez trwającą wieczność chwilę pozwoliła nam patrzeć na swoje makabrycznie oszpecone oblicze, zazwyczaj skrzętnie skrywane pod woalką. Następnie, takim samym powolnym ruchem, jakim odsłoniła twarz, z powrotem ją zakryła, gestem prosząc, byśmy usiedli. Zapadła długa cisza.

Eva Irinova przeciągnęła dłonią po twarzy Mariny, po jej policzkach, ustach, szyi. Drżącymi i zachłannymi palcami odczytywała jej urodę i doskonałość. Marina przełknęła ślinę. Dama cofnęła rękę. Zauważyłem, mimo woalki, jak jej pozbawione powiek oczy rozbłyskują. I dopiero wtedy odezwała się i zaczęła opowiadać nam historię, którą skrywała przez ponad trzydzieści lat.

igdy nie byłam w mojej ojczyźnie, znam ją tylko z fotografii. Wszystko, co wiem o Rosji, zaczerpnęłam z baśni, opowieści i wspomnień innych ludzi. Urodziłam się na barce spływającej Renem, w Europie zniszczonej przez wojnę i strach. Wiele lat później dowiedziałam się, że moja matka była już w ciąży, kiedy sama i chora przekraczała granicę rosyjsko-polską, uciekając przed rewolucją. Zmarła przy porodzie. Nie wiem, jak się nazywała ani kim był mój ojciec. Pogrzebano ją na brzegu rzeki, w bezimiennym grobie, którego nigdy nie udało mi się odnaleźć. Zajęła się mną para aktorów z Sankt Petersburga, podróżujących razem z nami na barce, Siergiej Głazunow i jego siostra bliźniaczka Tatiana. Zrobili to przede wszystkim z litości, ale i dlatego, że – jak wiele lat później dowiedziałam się od Siergieja – miałam każde oko innego koloru, a jest to ponoć oznaką fortuny.

W Warszawie, dzięki umiejętnościom i przemyślności Siergieja, przyłączyliśmy się do trupy cyrkowej wybierającej się do Wiednia. Cyrkowcy i zwierzęta, to są moje pierwsze wspomnienia. Cyrkowy namiot, linoskoczkowie, noszący imię Władimir głuchoniemy fakir, który połykał szkło, wypluwał ogień, robił dla mnie czarodziejskie ptaki z papieru. Siergiej został dyrektorem trupy i na stałe osiedliśmy w Wiedniu. Cyrk był moją szkołą i moim domem, chociaż już wówczas wiedzieliśmy, że jego los jest przesądzony. Otaczająca nas rzeczywistość zaczynała się stawać bardziej groteskowa niż pantomimy klaunów i tańczących niedźwiedzi. Niebawem miało się okazać, że nikomu nie jesteśmy potrzebni. Wiek dwudziesty przeistoczył się w wielki cyrk historii.

Miałam zaledwie siedem czy osiem lat, kiedy Siergiej poinformował mnie, że już najwyższa pora, bym na siebie zarabiała. Zaczęłam brać udział w przedstawieniach, wpierw jako maskotka przy prestidigitatorskich sztuczkach Władimira, a później we własnym numerze, gdzie śpiewałam kołysankę niedźwiedziowi, zasypiającemu wraz z końcem piosenki. Numer ten, w zamyśle jedynie przerywnik, pozwalający przygotować się linoskoczkom do występu, w rezultacie okazał się gwoździem programu. Ja sama byłam tym bardzo zdziwiona. Siergiej postanowił rozbudować mój numer. I tak zaczęłam z oświetlonej platformy nucić śpiewanki wyliniałym, schorowanym i niedokarmionym lwom. Zwierzęta słuchały mnie zahipnotyzowane. A publiczność z nimi. Po Wiedniu rozniosła się wieść, że w cyrku występuje dziewczynka, która śpiewem poskramia bestie. Ludzie płacili za bilety. Miałam dziewięć lat.

Siergiej w mig pojął, że może się obejść bez cyrku. Spełniała się przepowiednia, że dziewczynka o oczach każde w innym kolorze przyniesie mu fortunę. Dopełnił wszystkich formalności, by stać się moim prawnym opiekunem, i ogłosił trupie cyrkowej, że odchodzimy, by występować osobno. Tłumaczył, że cyrk nie jest najwłaściwszym miejscem, by wychowywać dziecko. W tym samym czasie wyszło na jaw, że ktoś przez lata przywłaszczał sobie część wpływów z przedstawień. Siergiej i Tatiana oskarżyli o to Władimira, zarzucając mu w dodatku, że dopuszczał się wobec mnie czynów lubieżnych. Prestidigitator został aresztowany przez policję i skazany, choć pieniędzy nigdy nie odnaleziono.

Aby uczcić swoją niezależność, Siergiej kupił luksusowy samochód, zaczął się nosić jak dandys. Tatianę obdarował biżuterią. Przeprowadziliśmy się do willi wynajętej w jednym z lasków Wiednia. Siergiej nigdy nam nie mówił, skąd bierze pieniądze na takie zbytki. Codziennie, po południu i wieczorem, śpiewałam w spektaklu zatytułowanym *Moskiewski anioł*. Było to pierwsze przygotowane przez nas przedstawienie. Po nim przyszło wiele innych. Przyjęłam pseudonim sceniczny Eva Irinova, zaproponowany przez Tatianę, która natknęła się na to imię i nazwisko w publikowanej w jakiejś poczytnej gazecie powieści odcinkowej. Również dzięki Tatianie wynajęto dla mnie nauczycieli śpiewu, sztuki dramatycznej i tańca. Całe moje życie wypełnione było próbami i występami. Siergiej nie pozwalał mi na nic, co nie było związane z karierą. Nie miałam przyjaciół, nie wychodziłam do miasta, nie czytałam książek, nie mogłam nawet przez chwilę pobyć sama. To dla twojego dobra, powtarzał. Kiedy zaczęłam się stawać kobietą, Tatiana zażądała dla mnie osobnego pokoju. Siergiej niechętnie ustąpił. Ale zachował sobie klucz. Często wracał po nocy i próbował się dostać do mojej sypialni. Najczęściej był tak pijany, że nie mógł trafić kluczem do zamka. Czasami jednak trafiał. Jedyną rzeczą, która dodawała mi otuchy i przynosiła satysfakcję, był aplauz anonimowej publiczności. Z czasem zaczęłam potrzebować go bardziej niż powietrza.

Często wyjeżdżaliśmy na tournée. Mój wiedeński sukces szybko został zauważony przez impresariów w Paryżu, Mediolanie i Madrycie. Siergiej i Tatiana zawsze towarzyszyli mi w tych podróżach. Rzecz jasna, nie zobaczyłam ani grosza z wpływów z owych koncertów, nie wiem nawet, co się stało z tymi pieniędzmi. Siergiej zawsze tonął w długach i wierzyciele nie dawali mu spokoju. Mnie obarczał winą za ten stan. Wyrzucał mi z goryczą, że moje wykształcenie i utrzymanie pochłaniają wszystkie zarobione pieniądze, a ja nawet nie okazuję najmniejszej wdzięczności za to, co on i Tatiana dla mnie robią. Przez lata Siergiej powtarzał mi, że jestem fleją, leniuchem, dziewczyną ograniczoną i bezmyślną. Biedną, niewydarzoną istotą, która nigdy niczego nie osiągnie i której nikt nigdy nie pokocha i nie doceni. Ale to nieważne – szeptał mi Siergiej do ucha, cuchnąc alkoholem – bo on i Tatniana zawsze będą przy mnie, by się mną opiekować i chronić mnie przed złym światem.

W dniu swoich szesnastych urodzin odkryłam, że nienawidzę samej siebie i nie mogę patrzeć na swoje odbicie w lustrze. Przestałam jeść. Moje ciało wzbudzało we mnie wstręt i próbowałam ukryć je pod brudnymi łachmanami. W śmieciach znalazłam kiedyś zużytą żyletkę Siergieja. Wzięłam ją sobie. Zamykałam się w pokoju i cięłam sobie skórę na ramionach i dłoniach, żeby samą siebie ukarać. Tatiana co noc bez słowa opatrywała moje rany.

Dwa lata później, w Wenecji, pewien książę, obejrzawszy mój spektakl, zaproponował mi małżeństwo. Siergiej, dowiedziawszy się o tym, tej samej nocy brutalnie mnie pobił. Z rozbitych warg płynęła mi krew, miałam złamane dwa żebra. Gdyby Tatiana nie wezwała policji, pewno by mnie zabił. Wyjechałam z Wenecji karetką. Wróciliśmy do Wiednia. Finansowe problemy Siergieja szybko dały o sobie znać. Zaczęto nam grozić. Pewnej nocy, kiedy już spaliśmy, ktoś podłożył ogień pod nasz dom. Parę tygodni wcześniej Siergiej otrzymał ofertę od Daniela Mestresa, impresaria z Madrytu, który już kiedyś zorganizował mi w Hiszpanii triumfalne tournée. Teraz, mając większość udziałów w dawnym Teatro Real w Barcelonie, chciał zainaugurować nowy sezon moimi występami. Tak więc spakowaliśmy walizki i wyruszyliśmy w drogę do Barcelony. Niebawem miałam skończyć dziewiętnaście lat i modliłam się, by nie dożyć dwudziestu. Od dłuższego już czasu myślałam o odebraniu sobie życia. Nic mnie nie trzymało na tym świecie. Od dawna już byłam martwa, ale dopiero teraz zaczynało to do mnie docierać. Wówczas poznałam Michala Kolvenika...

Występowaliśmy w Teatro Real już od paru tygodni. W zespole szeptano o dżentelmenie, który każdego wieczoru przychodzi na mój występ, zajmując miejsce w tej samej loży. W owym czasie po Barcelonie krążyły rozmaite plotki o Michale Kolveniku. A to o tym, jak zbił fortunę... A to o jego życiu osobistym... O tym, kim naprawdę jest, o jego przeszłości pełnej tajemnic i zagadek... Zaintrygował mnie człowiek, którego otaczała tak dwuznaczna sława, toteż wysłałam mu bilecik, zapraszając go po występie do mojej garderoby. Dochodziła północ, kiedy Michal Kolvenik zapukał do moich drzwi. Oczekiwałam kogoś budzącego lęk, aroganckiego. Tymczasem w drzwiach stał mężczyzna nieśmiały i zamknięty. Takie przynajmniej odniosłam wrażenie. Ubrany był na czarno, skromnie i elegancko. Jedyną ozdobą, jaką nosił, była kunsztowna szpilka: motyl z rozpostartymi skrzydłami. Podziękował mi za zaproszenie, wyraził słowa podziwu dla mej osoby i sztuki i powiedział, że czuje się zaszczycony, mogąc mnie poznać. Odparłam, że biorąc pod uwagę narosłą wokół niego legendę, mogę uważać, że to raczej mnie spotkał zaszczyt. Uśmiechnął się i zaproponował, żebym nie przywiązywała zbyt wielkiej wagi do plotek. Michal miał najpiękniejszy uśmiech na świecie. Kiedy ten uśmiech pojawiał się na jego ustach, człowiek wierzył w każde jego słowo. Ktoś kiedyś powiedział, że Kolvenik gdyby zechciał, byłby zdolny przekonać Krzysztofa Kolumba, że ziemia jest płaska jak mapa. I ten ktoś miał rację. Tamtego wieczoru namówił mnie na nocny spacer ulicami Barcelony. Wyznał mi, że bardzo często przechadza się po północy ulicami śpiącego miasta. Moja znajomość Barcelony ograniczała się do teatru i hotelu, więc tym chętniej się zgodziłam. Wiedziałam, że Siergiej i Tatiana wpadną w szał, gdy się dowiedzą, ale sama się zdziwiłam, jak mało mnie to obchodziło. Ukradkiem wymknęliśmy się z teatru. Wsunęłam rękę pod zaoferowane mi przez Kolvenika ramię. Spacerowaliśmy aż do świtu. Zobaczyłam to zaczarowane miasto jego oczyma. Mówił mi o tajemnicach Barcelony, jej magicznych zakątkach, nastroju jej ulic. Opowiedział mi o nich tysiąc i jedną baśń. Zawędrowaliśmy w zaułki Barrio Gótico i starówki. Michal zdawał się wiedzieć wszystko: kto kiedy mieszkał w którym domu, jakie w nich popełniono zbrodnie i jakie przeżyto romanse. Znał nazwiska wszystkich architektów, rzemieślników czy mniej znanych twórców tej niezwykłej scenerii. Wydawało mi się, że jestem pierwszą osobą, której to mówi. Czułam otaczającą go aurę samotności, a w jego oczach widziałam otchłań, nad którą musiałam się pochylić. Świt zastał nas na jednej z ławek w porcie. Przyjrzałam się temu nieznajomemu, z którym przez całą noc wędrowałam ulicami miasta, i zdało mi się, że znam go od bardzo dawna. Powiedziałam mu o tym. Roześmiał się i w tej samej chwili, z tą dziwną pewnością, jakiej się doświadcza tylko kilka razy w życiu, zrozumiałam, że u jego boku spędzę resztę swoich dni.

Owej nocy Michal wyznał mi, że wierzy w to, iż życie obdarza każdego z nas rzadkimi chwilami czystego szczęścia. Czasami trwa ono kilka dni lub tygodni, czasami kilka lat. Zależy, co jest nam pisane. Pamięć o tych chwilach nie opuszcza nas nigdy, przeistaczając się w krainę wspomnień, do której daremnie usiłujemy przez całe życie powrócić. Dla mnie krainą tą na zawsze pozostanie owa pierwsza nocna przechadzka ulicami Barcelony u boku Michala.

Siergiej i Tatiana natychmiast sprowadzili mnie na ziemię. Można się było tego po nich spodziewać. Szczególnie po Siergieju. Kategorycznie zabronił mi się spotykać i rozmawiać z Michalem. Nie panując nad sobą, powiedział, że jeśli bez jego pozwolenia opuszczę teatr, zabije mnie. Nagle uświadomiłam sobie, że budzi już we mnie nie strach, tylko pogardę. Żeby go jeszcze bardziej rozjuszyć, oznajmiłam mu, że Michal zaproponował mi małżeństwo, a ja przyjęłam oświadczyny. Przypomniał mi, że jest moim prawnym opiekunem, i zakomunikował, iż nie tylko nigdy nie zgodzi się na mój ślub, ale że opuszczamy niezwłocznie Barcelonę i udajemy się do Lizbony. Przez dziewczynę z zespołu baletowego przekazałam Michalowi moją rozpaczliwą prośbę o ratunek. Tego samego wieczoru, przed rozpoczęciem spektaklu, Michal stawił się w teatrze w towarzystwie dwóch adwokatów i poprosił Siergieja o rozmowę. Przede wszystkim poinformował go, iż tego dnia podpisał umowę z impresariem Teatro Real, na mocy której stawał się nowym właścicielem teatru. Oznaczało to zwolnienie Siergieja i Tatiany. Przedstawił też teczkę z dokumentacją dotyczącą nielegalnych interesów Siergieja w Wiedniu, Warszawie i Barcelonie. Dowodów wystarczało aż nadto, by skazać go na piętnaście lub dwadzieścia lat więzienia. Na koniec pokazał mu czek na kwotę, której Siergiej nie byłby zdolny zarobić swoimi szwindlami i machlojkami przez resztę życia. Alternatywa była następująca: jeśli w ciągu czterdziestu ośmiu godzin on i Tatiana na zawsze opuszczą Barcelonę, zobowiązując się, że w żaden sposób nie będą się ze mną kontaktować, teczka z dokumentacją i czek należą do nich. Jeśli odmówią, dokumentacja trafi w ręce policji, wraz z czekiem na zachętę, by trochę naoliwić tryby machiny sprawiedliwości. Siergiej wpadł w furię. Wrzeszczał jak szaleniec, że nigdy się od niego nie uwolnimy, że nie pozwoli się szantażować, że jeśli chcemy się go pozbyć, musimy go zabić.

Michal uśmiechnął się, pożegnał i wyszedł. Tej samej nocy Tatiana i Siergiej spotkali się z typem, oferującym usługi płatnego mordercy. O mało co nie przypłacili tego życiem. Gdy opuszczali miejsce, gdzie dobijali targu, w ich kierunku, z przejeżdżającego pojazdu, padły niespodziewanie strzały. Nazajutrz dzienniki barcelońskie zamieściły informację o dziwnej strzelaninie, sugerując różne wyjaśnienia niewytłumaczalnego w gruncie rzeczy ataku. Następnego dnia Siergiej przyjął czek od Michala i bez pożegnania wraz z Tatianą zniknął z miasta...

Kiedy się o tym dowiedziałam, poprosiłam Michala, żeby powiedział, czy ma z tym coś wspólnego. Rozpaczliwie pragnęłam, żeby zaprzeczył. Spojrzał na mnie uważnie i zapytał, dlaczego w niego wątpię. Wydawało mi się, że umieram. Cała nadzieja na szczęście zdała się, w jednej chwili, obracać w kolejny miraż, w chybotliwy domek z kart. Ponowiłam pytanie. Michal odparł, że nie, że z tym zamachem nie ma nic wspólnego.

– W przeciwnym razie żadne z nich już by nie żyło – odpowiedział chłodno.

W tym czasie Michal wynajął jednego z najlepszych barcelońskich architektów, by zaprojektował według jego wskazówek pałac w pobliżu parku Güell. O kosztach w ogóle nie rozmawiano. Na czas budowy Michal wynajął całe piętro starego hotelu Colón przy Plaza Cataluña. Tam zamieszkaliśmy. Po raz pierwszy w życiu zobaczyłam, że można mieć tyle służby, iż nie sposób zapamiętać imion tych ludzi. Michal miał tylko swojego szofera, Luisa.

Jubilerzy od Baguésa odwiedzali mnie w hotelowym apartamencie. Najlepsi krawcy zdejmowali ze mnie miarę i szyli mi kreacje godne cesarzowej. W najlepszych sklepach Barcelony miałam otwarte konta na swoje nazwisko, bez limitu. Obcy ludzie kłaniali mi się z szacunkiem na ulicy lub w hotelu. Otrzymywałam zaproszenia na bale do pałaców rodów, których nazwiska widywałam dotąd jedynie w prasie relacjonującej życie wyższych sfer. Skończyłam zaledwie dwadzieścia lat. Przedtem nie miałam nigdy w ręku więcej pieniędzy niż na bilet tramwajowy. Żyłam jak we śnie. Czułam się całkowicie oszołomiona i przytłoczona otaczającym mnie luksusem i rozrzutnością. Kiedy dzieliłam się swoimi wątpliwościami z Michalem, odpowiadał mi, że pieniądze nie mają znaczenia, chyba że ich brakuje.

Dnie spędzaliśmy razem, spacerowaliśmy po mieście, bywaliśmy w kasynie na Tibidabo – choć nigdy nie widziałam, by Michal postawił w jakiejkolwiek grze choćby monetę – na spektaklach w Liceo… Wieczorem wracaliśmy do hotelu Colón, gdzie Michal zaszywał się w swych pokojach. Zauważyłam, że często wychodzi koło północy i wraca dopiero o świcie. Twierdził, że te wyjścia związane są z jego pracą.

Ale ludzie plotkowali coraz bardziej. Miałam wrażenie, że wychodzę za mąż za człowieka, którego wszyscy znają lepiej ode mnie. Słyszałam, jak służące obgadują nas za moimi plecami. Ludzie taksowali mnie z fałszywym uśmiechem. Powoli zaczęłam stawać się więźniem własnych podejrzeń. Jedna myśl nie dawała mi spokoju. Wobec całego tego luksusu i rozrzutności zaczęłam się czuć jak jeszcze jedna pozycja z inwentarza dóbr. Jeszcze jeden kaprys Michala. On mógł kupić wszystko: Teatro Real, Siergieja, samochody, kosztowności, pałace. I mnie. Drżałam z niepokoju, widząc, jak każdej nocy znika, przekonana, że ucieka w ramiona innej kobiety. Pewnego razu postanowiłam pójść za nim i skończyć wreszcie z tą zagadką.

Śledząc go, znalazłam się przy starych zakładach Velo--Granell obok targowiska Borne. Poza Michalem nikt się tam więcej nie zjawił. Weszłam do środka przez maleńkie okno wychodzące na boczną uliczkę. To, co ujrzałam w fabryce, wydało mi się koszmarem sennym. Setki stóp, dłoni, ramion, nóg, stosy szklanych oczu na półkach... Części zamienne dla połamanej i nędznej masy ludzkiej. Idąc dalej, dotarłam do tonącego w ciemnościach hangaru, w którym stały ogromne szklane cysterny. Wewnątrz nich unosiły się nieokreślone kształty. Na środku sali, w półmroku, siedział Michal. Patrzył na mnie, paląc cygaro.

– Nie powinnaś była iść za mną – powiedział spokojnie, bez cienia gniewu w głosie.

Wyjaśniłam mu, że nie mogę wyjść za mąż za mężczyznę, którego znam tylko w połowie – znam jego dnie, ale nie noce.

– To, czego się dowiesz, może ci się nie spodobać – uprzedził.

Zapewniłam go, że nie obchodzą mnie krążące na jego temat plotki. Było mi wszystko jedno, co robił. Chciałam tylko być częścią jego życia. Do końca. Bez niedomówień i bez tajemnic. Skinął głową, i wiedziałem, co to oznacza: przekraczam próg, zza którego nie ma powrotu. Michal zapalił światło i trwający od kilku tygodni cudowny sen prysł w jednej chwili. Byłam w piekle.

W zbiornikach z formaliną obracały się w makabrycznym tańcu zakonserwowane zwłoki. Na metalowym stole spoczywało nagie ciało kobiety, rozkrojone od brzucha po szyję. Ramiona miała rozłożone i zauważyłam, że stawy łokci i dłoni zastąpione zostały protezami z drewna i metalu. Z gardła wystawały jej rurki, z kończyn i bioder kable z brązu. Skóra kobiety była przezroczysta, niebieskawa jak u ryby. Patrzyłam na Michala, nie mogąc wykrztusić słowa. On podszedł do ciała i spojrzał na mnie ze smutkiem.

– Oto, jak natura traktuje swoje dzieci. W sercu ludzi nie ma zła; jest tylko ślepa walka, by przeżyć, by uniknąć tego, co i tak nas nie ominie. Matka natura: oto jedyny prawdziwy demon... Moja praca, wszystkie moje wysiłki stanowią próbę przechytrzenia wielkiego bluźnierstwa natury...

Zobaczyłam, jak bierze flakonik ze szmaragdowym płynem i napełnia nim strzykawkę. Nasze spojrzenia spotkały się na moment. Michal wbił igłę w głowę trupa i wstrzyknął substancję. Potem zaczął się wpatrywać w nieruchome zwłoki. Chwilę później poczułam, jak krew mi tężeje w żyłach. Jedna z powiek kobiety drgnęła. Rozległ się trzask sztucznych stawów z drewna i metalu. Poruszyły się palce. Ciało kobiety uniosło się, poderwane nagłym wstrząsem. Z jej gardła wyrwał się zwierzęcy ogłuszający ryk. Strużki spienionej śliny spływały z czarnych, opuchniętych ust. Kobieta uwolniła się z powbijanych w jej skórę kabli i runęła na podłogę niczym popsuta kukiełka. Wyła jak zraniony wilk. Uniosła głowę i wbiła we mnie wzrok. Nigdy nie zapomnę przerażenia w jej oczach. Była w nich jakaś zatrważająca ślepa siła. Chciała żyć.

Strach zupełnie mnie sparaliżował. Kilka chwil potem ciało znów zamarło. Michal, który beznamiętnie przyglądał się całej scenie, wziął całun i przykrył nim zwłoki.

Podszedł do mnie i ujął moje drżące dłonie. Patrzył badawczo, jakby chciał wyczytać z mojej twarzy, czy po tym, co tu ujrzałam, będę zdolna z nim zostać. Brakowało mi słów, by wyrazić zgrozę, by powiedzieć mu, jak bardzo się myli. Zdołałam jedynie wyjąkać prośbę, by mnie stamtąd zabrał. Tak też zrobił. Wróciliśmy do hotelu Colón. Polecił, by przyniesiono mi filiżankę gorącego bulionu. Kiedy go piłam, okrył mnie kocem.

– Kobieta, którą widziałaś tej nocy, zginęła sześć tygodni temu pod kołami tramwaju. Rzuciła się na tory, by ocalić bawiące się dziecko, i sama została przejechana. Koła obcięły jej obie ręce na wysokości łokci. Zmarła na ulicy. Nikt nie wie, jak się nazywała. Nikt się nie zgłosił po ciało. Takich jak ona są dziesiątki. Codziennie…

– Michal, nie możesz bawić się w Pana Boga… Czy naprawdę tego nie rozumiesz?

Pogłaskał mnie po czole i pokiwał głową, uśmiechając się smutno.

– Dobranoc – powiedział.

Przy drzwiach zatrzymał się jeszcze:

– Jeśli jutro cię tu nie będzie, zrozumiem.

Dwa tygodnie później wzięliśmy ślub w barcelońskiej katedrze.

23

*M*ichal zrobił wszystko, żeby ten dzień był dla mnie jedyny. Całe miasto, za jego sprawą, przekształciło się w baśniowy gród. Ale moje panowanie nad owym królestwem ze snów skończyło się raz na zawsze na schodach katedry. Nie zdążyłam nawet usłyszeć krzyku zgromadzonych ludzi. Siergiej wypadł z tłumu niczym dzikie zwierzę z zarośli i oblał moją twarz witriolem. Kwas wyżarł mi skórę, powieki i ręce, spalił gardło i odebrał głos. Musiały minąć dwa lata, żebym mogła znowu przemówić, kiedy Michal naprawił mnie jak popsutą lalkę. Był to początek horroru.

Wstrzymano budowę naszego domu; zamieszkaliśmy w niedokończonym pałacu. Uczyniliśmy z niego niedostępną twierdzę na wzgórzu. Było to miejsce zimne i mroczne. Plątanina wież i arkad, piwnic i kręconych schodów donikąd. Żyłam zamknięta na najwyższym piętrze pałacu. Nikt nie miał dostępu do mnie, poza Michalem i, od czasu do czasu, doktorem Shelleyem. Pierwszy rok przeżyłam w letargu morfinowym, w ciągnącym się bez końca koszmarze, z którego nie mogłam się obudzić. Śniło mi się, że Michal przeprowadza na mnie takie same doświadczenia, jak te, które robił na ciałach wykupywanych ze szpitali i kostnic.

Rekonstruuje mnie i próbuje przechytrzyć naturę. Kiedy odzyskałam przytomność, zdałam sobie sprawę, że to nie był sen. Przywrócił mi głos. Odtworzył moje gardło i usta, żebym mogła się odżywiać i mówić. Przeobraził moje zakończenia nerwowe, tak żebym nie czuła bólu ran, które kwas wyżarł w moim ciele. Tak, oszukałam śmierć, ale przeistoczyłam się w jeden z przeklętych stworów Michala.

Tymczasem on sam stracił wpływy w mieście. Nie mógł liczyć na niczyje poparcie. Dawni sprzymierzeńcy odwrócili się od niego. Zaczęła go nękać policja i prokuratura. Jego wspólnik, Sentís, był tylko nędznym i zawistnym lichwiarzem. Przekazywał policji fałszywe informacje, wplątujące Michala w tysiące spraw, o których nie miał pojęcia. Chciał odsunąć go od kontroli nad firmą. Jeszcze jeden z ujadającej sfory. Wszyscy pragnęli ujrzeć upadek Michala, by rzucić się na resztki. Armia hipokrytów i pochlebców przemieniła się w hordę wygłodniałych hien. Michal wcale nie był tym zaskoczony. Od samego początku ufał jedynie swojemu przyjacielowi Shelleyowi i Luisowi Claretowi. „Ludzka podłość – mawiał – jest lontem czekającym tylko na odpowiednią iskrę". Ale owa zdrada ostatecznie zerwała kruchą więź łączącą go ze światem. Schronił się w swoim pustelniczym labiryncie. Kompletnie zdziwaczał. W piwnicach zaczął hodować dziesiątki okazów owada, na którego punkcie miał prawdziwą obsesję, czarnego motyla znanego pod nazwą *Teufel*. Niebawem w pałacu zaroiło się od tych owadów. Obsiadały lustra, obrazy, meble, niby milczący wartownicy. Michal zabronił służącym je zabijać, płoszyć, a nawet się do nich zbliżać. Roje czarnoskrzydłych motyli unosiły się w korytarzach i w pokojach. Czasem siadały na

Michale, przykrywały go całego. Zamierał wówczas na długie godziny. Kiedy widziałam go w tym stanie, ogarniał mnie lęk, że stracę go na zawsze.

Z tamtych czasów datuje się moja, trwająca do dziś, przyjaźń z Luisem Claretem. To on informował mnie o tym, co dzieje się za murami naszej fortecy. Michal karmił mnie wymyślonymi historyjkami o Teatro Real i moim powrocie na scenę. Mamił mrzonkami o naprawieniu szkód wyrządzonych przez witriol, o śpiewaniu głosem, który już do mnie nie należał… Chimery. Luis powiedział mi, że prace przy przebudowie Gran Teatro Real zostały wstrzymane. Fundusze przeznaczone na ten cel wyczerpały się parę miesięcy wcześniej. Gmach straszył niczym ogromna bezużyteczna jaskinia… Spokój i opanowanie, jakie starał się przy mnie zachowywać Michal, były jedynie fasadą. Nie opuszczał domu tygodniami, a nawet miesiącami. Całe dnie siedział w swej pracowni. Niewiele spał i prawie nie jadł. Joan Shelley, jak sam mi później wyznał, poważnie lękał się o jego zdrowie fizyczne i psychiczne. Znał go najlepiej z nas wszystkich i od początku asystował mu przy doświadczeniach. To Shelley powiedział mi wprost o obsesji Michala na punkcie chorób zwyrodnieniowych, o jego niezmordowanych wysiłkach, by poznać mechanizmy wykorzystywane przez naturę do deformowania i degenerowania ludzkiego ciała. Dostrzegał w nich nieracjonalną siłę, porządek i wolę. W jego pojęciu natura była bestią pożerającą własne dzieci, obojętną na ich los. Zbierał fotografie dziwnych przypadków atrofii i medycznych osobliwości. Miał nadzieję, że właśnie w tych istotach znajdzie odpowiedź na pytanie, jak wywieść w pole własne demony.

Mniej więcej w tym okresie zaczęły być widoczne pierwsze symptomy choroby. Michal, w pełni świadomy tego, że nosi ją w sobie, cierpliwie i spokojnie czekał na nią, jakby jej wybuch uruchamiany był przez precyzyjny mechanizm zegarowy. Odkąd był świadkiem powolnej śmierci swego brata w Pradze, wiedział, że to nieuniknione. Jego ciało zaczynało ulegać samozniszczeniu. Kości powoli, acz nieubłaganie zanikały. Michal chował dłonie w rękawiczkach, skrywał twarz, maskował deformującą się sylwetkę. Unikał mojego towarzystwa. Udawałam, że tego nie widzę, ale rzeczywiście tak było: jego ciało stawało się coraz bardziej zniekształcone. Pewnego zimowego świtu obudził mnie jego krzyk. Rozsierdzony odprawiał służbę. Nikt zanadto nie protestował, bo już od dłuższego czasu wszyscy się go bali. Tylko Luis się uparł, że nie zostawi nas samych. Michal, płacząc z wściekłości, porozbijał wiszące w domu lustra i zaszył się w swojej pracowni. Którejś nocy poprosiłam Luisa, by wezwał doktora Shelleya. Od dwóch tygodni Michal nie wychodził z gabinetu i nie reagował na moje prośby, by otworzył drzwi. Słyszałam, jak szlocha za ścianą, jak mówi do siebie… Nie wiedziałam, co począć. Traciłam go. Doktorowi Shelleyowi i Luisowi udało się wyważyć drzwi. Wyciągnęliśmy go stamtąd. Z przerażeniem stwierdziliśmy, że przeprowadzał operacje na własnym ciele, usiłując zrekonstruować swoją lewą rękę, przekształcającą się w groteskowy i bezużyteczny kikut. Shelley zaaplikował mu środek uspokajający, po którym Michal zasnął. Do świtu czuwaliśmy przy nim. Tej długiej nocy, widząc swojego przyjaciela w agonii, zrozpaczony Shelley nie wytrzymał – złamał złożoną wiele lat temu obietnicę, wyjawiając mi sekret Michala. Słuchając jego słów, pojęłam, że ani policji, ani inspektorowi Floriánowi przez myśl nawet nie przeszło, że ścigają ducha. Michal nigdy nie był przestępcą ani oszustem. Po prostu wierzył, że jego przeznaczeniem jest oszukać śmierć, zanim ona oszuka jego.

Michal Kolvenik przyszedł na świat w kanałach Pragi, ostatniego dnia dziewiętnastego stulecia.

Jego matka liczyła sobie zaledwie siedemnaście lat i była służącą w należącym do wielkiego arystokratycznego rodu pałacu. Piękna, a przy tym łatwowierna, została kochanką swego pana. Gdy okazało się, że jest w ciąży, wyrzucono ją; znalazła się na bruku. Napiętnowana na całe życie. W owych latach wraz z nadejściem zimy śmierć zbierała na praskich pokrytych śniegiem ulicach nader obfite żniwo. Mówiono, że wszyscy pozbawieni dachu nad głową chowali się w starych kanałach. Miejscowa legenda głosiła, że pod ulicami Pragi istniało całe miasto ciemności. Żyły w nim podobno tysiące bezdomnych, którzy nigdy nie oglądali światła słonecznego – nędzarze, kalecy, sieroty, banici. Szerzył się wśród nich kult tajemniczej postaci nazywanej Księciem Żebraków. Rzekomo czas go się nie imał, twarz miał anioła, a spojrzenie z ognia. Od stóp do głów spowity był płaszczem czarnych motyli i przyjmował do swego królestwa tych wszystkich, którym okrutny świat odmówił możliwości przetrwania na powierzchni. Dziewczyna, szukając dla siebie i swego dziecka ratunku w owej krainie mroku, zeszła do podziemi. Szybko przekonała się, iż w legendzie nie było nic zmyślonego. Ludzie w tunelach kanałów stworzyli własny świat, rządzący się odrębnymi prawami. Mieli własne obyczaje i własnego Boga: Księcia Żebraków. Nikt go nigdy nie widział, ale wszyscy weń wierzyli i składali mu ofiary. Wszyscy znaczyli ogniem swoje ciało, wypalając na skórze znak czarnego motyla. Według przepowiedni pewnego dnia mesjasz wysłany przez Księcia Żebraków miał zejść do kanałów i oddać życie, by wybawić od cierpień mieszkańców podziemia. Mesjasz miał ponieść śmierć z ich rąk.

To właśnie tam młoda matka urodziła bliźniaki Andreja i Michala. Andrej przyszedł na świat napiętnowany okrutną chorobą. Jego szkielet był zdegenerowany i nie ulegał kostnieniu, a ciało – bezkształtne i pozbawione struktury. Jeden z mieszkańców kanałów, lekarz uciekający przed sprawiedliwością, wytłumaczył matce, że ta choroba jest nieuleczalna. Śmierć dziecka była tylko kwestią czasu. Jego brat, Michal, był chłopcem zamkniętym, o żywej inteligencji, marzącym o tym, by pewnego dnia porzucić na zawsze tunele i rozpocząć życie na powierzchni. Nie mając pojęcia, kim był jego ojciec, Michal nierzadko puszczał wodze fantazji, rojąc sobie, iż to właśnie on jest oczekiwanym mesjaszem, synem samego Księcia Żebraków, który, jak mniemał, przemawiał do niego w snach. Ciało Michala nie zdradzało oznak koszmarnej choroby powoli zabijającej jego brata. Andrej zmarł w wieku siedmiu lat, nigdy nie opuściwszy świata kanałów. Zgodnie z rytuałem mieszkańców miasta ciemności, ciało Andreja zostało powierzone nurtom podziemnych wód. Michal zapytał wówczas matkę, dlaczego tak się musiało stać.

– To wola boża – usłyszał w odpowiedzi.

Słowa te zapadły mu głęboko w pamięć. Śmierć małego Andreja była ciosem, po którym matka nie zdołała się otrząsnąć. Zimą zapadła na zapalenie płuc. Michal czuwał przy niej do ostatniej chwili, dodając jej otuchy. Miała dwadzieścia sześć lat, a jej twarz była twarzą staruszki.

– Więc to też jest wola boża, mamo? – zapytał Michal, trzymając w swojej dłoni martwą już rękę matki.

Nie uzyskał odpowiedzi. Parę dni później wyszedł z podziemi. Nic już go nie łączyło ze światem kanałów.

Wygłodniały i przemarznięty, schronił się w jednej z bram. Przypadek zrządził, że znalazł go tam Antonin Kolvenik, lekarz wracający z wizyty domowej. Wziął go ze sobą i zaprowadził do gospody, by zjadł coś ciepłego.

– Jak ci na imię, chłopcze?

– Michal, proszę pana.

Antonin Kolvenik zbladł.

– Mój syn miał tak na imię. Zmarł. A gdzie mieszkają twoi rodzice?

– Nie mam rodziny.

– Nawet matki?

– Bóg wezwał ją do siebie.

Doktor pokiwał głową. Zajrzał do swej torby lekarskiej i wyciągnął z niej przyrząd, na którego widok Michal szeroko otworzył oczy. W torbie zobaczył też inne instrumenty. Lśniące. Magiczne.

Doktor przyłożył ów dziwny przedmiot do jego piersi, a końcówki wetknął sobie do uszu.

– A co to?

– To jest aparat, dzięki któremu mogę usłyszeć, co mówią twoje płuca. Oddychaj głęboko.

– Jest pan czarodziejem? – zapytał oszołomiony Michal.

Doktor uśmiechnął się.

– Nie, nie jestem czarodziejem. Jestem tylko lekarzem.

– A jaka to różnica?

Antonin Kolvenik owdowiał i stracił syna podczas ostatniej epidemii cholery. Teraz mieszkał sam, był chirurgiem, który poza pracą w szpitalu prowadził skromny gabinet lekarski. I uwielbiał muzykę Wagnera. Z ciekawością i współczuciem przyglądał się wynędzniałemu chłopcu. Michal uśmiechnął się do niego ujmująco. Tym uśmiechem zaskarbił sobie sympatię doktora.

Doktor Kolvenik postanowił otoczyć chłopca opieką i przyjąć pod swój dach. Tak minęło Michalowi dziesięć lat. Zacnemu doktorowi zawdzięczał edukację, dom i nazwisko. Jako kilkunastoletni zaledwie chłopiec zaczął asystować przybranemu ojcu w operacjach i poznawać tajemnice ciała ludzkiego. Niezgłębiony zamysł boży ujawniał się poprzez skomplikowane struktury mięśni, kości i naczyń krwionośnych, ożywione magiczną i niepojętą iskrą. Michal chłonął łapczywie owe nauki, przekonany, że kryje się w nich jakieś orędzie czekające na odkrycie.

Nie miał jeszcze dwudziestu lat, kiedy śmierć znowu przypomniała mu o sobie. Zdrowie starego lekarza szwankowało już od jakiegoś czasu. Zawał serca powalił go w Boże Narodzenie, kiedy szykowali się do czekającej ich podróży, podczas której Michal miał poznać południe Europy. Antonin Kolvenik umierał. Michal poprzysiągł sobie, że tym razem śmierć z nim nie wygra.

244

– Moje serce jest już bardzo zmęczone, Michale – tłumaczył mu stary doktor. – Najwyższy czas, bym się spotkał z moją Fridą i moim pierwszym Michalem...

– Ojcze, ja dam ci inne serce.

Doktor uśmiechnął się. Tak, tak, oczywiście. Ach ten chłopak i jego nieprawdopodobne pomysły... Jeśli jeszcze coś trzymało doktora na tym świecie, to trapiąca go obawa, że zostawi tego bezbronnego chłopca samego. Jedynymi przyjaciółmi Michala były książki. Jak miał sobie poradzić?

– Podarowałeś mi już dziesięć lat swego towarzystwa, Michale – odparł. – Teraz musisz zacząć myśleć o sobie. O swojej przyszłości.

– Nie pozwolę ci umrzeć, ojcze.

– Pamiętasz ten dzień, kiedy zapytałeś mnie, jaka jest różnica między lekarzem a czarodziejem? Otóż, Michale, nie ma żadnych czarów. Nasze ciało zaczyna ulegać destrukcji już od dnia narodzin. Jesteśmy istotami kruchymi. Przemijamy. Zostają po nas tylko dzieła, dobro lub zło, które czynimy bliźnim. Rozumiesz, co chcę ci powiedzieć, Michale?

Dziesięć dni później policja znalazła Michala całego we krwi, płaczącego przy zwłokach człowieka, którego przywykł nazywać ojcem. Patrol wezwany został przez sąsiadów, zaalarmowanych dochodzącym z mieszkania dziwnym fetorem i głośnym szlochem młodego człowieka. W raporcie policyjnym stwierdzono, że Michal, wstrząśnięty śmiercią doktora, przeprowadzał na zwłokach dziwne zabiegi, próbując naprawić jego serce za pomocą mechanizmu zastawek i trybików. Michal został umieszczony w praskim zakładzie dla obłąkanych. Uciekł z niego dwa lata później, pozorując własną śmierć. Kiedy odpowiednie służby zgłosiły się do kostnicy po jego ciało, znalazły jedynie biały całun i unoszące się nad nim czarne motyle.

Michal dotarł do Barcelony, nosząc w sobie zalążki szaleństwa i przeklętej choroby, która ujawniła się lata później. Nie okazywał zbytniego zainteresowania dobrami materialnymi i unikał towarzystwa. Nigdy się nie szczycił zgromadzonym majątkiem. Zwykł mawiać, że nikt nie zasługuje na więcej niż to, czym się potrafi podzielić z innymi, jeszcze bardziej potrzebującymi. Tej nocy, kiedy się poznaliśmy, powiedział mi, że z jakiegoś nieznanego powodu los obdarza nas tym, czego wcale od życia nie pragniemy. Jego obdarzył bogactwem, sławą i władzą. A on pragnął jedynie spokoju ducha. Chciał tylko uśpić dręczące go upiory…

Po tym, co zaszło w gabinecie, umówiliśmy się z Shelleyem i Luisem, że postaramy się przez najbliższe miesiące zajmować Michala czymkolwiek, byle tylko przestał myśleć o swoich obsesjach. Nie było to łatwe. Michal zawsze wiedział, kiedy go okłamujemy, choć nie dawał tego po sobie poznać. Podjął naszą grę, udając ustępliwość i jakby pokornie godząc się ze swoją chorobą… Jednak patrząc mu w oczy, mogłam dojrzeć w nich nieprzenikniony mrok zasnuwający jego duszę. Przestał nam ufać. Żyło nam się coraz gorzej. Banki zajęły nasze konta. Majątek Velo-Granell został skonfiskowany przez rząd. Nad Sentísem, który naiwnie sądził, iż dzięki swoim intrygom zostanie jedynym właścicielem przedsiębiorstwa, zawisła ruina. Zyskał jedynie mieszkanie Michala przy ulicy Princesa. Dla siebie uratowaliśmy tylko to, co było zapisane na mnie: Gran Teatro Real, ten bezużyteczny grobowiec, który w końcu stał się moim schronieniem, i oranżerię przy torach kolejowych na Sarriá, gdzie Michal przeprowadzał kiedyś swoje eksperymenty.

Luis od czasu do czasu sprzedawał część moich kosztowności i kreacji, starając się uzyskać za nie jak najlepszą cenę. Naszym źródłem utrzymania stała się moja, nigdy nierozpakowana wyprawa ślubna. Prawie ze sobą nie rozmawialiśmy. Michal snuł się po domu niczym duch. Jego ciało było coraz bardziej zdeformowane. Nie mógł utrzymać książki w dłoniach. Miał coraz większe kłopoty ze wzrokiem. Już nie płakał. Teraz tylko się śmiał. Kiedy o północy dom wypełniał jego gorzki śmiech, krew ścinała mi się w żyłach. Zniekształconymi dłońmi zapisywał nieczytelnym pismem całe strony; nie mieliśmy pojęcia o czym. Kiedy przychodził do niego doktor Shelley, zamykał się w swoim gabinecie i nie opuszczał go, dopóki przyjaciel nie wyszedł. Podzieliłam się z doktorem swymi obawami, że Michal zamierza odebrać sobie życie. Shelley odparł, że boi się czegoś znacznie gorszego. Nie zrozumiałam albo nie chciałam zrozumieć, o czym mówił.

Od pewnego czasu chodziła mi po głowie inna, obłąkańcza myśl. Ujrzałam w niej ratunek dla Michala i dla naszego małżeństwa. Postanowiłam mieć dziecko. Byłam przekonana, że jeśli mu je urodzę, Michal odnajdzie wreszcie sens życia i wróci do mnie. Owładnęła mną ta idea. Całe moje ciało płonęło pragnieniem poczęcia dziecka – istoty mającej przynieść nam zbawienie i nadzieję. Marzyłam, że będę chować małego Michala, czystego i niewinnego. Chciałam mieć przy sobie nową postać mojego męża – wolną od choroby i zła. Nie mogłam dopuścić do tego, by Michal zaczął coś podejrzewać lub kategorycznie się sprzeciwił. I tak nie było łatwo sprawić, byśmy się znaleźli sam na sam. Jak mówiłam, już od dawna Michal mnie unikał. Jego kalectwo sprawiło, że czuł się przy mnie skrępowany. Choroba zaczęła utrudniać mu mowę. Nierzadko z jego ust wydobywał się jedynie bełkot. Nie potrafił wtedy ukryć złości i wstydu. Mógł już tylko przyjmować płyny. Wszystkie moje wysiłki, by udowodnić mu, że jego ciało nie budzi we mnie wstrętu, że nikt lepiej ode mnie nie rozumie jego cierpienia i nikt tak jak ja nie potrafi dzielić z nim bólu, wydawały się tylko pogarszać sytuację. Jednak cierpliwie czekałam i wydawało mi się, że przynajmniej raz w życiu udało mi się go oszukać. Ale oszukałam tylko samą siebie. To był mój największy błąd.

Kiedy oznajmiłam Michalowi, że będziemy mieć dziecko, przeraził mnie swoją reakcją. Przepadł prawie na miesiąc. Luis odnalazł go w starej oranżerii na Sarriá. Był nieprzytomny. Pracował bez chwili wytchnienia. Zrekonstruował sobie wargi i gardło. Dorobił głos, niski, metaliczny, złowieszczy. Wyglądał potwornie. Z ust wystawały mu metalowe kły. Z całej twarzy rozpoznawałam tylko oczy. Pod tą monstrualną powłoką dusza Michala, którego kochałam, spalała się w swoim własnym piekle. Luis znalazł przy nim stosy rozmaitych schematów i setki przeróżnych mechanizmów. Czekając, aż Michal odzyska przytomność, poprosiłam Shelleya, by w ciągu trzech dni jego długiego snu rzucił na nie okiem. Wnioski doktora były zatrważające. Michal do reszty stracił rozum. Zamierzał zrekonstruować całe swoje ciało, zanim ostatecznie strawi je choroba. Przenieśliśmy go na górę pałacu i zamknęliśmy w odosobnionym pokoju niczym w celi. Rodziłam naszą córkę, słysząc przejmujące wycie mojego męża, rzucającego się jak dzikie zwierzę w klatce. Tuż po porodzie doktor Shelley zaopiekował się nią i przysiągł wychować jak własne dziecko. Dał jej na imię María; moja córka, podobnie jak ja, nigdy nie poznała swojej prawdziwej matki. Ta odrobina życia, jaka pozostała w moim sercu, odeszła razem z nią, ale wiedziałam, że nie mam wyboru. W powietrzu wisiała nieuchronna tragedia. Mogłam jej nieomal dotknąć. To była tylko kwestia czasu. Jak zawsze ostateczny cios nadszedł z najmniej oczekiwanej strony.

Benjamín Sentís, którego zawiść i chciwość doprowadziły do ruiny, poprzysiągł okrutną zemstę. Od początku podejrzewano, iż to on właśnie ułatwił Siergiejowi ucieczkę po tym, jak tamten zaatakował mnie na schodach katedry. Jak w niejasnej przepowiedni ludzi z podziemi, ręce, które Sentís otrzymał kilka lat wcześniej od Michala, teraz siały nieszczęście i szykowały zdradę. Ostatniej nocy tysiąc dziewięćset czterdziestego ósmego roku Benjamín Sentís wrócił, by zadać ostateczny cios znienawidzonemu Michalowi.

Przez te lata moi poprzedni opiekunowie, Siergiej i Tatiana, ukrywali się. I też marzyli jedynie o tym, aby się zemścić. Teraz wybiła godzina. Sentís wiedział, że brygada

Floriána, poszukując domniemanych dowodów obciążających Michala, planuje na następny dzień rewizję w naszym domu przy parku Güell. Gdyby rzeczywiście została przeprowadzona, wyszłyby na jaw wszystkie kłamstwa i matactwa Sentísa. Tuż przed północą Siergiej i Tatiana rozlali wokół naszego domu kilka kanistrów benzyny. Sentís, jak zwykle tchórzliwie skrywający się w cieniu, sprawdził tylko, czy ogień został podłożony, i widząc z samochodu pierwsze płomienie, natychmiast odjechał.

Kiedy się obudziłam, niebieskawy dym pełzł w górę po schodach. Ogień rozprzestrzeniał się błyskawicznie. Luis uratował mi życie, wyniósłszy mnie na rękach z pokoju, zeskoczył z balkonu na dach garaży, a stamtąd do ogrodów. Kiedy spojrzeliśmy za siebie, płomienie nie tylko ogarniały parter i pierwsze piętro, ale już zaczynały sięgać do wieży, w której zamknęliśmy Michala. Chciałam wracać, by go wydostać z pożaru, ale Luis trzymał mnie, nie zważając na moje krzyki i ciosy. Wtedy zobaczyliśmy Siergieja i Tatianę. Siergiej śmiał się jak obłąkany. Tatiana trzęsła się, nic nie mówiąc, a jej ręce cuchnęły benzyną. To, co nastąpiło później, pamiętam jak scenę z koszmaru sennego. Płomienie sięgnęły szczytu wieży. Szyby pękały, a na ziemię opadał deszcz szkła. Nagle pośród płomieni pojawiła się jakaś postać. Jakbym widziała czarnego anioła zsuwającego się błyskawicznie po murach. To był Michal. Poruszał się jak pająk, czepiając się ścian skonstruowanymi przez siebie metalowymi szponami. Siergiej i Tatiana stali jak wryci, nie dowierzając własnym oczom. Cień rzucił się na nich i z nieludzką siłą porwał ich do środka. Widząc, jak znikają w tym piekle, straciłam przytomność.

Luis zabrał mnie tu, do ruin Gran Teatro Real, ostatniego schronienia, jakie nam pozostało. Służy nam ono za mieszkanie do dziś. Następnego dnia wszystkie gazety zamieściły informacje o tragedii. Na spalonym strychu odnaleziono dwa zwęglone, wtulone w siebie ciała. Policja uznała, że to Michal i ja. Tylko my wiedzieliśmy, że to Siergiej i Tatiana. Nigdy nie odnaleziono trzeciego ciała. Tego samego dnia Shelley i Luis udali się do oranżerii na Sarriá, szukając Michala. Nie natrafili na żaden ślad. Przemiana dobiegała już końca. Shelley zebrał wszystkie dokumenty po Michale, szkice, projekty, zapiski, nie chcąc, by wpadły w czyjekolwiek ręce. Przez kilka tygodni studiował je wnikliwie, oczekując, iż odnajdzie w nich jakąś wskazówkę pozwalającą ustalić miejsce pobytu Michala. Wiedzieliśmy, że nie opuścił miasta, że wciąż tu przebywa, czekając na ostateczne zakończenie przemiany. Dzięki tym zapiskom Shelley przejrzał zamiary Michala. Dowiedział się z nich o surowicy wyprodukowanej z hodowanych przez Kolvenika motyli. Surowicy, którą na moich oczach Michal wskrzesił martwą kobietę w fabryce Velo-Granell. Wreszcie zrozumiałam jego intencje. Michal zaszył się gdzieś, żeby umrzeć. Musiał wydać swe ostatnie ludzkie tchnienie, by przejść na tamtą stronę. Miał, jak czarny motyl, pogrzebać swoje ciało, by powstać z mroków. I wrócić. Już nie jako Michal Kolvenik, ale jako bestia.

Echo jej słów rozeszło się po Gran Teatro.

– Przez wiele miesięcy nie mogliśmy znaleźć miejsca, gdzie ukrył się Michal; nie docierały do nas również żadne wieści – kontynuowała Eva Irinova. – W rzeczywistości mieliśmy nadzieję, że jego zamiary się nie powiodą. Łudziliśmy się. Rok po pożarze dwóch inspektorów policji zjawiło się w Velo-Granell po otrzymaniu anonimowego donosu. Oczywiście, niezawodny Sentís. Straciwszy kontakt z Siergiejem i Tatianą, zaczął podejrzewać, że Michał wcale nie poniósł śmierci w pożarze. Do zapieczętowanej fabryki i znajdujących się w niej urządzeń nikt nie miał dostępu. Niemniej inspektorzy zastali w niej jakiegoś intruza. Zaczęli doń strzelać. Wystrzelali całe magazynki, ale...

– I dlatego nigdy nie odnaleziono nabojów – przypomniałem słowa Floriána. – Ciało Kolvenika wchłonęło wszystkie wystrzelone pociski...

Kobieta przytaknęła.

– Ciała policjantów zostały rozszarpane – dodała. – Nikt nie potrafił pojąć, co takiego się wydarzyło w starej fabryce. Nikt, prócz Shelleya, Luisa i mnie. Michal wrócił. W ciągu kilku dni wszyscy dawni członkowie zarządu Velo-Granell, którzy zdradzili Michala, umarli w niejasnych okolicznościach. Podejrzewaliśmy, że się ukrywa w kanałach i wykorzystuje sieć tuneli, by przemieszczać się po Barcelonie. Ten świat był mu dobrze znany. Nurtowała nas tylko jedna myśl. Co właściwie robił w fabryce, po co tam wracał? Na trop znowu naprowadziły nas jego zapiski: surowica. Żeby utrzymać się przy życiu, musiał wstrzykiwać sobie surowicę. Zapasy w wieży zostały zniszczone podczas pożaru, a te, które trzymał w oranżerii, na pewno się skończyły. Doktor Shelley przekupił jednego z oficerów policji, by umożliwił mu wejście do fabryki. Znaleźliśmy tam szafę z dwoma

252

ostatnimi flakonikami surowicy. Shelley ukrył jeden z tych flakoników. Po tylu latach wypełnionych walką z chorobą, śmiercią i bólem nie był zdolny do zniszczenia owej surowicy. Chciał dokładnie ją przeanalizować, odkryć jej tajemnicę... Przeprowadzając kolejne badania, zdołał wyprodukować z rtęci preparat, który neutralizował działanie surowicy. Otrzymanym produktem zaimpregnował dwanaście srebrnych kul, które ukrył z nadzieją, że nigdy nie będzie musiał ich użyć.

Zrozumiałem od razu, że były to kule, które Shelley przekazał Luisowi Claretowi. Zawdzięczałem im życie.

– A Michal? – zapytała Marina. – Bez surowicy...

– Odnaleźliśmy jego zwłoki w kanale ściekowym pod Barrio Gótico – odparła Eva Irinova. – A raczej to, co z nich pozostało, bo przeistoczył się w potworny, piekielny twór cuchnący padliną, trupim mięsem, z którego konstruował swoje ciało...

Kobieta uniosła wzrok i spojrzała na swego starego przyjaciela Luisa. Szofer podjął wątek i dopowiedział historię.

– Pogrzebaliśmy ciało na cmentarzu Sarriá, w bezimiennym grobie – wyjaśnił. – Oficjalnie pan Kolvenik zmarł rok wcześniej. Nie mogliśmy ujawnić prawdy. Gdyby do Sentísa dotarło, że Eva Irinova żyje, nie spoczyłby, zanim nie zniszczyłby i jej całkowicie. Sami siebie skazaliśmy na potajemne życie w miejscu takim jak to...

– Przez lata byłam przekonana, że Michal spoczywa w spokoju. Przychodziłam tam w każdą ostatnią niedzielę miesiąca, jak w dniu, w którym go poznałam, żeby odwiedzić go i przypomnieć mu, że niebawem, lada chwila, znowu się spotkamy... Żyliśmy w świecie wspomnień, a mimo to zapomnieliśmy o czymś najistotniejszym ...

– To znaczy o czym ? – zapytałem.

– O Maríi, naszej córce.

Spojrzeliśmy z Mariną na siebie. Przypomniałem sobie, że Shelley wyrzucił do ognia fotografię, którą mu pokazaliśmy. Dziewczynką na tym zdjęciu była María Shelley.

Zabierając ów album z oranżerii, skradliśmy Michalowi Kolvenikowi ostatnie wspomnienie po córce, której nie zdołał poznać.

– Shelley wychowywał Maríę jak własną córkę, niemniej ona zawsze wyczuwała, że historia, którą doktor jej opowiadał o matce zmarłej podczas porodu, mija się z prawdą... Shelley nie potrafił kłamać. Kiedyś María znalazła w gabinecie Shelleya stare zeszyty z notatkami Michala i, po nitce do kłębka, zrekonstruowała to wszystko, co wam opowiedziałam. María urodziła się, kiedy jej ojciec był już zupełnie szalony. Pamiętam, że kiedy oznajmiłam Michalowi, że jestem w ciąży, uśmiechnął się. Ów uśmiech wzbudził we mnie niepokój, choć wówczas nie rozumiałam dlaczego. Dopiero wiele lat później wyczytałam w zapiskach Michala, że czarny motyl z kanałów ściekowych żywi się własnymi larwami i kiedy szykuje się do śmierci, zagrzebuje się razem z jedną z nich i odradzając się, pożera ją... Podczas gdy wy, śledząc mnie, natrafiliście na oranżerię, María w końcu odnalazła to, czego od lat szukała. Ukrywany przez Shelleya flakonik z surowicą... I po trzydziestu latach Michal powrócił ze śmierci. Od tej pory żywił się swoją larwą, odtwarzając siebie z fragmentów innych ciał, odzyskując siły, tworząc innych sobie podobnych…

Przełknąłem ślinę. Przed oczami stanęły mi obrazy tego wszystkiego, co widziałem poprzedniej nocy w tunelach.

– Kiedy zrozumiałam, co się stało i co stać się może – ciągnęła Eva – postanowiłam ostrzec Sentísa, że będzie pierwszą ofiarą. Nie chcąc się ujawniać, wykorzystałam, Óscarze, twoją osobę i ową wizytówkę. Sądziłam, że gdy ją zobaczy i usłyszy od was to, co wiecie, choć wiedzieliście niewiele, podejmie jakieś kroki, gdzieś się schroni, strach zmusi go do jakiegoś działania. Ale kolejny raz okazało się, że przeceniałam starego łajdaka… Bo on chciał się spotkać z Michalem i zniszczyć go. Próbował przekonać inspektora Floriána, żeby z nim poszedł… Luis udał się na cmentarz Sarriá i stwierdził, że grób jest pusty. Z początku sądziliśmy, że to Shelley nas zdradził. Myśleliśmy, że to on bywał w oranżerii, konstruując kolejne nowe twory… Że może nie chciał umrzeć, nie rozszyfrowawszy wszystkich tajemnic, jakie Michal pozostawił… Nigdy nie byliśmy zbyt pewni Shelleya. A kiedy w końcu zrozumieliśmy, że chronił Maríę, było już za późno… Teraz Michal przyjdzie po nas.

– Ale po co? – zapytała Marina. – Po co miałby akurat tu wracać?

Kobieta w milczeniu rozpięła dwa górne guziki swojej sukni i wyciągnęła łańcuszek. Na łańcuszku wisiał szklany flakonik, w którym pobłyskiwał szmaragdowy płyn.

– Po to – odpowiedziała.

24

*P*rzyglądałem się pod światło flakonikowi z surowicą, kiedy usłyszałem ten dźwięk. Sądząc z jej miny, Marina go również usłyszała. Coś przesuwało się z trudem po kopule budynku teatru.

– Już są – powiedział grobowym głosem Luis Claret, stając przy drzwiach.

Eva Irinova spokojnie schowała flakonik i zapięła guziki. Luis Claret wyjął rewolwer i sprawdził bębenek. Błysnęły srebrne naboje otrzymane od Shelleya.

– A teraz odejdźcie – rozkazała nam Eva Irinova. – Poznaliście prawdę. A teraz postarajcie się o niej zapomnieć.

Jej twarz znów przykrywała woalka, a mechaniczny głos pozbawiony był jakiejkolwiek ekspresji. Nie potrafiłem wyczuć intencji wypowiedzianych przez nią słów.

– Będziemy chronić pani tajemnicę. Nikt jej nigdy nie pozna – odparłem mimo wszystko.

– Ludzie i tak nie potrafią dociec prawdy – odpowiedziała Eva Irinova. – Uciekajcie stąd, natychmiast.

Claret dał znak, byśmy wyszli za nim z garderoby. Przez kryształową kopułę na scenę padał srebrzysty prostokąt księżycowego światła. Niczym w teatrze cieni poruszały się po nim tańczące sylwetki Michala Kolvenika i jego stworzeń. Spojrzałem w górę. Miałem wrażenie, że widzę tam kilkanaście postaci.

– Boże święty – wyszeptała stojąca przy mnie Marina.

Claret też patrzył na kopułę. W jego oczach dostrzegłem lęk. Jedna z postaci z całej siły uderzyła w dach. Claret uniósł rewolwer, jednocześnie go odbezpieczając. Postać waliła coraz mocniej. Szkło w każdej chwili mogło rozprysnąć się na tysiące odłamków.

– Pod kanałem orkiestrowym jest tunel, który prowadzi do foyer – powiedział Claret, nie odrywając oczu od sufitu. – Na końcu schodków zobaczycie właz. Jeśli go otworzycie, znajdziecie się w wąskim korytarzu. Idźcie nim aż do wyjścia ewakuacyjnego...

– A nie byłoby prościej wrócić tą drogą, którą przyszliśmy? – zapytałem. – Przez pańskie mieszkanie...

– Nie. Tam już byli...

Marina chwyciła mnie za ramię.

– Óscarze, posłuchajmy go.

Spojrzałem na Clareta. W jego spojrzeniu można było dostrzec chłodny spokój i opanowanie kogoś, kto idzie na spotkanie śmierci z podniesionym czołem. W chwilę później kryształowy sufit rozprysł się na tysiące kawałków, a na scenę spadło stworzenie wyjące i wyglądające jak wilk. Claret wycelował w jego głowę i trafił bez problemu, ale przy dziurze w suficie gromadziły się pozostałe potwory. Natychmiast rozpoznałem w środku watahy Kolvenika. Na jego znak sfora zeskoczyła i ruszyła w stronę sceny.

Rzuciłem się z Mariną do kanału orkiestrowego i, zgodnie z instrukcjami Clareta, rozejrzałem się za włazem.

Szofer tymczasem nas osłaniał. Usłyszałem kolejny ogłuszający strzał. Przepuściłem Marinę przez wąskie przejście do korytarzyka, a sam odwróciłem się jeszcze i spojrzałem w górę. Jakaś istota w pokrwawionych łachmanach opadła na scenę i skoczyła w stronę Clareta. Wystrzelona kula wydrążyła w jej piersi dymiącą dziurę wielkości pięści. Mimo to, kiedy zamykałem nad swoją głową właz, stwór wciąż się przesuwał po scenie. Popchnąłem Marinę, by się pospieszyła.

– A co z Claretem?

– Nie wiem – skłamałem. – Uciekajmy.

Zaczęliśmy się przeciskać tunelem biegnącym pod widownią. Musiał mieć nie więcej niż metr szerokości i półtora wysokości. Trzeba było się schylać i opierać dłońmi to o jedną, to o drugą ścianę, żeby nie stracić równowagi. Ledwo przebyliśmy parę metrów, gdy usłyszeliśmy kroki nad głową. Szli naszym tropem jak psy gończe. Dobiegało nas echo coraz częstszych strzałów. Zastanawiałem się, ile jeszcze kul pozostało Claretowi i ile zdąży wystrzelić, zanim sfora rozszarpie go na strzępy.

Nagle nad naszymi głowami oderwał się kawał przegniłej podłogi. Światło rozdarło mrok niczym ostrze noża i oślepiło nas. Coś ciężkiego spadło pod nasze nogi. Claret. Jego oczy były puste, martwe. Lufa rewolweru, który trzymał w dłoni, jeszcze dymiła. W pierwszej chwili na ciele szofera nie można było zauważyć żadnych śladów ciosów czy ran, ale coś się nie zgadzało. Marina spojrzała przez moje ramię i jęknęła. Claret miał tak brutalnie skręcony kark, że twarz znalazła się nad plecami. Przykrył nas cień i zobaczyłem, jak motyl siada na zwłokach wiernego przyjaciela Kolvenika. Nie spostrzegłem, że nad nami pojawił się Michal, sięgnął przez rozbite drewno i szponami chwycił Marinę za gardło. Porwał ją tak błyskawicznie, że nie zdążyłem jej przytrzymać. Zawołałem ją. Wówczas się odezwał. Przenigdy nie zapomnę jego głosu.

– Jeśli chcesz dostać z powrotem swoją przyjaciółkę w jednym kawałku, przynieś mi flakonik.

Miałem w głowie kompletną pustkę. Dopiero po chwili rozpacz przywróciła mnie do rzeczywistości. Pochyliłem się nad ciałem Clareta i spróbowałem wyjąć rewolwer z jego zaciśniętej w spazmach agonii dłoni. Palec wskazujący blokował spust. Po wielu próbach udało mi się w końcu odzyskać broń. Otworzywszy bębenek, przekonałem się, że nie ma w nim amunicji. Obszukałem kieszenie Clareta. W marynarce znalazłem nowy ładunek, sześć srebrnych kul o perforowanych końcówkach. Biedny woźnica nie miał nawet czasu, by przeładować rewolwer. Ubiegł go przyjaciel, któremu poświęcił całe życie, zadając mu śmierć jednym skutecznym ciosem. Być może po tylu latach pełnego lęku oczekiwania na to spotkanie Claret nie był zdolny zastrzelić Michala Kolvenika, czy raczej tego, co z niego zostało. Teraz nie miało to już żadnego znaczenia.

Drżąc cały, wspiąłem się po ścianie tunelu na widownię i wyruszyłem na poszukiwanie Mariny.

Kule doktora Shelleya zebrały krwawe żniwo. Martwe ciała makabrycznych istot poniewierały się na scenie. Inne zatrzymały się na wiszących nad widownią żyrandolach, w lożach… Luis Claret załatwił hordę Kolvenika. Przyglądając się tym monstrualnym stworom, nie mogłem się oprzeć myśli, że był to najlepszy los, jaki mógł je spotkać. Teraz, gdy już nie było w nich życia, mechanizmy i elementy, z których je skonstruowano, wydawały się jeszcze bardziej sztuczne. Jeden z trupów leżał na wznak w centralnym przejściu parteru, ze zwichniętą szczęką. Na widok jego pustych, zmętniałych oczu zrobiło mi się zimno. Nie było w nich nic. Zupełnie nic.

Podszedłem do sceny i wspiąłem się na nią. Światło w garderobie Evy Irinovej nadal się paliło, w środku nie było jednak nikogo. W powietrzu unosił się zapach padliny. Na starych fotografiach Evy, wiszących na ścianach, znać było ślady zakrwawionych palców. Kolvenik. Usłyszałem trzask za plecami i odwróciłem się, unosząc rewolwer. Kroki się oddaliły.

– Eva? – zawołałem.

Wróciłem na scenę i dostrzegłem krąg bursztynowego światła w amfiteatrze. Z bliska rozpoznałem sylwetkę Evy Irinovej. Trzymała świecznik i smutno spoglądała na ruiny Gran Teatro Real. Ruinę swego życia. Odwróciła się i powoli dotknęła świecami przetartych zasłon. Sucha tkanina zajęła się natychmiast. W ten sam sposób podpaliła kolejne zasłony, a płomienie szybko się rozpełzły po przepierzeniach lóż, złotej emalii ścian i rzędach foteli.

– Nie! – krzyknąłem.

Eva, głucha na moje wołania, zniknęła w drzwiach prowadzących do galerii za lożami. W kilka sekund ogień rozprzestrzenił się niczym szarańcza, zmiatająca wszystko, co napotka na swej drodze. Blask płomieni odsłonił nowe oblicze Gran Teatro Real. Poczułem na twarzy ciepły podmuch, a od zapachu palonego drewna i farby zrobiło mi się niedobrze.

Patrzyłem, jak płomień sięga coraz wyżej. Dostrzegłem machinerię sztankietu, skomplikowany system sznurów, kurtyn i żurawi, podwieszonych pod sufitem dekoracji i mostków. Z góry obserwowała mnie para lśniących oczu. Był to Kolvenik. Trzymał Marinę w jednym ręku, niczym lalkę. Przeskakiwał po rusztowaniach ze zwinnością kota. Odwróciłem się i zobaczyłem, że cały parter stoi już w płomieniach, a pożar rozprzestrzenia się na pierwsze balkony. Powietrze wpadające przez otwór w kopule podsycało ogień, który buzował jak w piecu.

Pobiegłem w stronę drewnianych schodów. Kręte stopnie chwiały się pod moimi stopami. Zatrzymałem się na wysokości trzeciego piętra i uniosłem głowę. Straciłem Kolvenika z oczu. W tej samej chwili poczułem szpony wbijające mi się w plecy. Szarpnąłem się, by się uwolnić z ich śmiercionośnego uścisku, i ujrzałem przed sobą jeden ze stworów Kolvenika. Strzał Clareta urwał mu jedną rękę, ale go nie zabił. Miał długie włosy i twarz, która zapewne była kiedyś twarzą kobiety. Kiedy wycelowałem w nią rewolwer, wcale się nie przestraszyła. Nagle ogarnęła mnie pewność, iż gdzieś już ją widziałem. W otaczającym nas migotliwym blasku uchwyciłem znane sobie spojrzenie. Głos zamarł mi w gardle.

– María – wydusiłem w końcu.

Córka Kolvenika, albo stworzenie, które zamieszkało jej zewłok, zatrzymała się na chwilę, jakby się wahała.

– María – powtórzyłem.

Anielska aura, jaka wydawała się ją niegdyś otaczać, ulotniła się bez śladu. Nic nie pozostało z jej urody. Zamiast dawnej Maríi stał teraz przede mną żałosny, przerażający wampir. Jego skóra była jeszcze świeża. Trzeba przyznać, że Kolvenik pracował szybko. Opuściłem rewolwer i wyciągnąłem do niej rękę. Może była dla niej jeszcze jakaś nadzieja.

– Marío, nie poznajesz mnie? To ja, Óscar. Óscar Drai. Pamiętasz?

María Shelley przyjrzała mi się uważnie. Jej oczy na chwilę rozbłysły dawnym blaskiem. Rozpłakała się. Uniosła ręce, popatrzyła na swoje groteskowe metalowe szpony i jęknęła. Wciąż trzymałem wyciągniętą rękę. Cofnęła się, drżąc.

Jedna z belek przytrzymujących główną kurtynę stanęła w ogniu. Przetarta tkanina zajęła się natychmiast. Kurtyna wraz ze sznurami oderwała się i z deszczem iskier runęła prosto na mostek, na którym staliśmy. Dzieliła nas teraz linia ognia. Znów wyciągnąłem dłoń do córki Kolvenika.

– Proszę, daj mi rękę.

Odskoczyła jak oparzona. Po jej policzkach płynęły łzy. Platforma pod naszymi stopami zatrzeszczała.

– Marío, proszę.

Popatrzyła w płomienie tak, jakby coś w nich zobaczyła. Rzuciła mi ostatnie spojrzenie, którego w porę nie pojąłem, i chwyciła leżący na platformie palący się sznur. Płomienie przeskoczyły na jej ramię, tułów, włosy, ubranie i twarz. Paliła się niczym woskowa figura, aż deski, na których stała, załamały się i ciało spadło w przepaść.

Pobiegłem w stronę wyjścia na trzecie piętro. Wiedziałem, że aby ocalić Marinę, muszę najpierw odnaleźć Evę Irinovą.

– Eva! – krzyknąłem, dostrzegłszy wreszcie postać damy w czerni.

Nie zareagowała. Dogoniłem ją na głównych marmurowych schodach. Złapałem z całej siły za ramię. Zaczęła się szamotać.

– Ma w swych łapach Marinę. Jeśli nie przyniosę mu surowicy, zabije ją.

– Twoja przyjaciółka już jest martwa. Uciekaj stąd, póki możesz.

– Nie!

Eva Irinova rozejrzała się. Spirale dymu ześlizgiwały się po stopniach. Nie pozostało wiele czasu.

– Nie odejdę bez niej...

– Nic nie rozumiesz – odparła. – Jeśli dam ci surowicę, zabije was oboje i już nikt go nie powstrzyma.

– On nie chce nikogo zabijać. Chce tylko żyć.

– Nadal nic nie pojmujesz, Óscarze – powiedziała Eva. – Ale ja nie mogę ci pomóc. Wszystko jest w rękach Opatrzności.

To powiedziawszy, odwróciła się i odeszła.

– Nikt nie powinien się bawić w Pana Boga. Nawet pani – krzyknąłem za nią, cytując jej własne słowa.

Zatrzymała się. Uniosłem rewolwer i wycelowałem w nią. Trzask odbezpieczanego kurka odbił się echem w galerii. Na ten dźwięk znów się zwróciła w moją stronę.

– Chcę tylko ocalić duszę Michala – rzekła.

– Nie wiem, czy można jeszcze ocalić duszę Kolvenika. Wiem za to, że może pani uratować swoją.

Dama w czerni spojrzała bez słowa na mnie i na rewolwer w moich drżących dłoniach.

– Byłbyś zdolny zastrzelić mnie z zimną krwią? – zapytała.

Milczałem. Sam nie znałem odpowiedzi na to pytanie. W głowie miałem tylko obraz Mariny w szponach Kolvenika. Wiedziałem, że już niedługo Gran Teatro Real zmieni się w przedsionek piekieł.

– Twoja przyjaciółka musi wiele dla ciebie znaczyć.

Przytaknąłem, a na ustach damy w czerni pojawił się najsmutniejszy uśmiech, jaki kiedykolwiek widziałem.

– Czy ona wie o tym? – zapytała.

– Nie mam pojęcia – wypaliłem bez namysłu.

Powoli pokiwała głową i zobaczyłem, jak wyjmuje flakonik ze szmaragdowym płynem.

– W gruncie rzeczy, Óscarze, jesteśmy bardzo do siebie podobni. Zakochani bez pamięci i skazani na samotność...

Podała mi flakonik, a ja opuściłem rewolwer. Położyłem go na podłodze i wziąłem surowicę. Na jej widok kamień spadł mi z serca. Chciałem podziękować Evie, ale kiedy uniosłem wzrok, już jej nie było. Ani jej, ani rewolweru.

Kiedy dotarłem na ostatnie piętro, budynek dogorywał u mych stóp. Ruszyłem biegiem na kraniec galerii, w poszukiwaniu wyjścia na sklepienie, na którym podwieszony był sztankiet. Nagle jedne z drzwi, płonąc, wypadły z hukiem z futryny. Rzeka ognia zalała galerię. Byłem w pułapce. Rozpaczliwie rozejrzałem się dookoła i zobaczyłem, że mam tylko jedną drogę ucieczki. Okna wychodzące na ulicę. Podszedłem do szyb, prawie pociemniałych od dymu, i dostrzegłem na zewnątrz wąski gzyms. Płomienie podpełzały coraz bliżej. Szyby rozpadły się w drobne kawałki, jakby zdmuchnął je ziejący ogniem potwór. Moje ubranie dymiło. Ogień sięgał już mojej skóry. Dusiłem się. Skoczyłem na gzyms. Uderzył mnie powiew zimnego nocnego powietrza. Daleko w dole majaczyły ulice Barcelony. Widok był wstrząsający. Płomienie spowiły Gran Teatro Real. Rusztowania rozsypały się w popiół. Dawna fasada przypominała teraz majestatyczny barokowy pałac, płonącą katedrę w samym sercu Ravala. Syreny strażackie wyły przeraźliwie, jakby użalając się nad własną bezsilnością. Tuż przy iglicy, z której promieniście rozchodziła się stalowa struktura kopuły, stał Kolvenik, więżąc w swych szponach Marinę.

– Marina! – krzyknąłem.

Postąpiłem krok naprzód i instynktownie przytrzymałem się metalowego łuku. Był rozgrzany do czerwoności. Zawyłem z bólu i oderwałem rękę. Skóra na mojej dłoni zrobiła się czarna i unosił się z niej dym. W tej samej chwili potężny wstrząs zachwiał całym teatrem. Wiedziałem, co się teraz stanie. Budynek runął z ogłuszającym hukiem. Pozostał jedynie nagi metalowy szkielet, niczym srebrna pajęczyna rozpięta nad czeluściami piekła. W samym jej środku tkwił Kolvenik. Mogłem dostrzec twarz Mariny. Marina żyła. Zrobiłem więc jedyną rzecz, jaka mogła ją ocalić.

Wziąłem flakonik i uniosłem go tak, by znalazł się w zasięgu wzroku Kolvenika. Odsunął od siebie Marinę, która zawisła teraz nad przepaścią. Krzyknęła. Potem wyciągnął ku mnie otwartą dłoń. W mig pojąłem, co chce mi powiedzieć. Miałem przed sobą belkę, po której mogłem przejść do niego jak po kładce. Zbliżyłem się do niej.

– Óscar, nie! – krzyknęła błagalnie Marina.

Wbiłem wzrok w ten mostek, który wydał mi się niemiłosiernie wąski, i zrobiłem pierwszy krok. Czułem, jak przy każdym kolejnym roztapiają mi się podeszwy butów. Dookoła ryczał wściekle wiatr, który dusił i parzył jak same płomienie. Stawiałem stopy uważnie, jak linoskoczek. Spojrzałem przed siebie i ujrzałem przerażoną Marinę. Była sama! Gdy rzuciłem się, by ją objąć, za jej plecami wyrosła postać Kolvenika. Znów znalazła się w jego łapach i znów się chwiała nad czeluścią. Wyjąłem flakonik i dałem mu do zrozumienia, że zrzucę surowicę w płomienie, jeśli nie uwolni Mariny. Przypomniałem sobie słowa Evy Irinovej: „Zabije was oboje"… Otworzyłem flakonik i wylałem kilka kropli. Kolvenik cisnął Marinę na stojącą nieopodal rzeźbę z brązu i rzucił się na mnie. Kiedy uskakiwałem, flakonik wyślizgnął mi się z rąk.

Na rozpalonym metalu surowica parowała z sykiem. Kolvenik zdołał chwycić flakonik, gdy w środku pozostało jedynie kilka kropel. Zacisnął na niej swoje metalowe szpony, aż szkło rozkruszyło się na drobne kawałki. Szmaragdowe krople popłynęły mu po palcach. W blasku pożogi zobaczyłem wykrzywiający jego twarz grymas niepohamowanej nienawiści i furii. Spojrzał na nas. Marina z całej siły chwyciła mnie za ręce. Zamknęła oczy. Ja zrobiłem to samo. Poczułem trupi odór Kolvenika tuż obok i przygotowałem się na cios.

Nagle rozległ się świst wystrzału. Otworzyłem oczy i ujrzałem Evę Irinovą idącą po kładce, po której wcześniej przeszedłem ja. W ręku trzymała rewolwer. Na piersi Kolvenika zobaczyłem różę czarnej krwi. Drugi strzał, oddany z mniejszej odległości, zmiażdżył mu dłoń. Trzeci ugodził go w ramię. Odsunąłem Marinę na bok. Kolvenik, drżąc, odwrócił się do Evy. Dama w czerni szła ku niemu powoli. Bezlitośnie mierzyła w męża z rewolweru. Kolvenik jęknął. Czwarty strzał zranił go w brzuch. Piąty i ostatni pozostawił ciemną dziurę między oczami. Chwilę później Kolvenik osunął się na kolana. Eva upuściła rewolwer i podbiegła do niego.

Wzięła go w ramiona i zaczęła kołysać. Ich spojrzenia się spotkały. Widziałem, jak dama w czerni gładzi potworną twarz swego męża. Płakała.

– Wyprowadź stąd swoją przyjaciółkę – powiedziała, nie patrząc na mnie.

Skinąłem głową. Poprowadziłem Marinę przez belkę na gzyms budynku. Stamtąd udało nam się przedostać na dach przybudówki, gdzie pożar już nam nie zagrażał. Przedtem odwróciliśmy się jeszcze, by po raz ostatni spojrzeć na Evę Irinovą. Dama w czerni obejmowała Kolvenika. Sylwetki obojga odcinały się na tle ognia. W końcu także i one zniknęły w płomieniach. Wydawało mi się, że widzę, jak wiatr unosi prochy nieszczęśliwych kochanków, by nad ranem rozsypać je nad dachami i ulicami Barcelony.

Następnego dnia poranne gazety donosiły o największym pożarze w dziejach miasta, relacjonowały historię

Gran Teatro Real i ubolewały nad zniknięciem jednego z ostatnich reliktów utraconej na zawsze Barcelony. Nad wodami portu zawisł całun popiołów, które opadały na miasto aż do zmierzchu. Zdjęcia zrobione z góry Montjuïc ukazywały dantejską wizję rozbuchanego, sięgającego nieba stosu. Tragedia nabrała nowego wymiaru, gdy policja ujawniła, iż w budynku znaleźli schronienie bezdomni, a wielu z nich nie zdołało uciec z pułapki płomieni. Nie udało się ustalić tożsamości dwóch zwęglonych, trwających w uścisku ciał, które znaleziono na szczycie kopuły. Jak to ujęła Eva Irinova, ludzie i tak nie potrafią dociec prawdy.

Żaden z dzienników nie wspominał ani słowem o Evie Irinovej i Michale Kolveniku. Była to tylko stara historia, która nikogo już nie obchodziła. Pamiętam, że tamtego poranka przystanęliśmy z Mariną przy jednym z kiosków na Ramblas. Na pierwszej stronie „La Vanguardii" wydrukowane było ogromną czcionką:

BARCELONA PŁONIE!

Ci, którzy wstali wcześnie rano, spieszyli kupować pierwsze wydanie, by się dowiedzieć, skąd się wziął stalowy obłok zasnuwający niebo nad miastem. Powoli odeszliśmy w stronę Plaza Cataluña. Strzępy sadzy wirowały dookoła nas niczym płatki martwego śniegu.

25

*L*edwo wygasł pożar Gran Teatro Real, gdy fala srogich mrozów ogarnęła Barcelonę. Po raz pierwszy od wielu lat gruba warstwa śniegu pokryła całe miasto, od portu po szczyt wzgórza Tibidabo. Spędziłem w towarzystwie Mariny i Germána święta Bożego Narodzenia, wypełnione kłopotliwym milczeniem i ukradkowymi spojrzeniami. Marina słowem nie wspominała o tym, co się wydarzyło. Dość szybko zdałem sobie też sprawę, że właściwie unika mojego towarzystwa i woli przesiadywać w swoim pokoju, pisząc. Ja w cieple kominka dla zabicia czasu rozgrywałem z Germánem niekończące się partie szachów. Patrzyłem na padający za oknem śnieg i wyczekiwałem chwili, kiedy będę mógł zostać z Mariną sam na sam. Ale taka chwila nie nadchodziła.

Germán udawał, że nie widzi, co się dzieje, i próbował mnie zająć rozmową.

– Marina mówiła mi, że chce pan studiować architekturę.

Potakiwałem, sam już nie wiedząc, czego naprawdę chcę. Nocą nie spałem, próbując złożyć w całość wszystkie elementy przeżytej przez nas historii. Usiłowałem wymazać z pamięci widma Kolvenika i Evy Irinovej. Nieraz przychodziło mi do głowy, żeby odwiedzić doktora Shelleya i zrelacjonować mu wszystko, czego byliśmy świadkami. Brakowało mi jednak odwagi, by stanąć przed nim i opowiedzieć mu, jak na naszych oczach zginęła kobieta, którą wychował jak własną córkę, albo jak spłonął jego najlepszy przyjaciel.

Nadszedł ostatni dzień roku. Ogrodową fontannę pokrył lód. Mój pobyt w domu Mariny powoli dobiegał końca. Niebawem czekał mnie powrót do internatu. Spędziliśmy noc sylwestrową przy świecach, słuchając dalekiego bicia dzwonów w kościele na placu Sarriá. Za oknami ciągle padał śnieg. Zdawało mi się, że nagle wszystkie gwiazdy bez ostrzeżenia spadły z nieba. O północy, bąkając coś pod nosem, wznieśliśmy toast. Spróbowałem spojrzeć Marinie w oczy, ale skryła twarz w półmroku. Tej nocy usiłowałem dokładnie przeanalizować, co takiego zrobiłem lub powiedziałem, by zasłużyć sobie na podobne traktowanie. Przez ścianę czułem obecność Mariny w sąsiednim pokoju. Wyobrażałem sobie, że nie śpi, że jest ruchomą wyspą odpływającą w dal. Delikatnie zastukałem w ścianę. Na próżno. Nie otrzymałem odpowiedzi.

Spakowałem swoje rzeczy i napisałem list. Pożegnałem się z Germánem i Mariną, dziękując za gościnę. Coś, czego nie potrafiłem wytłumaczyć, pękło i czułem wyraźnie, że w tym domu przeszkadzam. O świcie położyłem list na stole w kuchni i wyszedłem, by wrócić do internatu. Odchodząc, byłem pewien, że Marina przygląda mi się, stojąc w oknie. Pomachałem jej ręką, w nadziei, że na mnie patrzy. Ślady w śniegu znaczyły moją wędrówkę przez wyludnione ulice.

Do końca ferii świątecznych brakowało kilku dni. W pustce pokoi na czwartym piętrze jeszcze dotkliwiej odczuwałem swoją samotność. Kiedy się rozpakowywałem, zajrzał ojciec Seguí. Grzecznie się z nim przywitałem, po czym dalej układałem swoje rzeczy.

– Ciekawi ludzie, ci Szwajcarzy – zagadnął. – Podczas gdy inni ukrywają swoje grzechy, oni dodają do nich likieru, opakowują w sreberka, przewiązują wstążeczką i sprzedają za duże pieniądze. Prefekt przysłał mi ogromną bombonierkę szwajcarskich czekoladek i nie mam kogo nimi poczęstować. Ktoś będzie musiał przyjść mi z pomocą, zanim je odkryje doña Paula.

– Może ojciec na mnie liczyć – odparłem bez przekonania.

Ojciec Seguí podszedł do okna i popatrzył na miasto w dole, a właściwie na jego miraż. Odwrócił się i przyjrzał mi się bacznie, jakby potrafił czytać w moich myślach.

– Jeden z moich serdecznych przyjaciół powiedział mi kiedyś, że problemy są jak karaluchy – zaczął żartobliwie, jak zwykle wtedy, kiedy chciał poruszyć jakiś nader poważny temat. – Póki kryje je ciemność, wcale się nie boją, ale wystarczy poświecić, a natychmiast się spłoszą i pierzchną.

– Niewątpliwie był to bardzo mądry przyjaciel – odparłem.

– Nie bardzo – przyznał Seguí. – Ale za to przyzwoity człowiek. Szczęśliwego Nowego Roku, Óscarze.

– Szczęśliwego Nowego Roku, ojcze.

Do końca ferii zimowych prawie nie wychodziłem z pokoju. Starałem się czytać, ale słowa jakby ulatywały ze stron. Siedziałem z nosem przyklejonym do szyby, wpatrując się godzinami w majaczący w oddali dom Germána i Mariny. Tysiące razy postanawiałem wrócić, a parę razy nawet się zapuściłem do wylotu zaułka prowadzącego do ich bramy. Wśród drzew nie było już słychać gramofonu Germána, a jedynie hulający w gałęziach wiatr. W nocy przywoływałem w pamięci przeżycia ostatnich tygodni, aż zupełnie wycieńczony zapadałem w rozgorączkowany, niespokojny sen, który nie przynosił ukojenia.

Tydzień później rozpoczęły się lekcje. Nadeszły dni ciężkie jak ołów, przy zaparowanych oknach i cieknących kaloryferach. Nie obchodziły mnie opowieści moich dawnych kolegów o prezentach, świętach i wspomnieniach, których nie mogłem ani nie chciałem z nimi dzielić. Słuchałem jednym uchem tego, co mówili nauczyciele. Nie potrafiłem dociec, jakie znaczenie miały wywody Hume'a ani rachunek różniczkowy, które nie mogły przecież cofnąć czasu czy odmienić losu Michala Kolvenika i Evy Irinovej. Ani mojego własnego losu.

Wspomnienie Mariny i przerażających zdarzeń, które razem przeżyliśmy, nie pozwalało mi myśleć, jeść ani prowadzić spójnej rozmowy. Była jedyną osobą zdolną zrozumieć mój niepokój. Chciałem, by przy mnie była, i pragnienie to wywoływało niemal fizyczny ból. Paliło mnie od środka i nic nie mogło go ukoić. Snułem się po korytarzach jak cień. Dni płynęły jeden za drugim niczym suche liście opadające z drzew. Czekałem na list od Mariny, jakiś znak, zaproszenie. Jakikolwiek pretekst pozwalający pobiec do niej i pokonać dzielącą nas przepaść, która zdawała się rosnąć z każdym dniem. Żaden list nie nadszedł. Dla zabicia czasu włóczyłem się po miejscach, w których byłem z Mariną. Siadałem na ławkach na placu Sarriá, w nadziei, że zobaczę, jak tamtędy przechodzi.

Pod koniec stycznia ojciec Seguí wezwał mnie do swojego gabinetu. Patrząc na mnie surowo i przenikliwie, zapytał, co się ze mną dzieje.

– Nie wiem – odparłem.

– A może jeśli otwarcie porozmawiamy, uda nam się rozwiązać tę kwestię – zaproponował.

– Nie sądzę – powiedziałem oschle, natychmiast zresztą żałując tego tonu.

– Spędziłeś tegoroczne święta Bożego Narodzenia poza internatem. Nie było cię przez tydzień. Czy mogę dowiedzieć się, gdzie byłeś?

– Z rodziną.

Oczy mojego wychowawcy zachmurzyły się.

– Jeśli masz zamiar mnie okłamywać, kontynuowanie tej rozmowy, Óscarze, nie ma najmniejszego sensu.

– Ale to prawda – odpowiedziałem – w tych dniach byłem z moją rodziną…

Wraz z lutym nad Barcelonę przyszło słońce. Blask zimy stopił spleciony ze śniegu i szronu i egzotyczny dla miasta dywan. Dodało mi to ducha i pewnej soboty stawiłem się w domu Mariny. Furtka ogrodowa zamknięta była na łańcuch. Widoczna poprzez drzewa rezydencja wyglądała na jeszcze bardziej opuszczoną niż zazwyczaj. Przez chwilę miałem wrażenie, że postradałem zmysły. Czyżbym sobie wszystko uroił? Mieszkańców tego widmowego pałacyku, historię Kolvenika i damy w czerni, inspektora Floriána, Luisa Clareta, wskrzeszone istoty… postaci, które czarna ręka przeznaczenia likwidowała jedną po drugiej…? Czyżbym wyśnił Marinę i jej zaczarowaną plażę?

„Wspominamy tylko to, co nigdy się nie wydarzyło…".

Tej nocy zbudził mnie mój własny krzyk. Leżałem, zlany zimnym potem, nie wiedząc, gdzie się znajduję. W snach wróciłem do kanałów Kolvenika. Goniłem Marinę i nie mogłem jej dogonić; w końcu udawało mi się ją odnaleźć przykrytą płaszczem czarnych motyli, ale kiedy te ulatywały, okazywało się, że pod nimi nie ma nikogo. Tylko niewytłumaczalny chłód. To był niszczycielski demon, niedający spokoju Kolvenikowi. Nicość za zasłoną ciemności.

Kiedy ojciec Seguí i mój przyjaciel JF przybiegli do mojego pokoju, zaalarmowani krzykiem, przez dobrą chwilę ich nie poznawałem. Ojciec Seguí zmierzył mi tętno, a JF patrzył na mnie skonsternowany, pewien, że odebrało mi rozum. Czuwali przy mnie, póki nie usnąłem.

Następnego dnia, po tym jak przez dwa miesiące nie widziałem Mariny, postanowiłem raz jeszcze odwiedzić stary dom na Sarriá. Obiecałem sobie, że się nie cofnę, dopóki nie uzyskam jakiegoś wyjaśnienia.

26

Niedziela była mglista. Cienie bezlistnych drzew rysowały rachityczne szkielety. Dzwony kościoła biły w rytm moich kroków. Zatrzymałem się przy furtce wzbraniającej mi przejścia. Na pokrytej zgniłymi liśćmi ścieżce dostrzegłem jednak ślady opon. Czyżby Germán wyciągnął z garażu swojego starego tuckera? Przeskoczyłem przez parkan jak złodziej.

Nad pogrążonym w ciszy ogrodem górowała bryła domu, bardziej ciemnego i opuszczonego niż kiedykolwiek. W zaroślach zobaczyłem porzucony rower Mariny, leżący niczym ranne zwierzę. Łańcuch zżarty przez rdzę, kierownica sczerniała od wilgoci. Rozejrzałem się dookoła i zaczęło mnie ogarniać poczucie, że stoję wobec ruiny, w której żyją już tylko stare sprzęty i niewidzialne echa.

– Marina? – zawołałem.

Wiatr uniósł mój głos. Obszedłem dom, by się dostać do tylnego kuchennego wejścia. Drzwi były otwarte. Stół pokrywała gruba warstwa kurzu. Zajrzałem do pokoi. Cisza. Wszedłem do salonu z obrazami. Z wszystkich wiszących płócien spoglądały na mnie oczy matki Mariny, ale dla mnie były to oczy Mariny... W tym momencie usłyszałem za swoimi plecami płacz.

W jednym z foteli leżał skulony Germán, nieruchomy jak kamienny posąg, jedynie płynące z oczu łzy ożywiały jego twarz. Nigdy nie widziałem tak płaczącego mężczyzny w jego wieku. Zmroziło mnie. Wzrokiem błądził po portretach. Był blady, wycieńczony. Postarzał się od ostatniego naszego spotkania. Miał na sobie jeden ze swych wieczorowych garniturów, ale w stanie jak najdalszym od znanej mi nienagannej elegancji Germána, marynarka była bowiem cała pognieciona i brudna. Zastanowiłem się, od ilu dni tak leży w tym fotelu.

Klęknąłem przy nim i poklepałem po ręce.

– Germán...

Jego dłoń była tak zimna, że aż się przeraziłem. Nagle malarz objął mnie i przytulił się, dygocąc jak dziecko. Poczułem suchość w ustach. Objąłem go również i trzymałem płaczącego na moim ramieniu. Pomyślałem, że pewnie dowiedział się od lekarzy najgorszego, że nadzieja, jaką żywił przez ostatnie miesiące, okazała się płonna. Pozwoliłem mu się więc wypłakać, zastanawiając się, gdzie się podziewa Marina i dlaczego jej nie ma z Germánem...

Wówczas stary malarz uniósł wzrok. Wystarczyło, że spojrzałem w jego oczy, a pojąłem prawdę. Dotarła do mnie z brutalną oczywistością, z jaką pierzchają marzenia. Niczym zimne i zatrute ostrze sztyletu wbijającego się bez ratunku w duszę.

– Gdzie jest Marina? – wyjąkałem.

Germán nie mógł wykrztusić słowa. Zresztą nie musiał. Z jego oczu wyczytałem, że wizyty w szpitalu San Pablo były kłamstwem. Że doktor La Paz nigdy nie przychodził do malarza. Że radość i nadzieje, jakie Germán przywiózł z podróży do Madrytu, nie były związane z jego osobą. Marina oszukiwała mnie od początku.

– Choroba, która zabrała jej matkę... – wyszeptał Germán – zabiera i ją, mój drogi panie Óscarze, zabiera moją Marinę.

Czułem, że powieki zamykają mi się jak ciężkie płyty, a świat wokół mnie powoli przestaje istnieć. Germán znowu mnie objął i przygarnął, i tam, w tym opuszczonym salonie starej rezydencji, płakałem razem z nim jak ostatni głupiec, podczas gdy na Barcelonę zaczynały spadać pierwsze krople deszczu.

Z okien taksówki szpital San Pablo, pełen ostrych wieżyczek i przedziwnych kopuł, zdał mi się miastem zawieszonym w chmurach. Germán, już w świeżym garniturze, siedział obok mnie, milcząc. Miałem ze sobą paczkę owiniętą w najbardziej błyszczący papier do pakowania prezentów, jaki udało mi się znaleźć. Gdy dotarliśmy na miejsce, lekarz opiekujący się Mariną, niejaki Damián Rojas, bacznie mi się przyjrzał i wyrecytował długą listę instrukcji. Powinienem uważać, by nie zmęczyć Mariny. Powinienem zachowywać się pozytywnie i tryskać optymizmem. To ona potrzebuje mojej pomocy, a nie na odwrót. Przecież nie przybywam tutaj, by płakać i się użalać. Przychodzę jej pomóc. Jeśli nie potrafię się zachowywać w zgodzie z tymi normami, lepiej będzie, jeśli dam sobie spokój ze składaniem wizyt. Damián Rojas był młodym lekarzem i jego fartuch czuć było jeszcze salami wykładowymi. Przybrał ton belfersko srogi, niecierpliwy i był wobec mnie dość nieuprzejmy. W innej sytuacji uznałbym, że mam do czynienia z aroganckim kretynem, ale coś w nim kazało mi raczej przypuszczać, że nie nauczył się jeszcze dystansować od cierpienia swoich pacjentów i ratował się takim właśnie zachowaniem.

Wjechaliśmy na czwarte piętro i poszliśmy korytarzem, który wydawał się nie mieć końca. Pachniało szpitalem, ową szczególną mieszanką choroby, środków dezynfekujących i odświeżaczy powietrza. Westchnąłem ciężko. Kiedy tylko się znaleźliśmy w tym skrzydle budynku, resztka energii, która mi jeszcze pozostała, ulotniła się bez śladu. Germán wszedł do sali pierwszy. Poprosił, bym poczekał na zewnątrz, chciał uprzedzić Marinę o mojej wizycie. Przeczuwał, że córka może sobie nie życzyć, bym ją tu odwiedzał.

– Najpierw z nią chwilę porozmawiam, panie Óscarze…

Czekałem. Korytarz wydał mi się bezkresną galerią pełną tajemniczych drzwi, dudniącą echem zamierających w oddali głosów. Przechadzały się po niej milczące postacie, o twarzach naznaczonych bólem i stratą. Powtarzałem sobie instrukcje doktora Rojasa. Jestem tu, żeby pomóc. W końcu Germán ukazał się w drzwiach i skinął na mnie. Przełknąłem ślinę i wszedłem. Germán został na korytarzu.

Sala miała kształt długiego prostokąta. Wpadające przez okna światło nikło, zanim zdążyło dotknąć podłogi. Za oknami ciągnęła się aleja Gaudíego. Wieże świątyni Sagrada Familia wbijały się w niebo. W sali stały cztery łóżka oddzielone zgrzebnymi parawanami. Prześwitywały przez

280

nie, jak w chińskim teatrze cieni, sylwetki innych odwiedzających. Marina leżała na ostatnim łóżku z prawej strony, pod oknem.

Najtrudniejszy był pierwszy moment. Bałem się, że nie wytrzymam jej spojrzenia. Była krótko ostrzyżona. Bez swoich długich włosów wydała mi się upokorzona, naga. Z całej siły zagryzłem wargi, by powstrzymać napływające do oczu łzy.

– Musieli mnie ostrzyc – odezwała się, zgadując moje myśli – ze względu na badania.

Spostrzegłem, że na szyi i karku miała ślady wkłuć, które bolały od samego patrzenia. Spróbowałem się uśmiechnąć i wręczyłem jej prezent.

– Mnie się podoba – powiedziałem na powitanie.

Wzięła ode mnie pakunek i położyła na sobie. Usiadłem przy niej bez słowa. Ujęła mnie za rękę i ścisnęła z całej siły. Bardzo schudła. Pod białą szpitalną koszulą można jej było policzyć wszystkie żebra. Miała wielkie sińce pod oczami. Jej usta były dwiema cienkimi, spierzchniętymi kreskami, a popielate oczy straciły blask. Niepewnie rozpakowała paczuszkę i wyjęła z niej książkę. Przerzuciła kartki i popatrzyła na mnie zaintrygowana.

– Nie ma tu ani jednej zapisanej strony…

– Na razie – odparłem. – Mamy całkiem niezłą historię do opowiedzenia. A moją specjalnością są raczej cegły…

Przycisnęła książkę do piersi.

– W jakim stanie znalazłeś Germána? – spytała.

– Ma się całkiem dobrze – skłamałem. – Trochę zmęczony, i tyle.

– A ty?

– Ja?

– Nie, ja. A kto niby.

– W porządku.

– Aha. Zwłaszcza po podnoszącej morale pogadance sierżanta Rojasa.

Zmarszczyłem brwi, jakbym nie miał bladego pojęcia, o co jej chodzi.

– Tęskniłam za tobą – przyznała.

– A ja za tobą.

Miałem wrażenie, że nasze słowa zawisły gdzieś w powietrzu. Przez długą chwilę spoglądaliśmy na siebie w milczeniu. Widziałem, jak z twarzy Mariny opada maska.

– Masz prawo mnie znienawidzić – odezwała się w końcu.

– Nienawidzić? Za co miałbym cię znienawidzić?

– Za to, że cię okłamałam – odparła Marina. – Kiedy przyszedłeś oddać Germánowi zegarek, wiedziałam już, że jestem chora. Myślałam tylko o sobie. Tak bardzo chciałam mieć przyjaciela… I gdzieś się pogubiliśmy.

Spojrzałem przez okno.

– Nie. Nie potrafiłbym cię znienawidzić.

Marina znów ścisnęła moją dłoń. Uniosła się na łóżku i objęła mnie.

– Dziękuję. Jesteś najlepszym przyjacielem, jakiego kiedykolwiek miałam – szepnęła.

Poczułem, że brak mi tchu. Chciałem czym prędzej stamtąd wybiec i pewnie bym tak zrobił, gdyby nie mocny uścisk Mariny. Modliłem się tylko, by nie zauważyła, że płaczę. Doktor Rojas nie pozwoliłby mi na kolejne odwiedziny.

– Jeśli znienawidzisz mnie tylko trochę, doktor Rojas nie będzie miał nic przeciwko temu – powiedziała. – To pewnie dobrze wpływa na produkcję białych krwinek albo coś w tym rodzaju.

– W takim razie nienawidzę cię. Ale tylko trochę.

– Dziękuję.

27

*K*ilka następnych tygodni uczyniło Germána Blau moim najlepszym przyjacielem. Ledwo ostatni dzwonek obwieszczał koniec lekcji, wybiegałem z internatu, by spotkać się ze starym malarzem. Wsiadaliśmy do taksówki, by jak najszybciej znaleźć się w szpitalu, i całe popołudnie spędzaliśmy z Mariną, dopóki nie wypraszały nas pielęgniarki. Podczas tych jazd z Sarriá w aleję Gaudíego przekonałem się, że Barcelona zimą może być najsmutniejszym miastem na świecie. Opowieści Germána i jego wspomnienia powoli stawały się moimi opowieściami i wspomnieniami.

W czasie długiego wyczekiwania na smutnych szpitalnych korytarzach Germán opowiadał mi o sprawach, których jedynym powiernikiem była dotąd tylko jego żona. O latach terminowania u Salvata, o swoim małżeństwie i o tym, że gdyby nie obecność Mariny, nie przeżyłby śmierci żony. Mówił o swoich wątpliwościach i lękach, o tym, jak życie nauczyło go, że wszystko, co uważał za pewne i trwałe, okazywało się zwykłą iluzją, i że wielu lekcji nie warto było odbierać. Ja również zwierzałem mu się, po raz pierwszy bez najmniejszego skrępowania; mówiłem o Marinie, o swoich marzeniach związanych z przyszłymi studiami na architekturze, w dniach, kiedy w ogóle przestałem wierzyć w przyszłość. Opowiedziałem mu o swojej samotności i o tym, że dopóki nie poznałem Mariny i jego, nie bardzo wiedziałem, co robię na tym świecie. Opowiedziałem mu o swoim lęku przed tym, że straciwszy ich, znów nie będę wiedział, gdzie jest moje miejsce na ziemi. Germán słuchał mnie i rozumiał. Zdawał sobie sprawę, że moje słowa są jedynie próbą nazwania uczuć, i pozwalał mi mówić.

Germán Blau i dni, które przeżyliśmy razem w jego domu i na szpitalnych korytarzach, zajmują szczególne miejsce w mojej pamięci. Obaj wiedzieliśmy, że jedynym, co nas łączy, jest Marina, i że w innych okolicznościach nie zamienilibyśmy słowa. Zawsze wierzyłem, że Marina była tym, kim była, dzięki niemu, i nie mam wątpliwości, że i ja, kimkolwiek jestem, jestem tym, także dzięki niemu, choćbym się niechętnie do tego przyznawał. Często wspominam jego rady i słowa, przekonany, że pewnego dnia pomogą mi stawić czoło własnym lękom i wątpliwościom.

Ów marzec był szczególnie dżdżysty, padało nieomal codziennie. Marina spisywała historię Kolvenika i Evy Irinovej w podarowanej przeze mnie książce, podczas gdy dziesiątki lekarzy i pielęgniarek defilowały obok niej z kolejnymi próbkami i wynikami badań. Wtedy właśnie przypomniałem sobie obietnicę złożoną Marinie, kiedy wjeżdżaliśmy funikularem na wzgórza Vallvidrery do inspektora Floriána, i zacząłem pracować nad katedrą. Jej katedrą. Wypożyczyłem z biblioteki internatu książkę o katedrze w Chartres i zacząłem kreślić projekt budowli, którą zamie-

rzałem wznieść. Najpierw wyciąłem części modelu z karto-
nu. Po tysiącach prób, które nieomalże przekonały mnie, że
nigdy nie będę zdolny zaprojektować najprostszej budki
telefonicznej, zleciłem stolarzowi z ulicy Margenat, by wy-
ciął elementy w sklejce.

– Człowieku, co ty chcesz tu zmajstrować – pytał mnie
zafrapowany. – Kaloryfer?

– Katedrę.

Marina przyglądała się ciekawie małej katedrze, rosną-
cej na parapecie okna. Czasami pozwalała sobie na żarty,
które nie dawały mi spać po nocach.

– Czy przypadkiem nie spieszysz się zanadto? – pytała.
– Chyba nie sądzisz, że umrę już jutro?

Moja katedra szybko zaczęła zyskiwać sławę pośród innych pacjentów na sali i odwiedzających. Pochodząca
z Sevilli osiemdziesięcioczteroletnia doña Carmen, z są-
siedniego łóżka, patrzyła na moje dzieło ze sceptycyz-
mem. Obdarzona była siłą charakteru pozwalającą rozgra-
miać armie, a tyłek miała wielkości fiata 600. Cały personel
szpitala stawał przy niej na baczność. Imała się w życiu
różnych zajęć: była kieszonkowcem, kuplecistką, tancerką
flamenco, przemytniczką, kucharką, kioskarką i Bóg wie
kim jeszcze. Pochowała dwóch mężów i troje dzieci. Dwa
tuziny wnuków, siostrzeńców, bratanków i innych krewnych odwiedzało ją i adorowało. Na wstępie przywoływała
ich do porządku, mówiąc, żeby czułości zostawili za drzwiami. Zawsze wydawało mi się, że doña Carmen pomyliła
stulecia i gdyby urodziła się w odpowiednim czasie i miejscu, Napoleon nigdy nie przekroczyłby Pirenejów. Wszyscy
się z nią liczyli. Poza cukrzycą.

W drugim końcu sali leżała Isabel Llorente, dama o wyglądzie modelki, odzywająca się tylko szeptem, jakby żywcem wyjęta z przedwojennego żurnala. Przez cały dzień malowała się i przeglądała w maleńkim lusterku, poprawiając sobie perukę. Chemioterapia upodobniła ją do kuli bilardowej, ale ona była święcie przekonana, że nikt o tym nie wie. Dowiedziałem się, że była Miss Barcelony w 1934 roku i kochanką burmistrza. Wciąż opowiadała nam o swoim romansie z jakimś superszpiegiem, który lada chwila miał się tu zjawić, by wyciągnąć ją z tego okropnego miejsca zesłania. Doña Carmen, słuchając tego, wznosiła oczy ku niebu i znacząco wzdychała. Do Isabel nikt nie przychodził w odwiedziny i wystarczało obdarzyć ją komplementem, by przez tydzień uśmiech nie schodził jej z twarzy. Gdy w któryś czwartek, chyba pod koniec marca, zjawiliśmy się w sali, jej łóżko było puste. Isabel Llorente zmarła rano, nie doczekawszy swego amanta i wybawcy.

Kolejną pacjentką leżącą w tej samej sali była Valeria Astor, dziewięcioletnia dziewczynka, która oddychała dzięki tracheotomii. Zawsze uśmiechała się na mój widok. Jej matka zostawała przy niej, póki jej pozwalano, a kiedy wypraszano ją z sali, spała na korytarzu. Z każdym dniem starzała się o miesiąc. Valeria zawsze pytała mnie, czy moja przyjaciółka jest pisarką, na co odpowiadałem jej, że tak, i na dodatek bardzo sławną. Kiedyś zapytała mnie – nie mam pojęcia dlaczego – czy jestem policjantem. Marina czasem zabawiała ją wymyślanymi naprędce opowieściami. Valeria najbardziej lubiła historie o duchach, księżniczkach i lokomotywach, w tej właśnie kolejności. Doña Carmen przysłuchiwała się historiom Mariny i śmiała serdecznie.

sterana życiem i absolutnie prosto-
a nigdy nie zdołałem zapamiętać,
a dla Mariny szal.

wielokrotnie w ciągu dnia zaglądał
ąłem nabierać do niego sympatii.
howankiem tego samego interna-
u go był o krok od wstąpienia do
o. Miał oszałamiającą narzeczoną
entowała niezwykłą kolekcję mi-
czarnych pończoch, od których
Odwiedzała go w każdą sobotę
nami przywitać, a przy okazji
rzeczony dobrze nas traktuje.
zawsze czerwieniłem się jak
ie, mówiąc, że nie mam co
ane wrota, bo nie dla psa
ali się w kwietniu. Kiedy
orki ze swojej krótkiej
atyk. Pielęgniarki na

t. Szkolne lekcje
udium. Rojas oce-
enie Mariny. Mó-
na przynosić efek-
ć mu wdzięczność.
, krawaty, książki,
i tłumaczył, że wy-
Germán wiedzieli-
ięcej czasu niż jego

Pod koniec kwietnia Marina
dze i nawet wróciły jej kolory. O
przechadzki po korytarzu, a kie
pować, wychodziliśmy na krótk
niec szpitala. Marina nie rozsta
z książką, którą jej podarowałe
zapisując, ale nigdy nie pozwo
linijki.

– W którym miejscu jesteś? –
– Głupie pytanie.
– Głupcy zadają głupie pyta
na nie. W którym miejscu jes

Nigdy mi nie odpowiadała
spisanie historii, którą raze
jakieś szczególne znaczenie
po szpitalnym ogrodzie p
stałem gęsiej skórki.

– Przyrzeknij mi, że
kończysz historię.
– Ty ją dokończy
będziesz musiała

Tymczasem ma
Carmen powtarza
nię śmieci z San A
powoli zamyka skl
plany, że kiedy tyll
na wycieczkę w jej
że pomiędzy Tossą
jak zawsze ostrożn
w połowie maja.

Matka Valerii, kobieta

duszna, której imieni

w podzięce wydzierga

Doktor Damián Rojas

do sali. Z czasem zacz

Okazało się, że był wyc

tu co ja, a po ukończen

seminarium duchowneg

o imieniu Lulú. Lulú prez

nispódniczek i jedwabnych

zapierało dech w piersiach.

i często zaglądała, by się z

zapytać, czy jej gburowaty na

Kiedy zwracała się do mnie,

pomidor. Marina drwiła ze mr

się tak gapić jak cielę w malow

kiełbasa. Lulú i doktor Rojas pobr

tydzień później lekarz wrócił z Mi

podróży poślubnej, był chudy jak p

jego widok tarzały się ze śmiechu.

Przez kilka miesięcy to był mój świa

stały się jedynie nic nieznaczącym interl

niał optymistyczne szanse na wyzdrowi

wił, że jest silna, młoda, a leczenie zaczy

ty. Nawet nie wiedzieliśmy, jak okaza

Przynosiliśmy mu w prezencie cygara

a nawet pióro Mont Blanc. Protestował

pełnia jedynie swoje obowiązki, ale ja

śmy, że spędza na oddziale znacznie w

koledzy.

zybrała nieco na wa-
ażyliśmy się na małe
chłody zaczęły ustę-
na ogrodowy dziedzi-
ała się ani na chwilę
, co chwila coś w niej
liła mi przeczytać ani

pytałem.

nia. A mądrzy odpowiadają
teś?

. Podświadomie czułem, że
n przeżyliśmy, miało dla niej
. Podczas jednego ze spacerów
owiedziała mi coś, od czego do-

jeśli coś się ze mną stanie, ty do-

sz – odparłem – a poza tym jeszcze
mi ją zadedykować.

la drewniana katedra rosła i choć doña
a, że przypomina jej to bardziej spalar-
drián del Besós, widać już było, jak się
pienie. Zaczęliśmy z Germánem snuć
ko Marina stąd wyjdzie, zabierzemy ją
ulubione miejsce, na ową sekretną pla-
a Sant Feliu de Guíxols. Doktor Rojas,
y, przewidywał, że może to nastąpić

Wtedy, podczas tych kilku tygodni, nauczyłem się, że można żyć nadzieją; i tylko nadzieją.

Doktor Rojas uważał, że Marina powinna jak najwięcej chodzić po terenie szpitala, a nawet wykonywać pewne ćwiczenia.

– Nie byłoby źle, gdybyście zadbali trochę o jej wygląd – powiedział.

Rojas, od kiedy się ożenił, stał się ekspertem we wszystkim, co dotyczyło kobiet, a przynajmniej tak mu się wydawało. W sobotę wysłał mnie ze swoją żoną, byśmy wybrali i kupili dla Mariny jedwabny szlafrok. Chciał wręczyć go Marinie w prezencie. Udałem się z Lulú do sklepu z bielizną na Rambla de Cataluña, tuż przy kinie Alexandra. Ekspedientki świetnie znały Lulú. Chodziłem za nią krok w krok po całym sklepie, obserwując, jak przegląda nieskończoną liczbę gorseciarskich fantazji, na których widok męska wyobraźnia przekraczała barierę dźwięku. To było zdecydowanie bardziej podniecające niż szachy.

– Spodoba się pańskiej narzeczonej? – pytała mnie Lulú, przesuwając końcem języka po rozpalonych karminem ustach.

Nie poprawiałem jej. Rozpierała mnie duma, że ktoś mógł sądzić, iż Marina jest moją narzeczoną. A poza tym nabywanie szykownej bielizny z Lulú przyprawiało mnie o taki zawrót głowy, że ograniczyłem się jedynie do przytakiwania wszystkiemu jak kretyn. Gdy opowiedziałem o swojej wyprawie Germánowi, ten zdrowo się uśmiał i wyznał mi, iż on także upatruje w żonie doktora ogromne zagrożenie dla męskiego zdrowia. Po raz pierwszy od wielu miesięcy widziałem, jak się śmieje.

Pewnego sobotniego poranka, gdy przygotowywaliśmy się, by wyjść do szpitala, Germán poprosił mnie, żebym zajrzał do pokoju Mariny i poszukał jej ulubionych perfum. Gdy przeszukiwałem szuflady w komodzie, zobaczyłem, że na dnie jednej z nich leży złożona kartka papieru. Rozłożyłem ją i rozpoznałem pismo Mariny. Pisała o mnie. Było dużo poprawek i przekreśleń. Ostały się jedynie te zdania:

Mój przyjaciel Óscar jest jednym z tych książąt bez królestwa, błądzących po świecie i czekających na pocałunek, który zamieni ich w żabę. Pojmuje wszystko na odwrót i dlatego tak go lubię. Ludzie, którzy sądzą, że rozumują prawidłowo, robią wszystko na wspak, a jeśli myśl tę wypowiada osoba leworęczna, wszystko staje się jasne. Óscar wpatruje się we mnie i myśli, że tego nie zauważam. Wyobraża sobie, że się rozwieję, jeśli mnie dotknie, a jeśli tego nie zrobi, rozwieje się sam. Postawił mnie na takim piedestale, że nie wie, jak ma na niego wejść. Myśli, że moje usta są bramą do raju, ale nie wie, że są zatrute. A ja jestem tak podszyta tchórzem, że nie powiem mu o tym, aby go nie stracić. Udaję, że go nie widzę, i że owszem rozpłynę się…

Mój przyjaciel Óscar jest jednym z tych książąt, którzy powinni trzymać się z daleka od baśni i zamieszkujących je księżniczek. Nie wie, że jest księciem na białym koniu, który musi pocałować śpiącą królewnę, żeby obudziła się ze swego wiecznego snu. Bo nie wie, że wszystkie baśnie są kłamstwem, choć nie wszystkie kłamstwa są baśniami. Książęta nie przyjeżdżają na białych koniach, a śpiące królewny, choć może i są królewnami, nie budzą się ze swojego snu. To najlepszy przyjaciel, jakiego kiedykolwiek miałam i jeśli któregoś dnia przyjdzie mi spotkać się z Merlinem, podziękuję mu za to, że postawił go na mojej drodze.

Schowałem kartkę i zszedłem do Germána. Zawiązał sobie specjalną krawatkę i był wyjątkowo ożywiony. Uśmiechnął się, a ja odpowiedziałem mu uśmiechem. Dzień był niezwykle słoneczny. Jechaliśmy taksówką przez Barcelonę prezentującą efektownie swe wdzięki zadziwionym turystom i chmurom, też stającym w zadziwieniu. Ale nic nie mogło rozproszyć niepokoju, który zasiały we mnie tamte linijki. Mieliśmy pierwszy dzień maja 1980 roku.

28

Tego poranka zastaliśmy łóżko Mariny puste, bez pościeli. Zniknęły też wszystkie jej rzeczy i drewniana katedra. Kiedy się odwróciłem, Germán biegł, szukając doktora Rojasa. Ruszyłem za nim. Rojas był w swoim gabinecie. Wyglądał jak z krzyża zdjęty.

– Nastąpiło pogorszenie – oświadczył.

Powiedział nam, że poprzedniej nocy, zaledwie kilka godzin po naszym wyjściu, Marina miała niewydolność oddechową, a jej serce zatrzymało się na trzydzieści cztery sekundy. Reanimowano ją i teraz przebywa na oddziale intensywnej opieki medycznej. Jest nieprzytomna. Jej stan jest stabilny. Rojas sądził, że będzie mogła opuścić oddział w ciągu dwudziestu czterech godzin, aczkolwiek nie chciał łudzić nas fałszywymi nadziejami. Zauważyłem, że wszystkie rzeczy Mariny, książka, drewniana katedra i ów szlafrok, którego jeszcze nie zdążyła włożyć, leżały na półce w gabinecie.

– Czy mogę zobaczyć się z córką? – zapytał Germán.

Rojas zaprowadził nas na oddział. Marina leżała zaplątana w pajęczynę rurek i rur, obłożona stalową aparaturą, potworniejszą, bo bardziej rzeczywistą niż jakiekolwiek wynalazki Kolvenika. Była tylko bezwładnym ciałem pod-trzymywanym przy życiu przez metalowe czary-mary. I wtedy ujrzałem prawdziwą twarz demona dręczącego Michala Kolvenika, i zrozumiałem jego szaleństwo.

Pamiętam, że Germán wybuchnął płaczem i jakaś gwałtowna siła wypchnęła mnie z tego miejsca. Biegłem bez tchu hałaśliwymi ulicami pełnymi bezimiennych twarzy, obojętnych na moje cierpienie. Dotarło do mnie, że otacza mnie świat, w którym nikogo nie obchodzi los Mariny, bo jej życie jest zaledwie maleńką kroplą wody w oceanie. Nogi same zaczęły prowadzić mnie w jedyne chyba miejsce, gdzie mogłem szukać ratunku.

Klatka schodowa starej kamienicy przy Ramblas tonęła jak zawsze w ciemnościach. Doktor Shelley otworzył mi drzwi. Nie poznał mnie. W całym mieszkaniu walały się śmieci i cuchnęło starością. Popatrzył na mnie wytrzeszczonymi, nieprzytomnymi oczami. Zaprowadziłem go do gabinetu i pomogłem mu usiąść przy oknie. Nieobecność Maríi była wszędzie widoczna, wisiała w powietrzu, wręcz parzyła. Wyniosłość i grubiaństwo doktora zniknęły bez śladu.

– Zabrał ją – powiedział – zabrał mi ją.

Poczekałem taktownie, aż się uspokoi. Po jakimś czasie uniósł wzrok, wreszcie mnie rozpoznając. Zapytał, czego chcę. Odpowiedziałem mu. Patrzył na mnie przez chwilę.

– Nie ma już żadnego flakonika z surowicą Michala. Wszystkie zostały zniszczone. Nie mogę dać ci czegoś, czego nie mam. Ale gdybym nawet miał, wyrządziłbym ci tylko krzywdę. A ty popełniłbyś ogromny błąd, podając surowicę twojej przyjaciółce. Ten sam błąd, który popełnił Michal…

Jego słowa nie docierały do mnie. Słyszymy tylko to, co chcemy usłyszeć, a ja chciałem usłyszeć coś zupełnie innego. Shelley patrzył mi wciąż prosto w oczy. Zapewne widział moją rozpacz, a wspomnienia, które w nim obudziłem, przeraziły go. Sam byłem zaskoczony, zdając sobie sprawę, że gdyby to ode mnie zależało, bez zastanowienia obrałbym drogę, którą podążył Kolvenik. Już nigdy nie miałem go potępiać.

– Przestrzenią właściwą istotom ludzkim jest życie – powiedział doktor. – Śmierć do nas nie należy.

Czułem się potwornie zmęczony. Chciałem się już tylko poddać. Odwróciłem się do drzwi. Gdy już przy nich stałem, Shelley zawołał mnie.

– Byłeś tam, prawda? – zapytał.

Przytaknąłem.

– María odeszła w pokoju, panie doktorze.

W jego oczach zalśniły łzy. Wyciągnął do mnie rękę. Uścisnąłem ją.

– Dziękuję.

Nie zobaczyłem go nigdy więcej.

Pod koniec tygodnia Marina odzyskała przytomność i opuściła OIOM. Umieszczono ją na drugim piętrze, w sali z oknami wychodzącymi na Hortę. Leżała tam sama. Nie zapisywała już nic w swojej książce i z trudem unosiła się na łóżku, by spojrzeć na swoją prawie ukończoną katedrę stojącą na parapecie. Rojas poprosił o zgodę na jeszcze jedną serię badań. Germán nie oponował. On jeszcze nie stracił nadziei. Doktor Rojas zaprosił nas po jakimś czasie do swego gabinetu, żeby poinformować o wynikach. Głos mu się łamał. Po tylu miesiącach walki musiał spojrzeć prawdzie w oczy. Germán poklepywał go po ramieniu, chcąc mu dodać otuchy.

– Nie mogę nic więcej zrobić... nie mogę... Przepraszam... – powiedział niemal z płaczem Damián Rojas.

Dwa dni później zabraliśmy Marinę do pałacyku na Sarriá. Lekarze nie mogli już jej pomóc. Pożegnaliśmy się z doñą Carmen, z doktorem Rojasem i Lulú, która wciąż szlochała. Mała Valeria zapytała mnie, dokąd zabieramy moją narzeczoną i czy to znaczy, że słynna pisarka już nie będzie opowiadać jej bajek.

– Do domu. Zabieramy ją do domu.

Wyszedłem z internatu w poniedziałek, bez uprzedzenia i nie tłumacząc się nikomu, gdzie i po co idę. Nie myślałem nawet, czy zauważą moją nieobecność. Miałem to w nosie. Musiałem być przy Marinie. Położyliśmy ją w sypialni. Jej katedra, już ukończona, stała blisko niej na okiennym parapecie. Nigdy już nie udało mi się wznieść piękniejszej budowli. Na przemian z Germánem czuwaliśmy przy niej cały czas. Rojas uprzedził nas, że nie będzie cierpieć, że zgaśnie powoli niczym płomyk na wietrze.

W tych ostatnich dniach Marina była piękna jak nigdy, taką przynajmniej ją widziałem. Włosy znów jej odrosły, bardziej lśniące, poprzetykane srebrnymi pasemkami. Nawet oczy błyszczały jej bardziej. Prawie nie wychodziłem z jej pokoju. Chciałem nacieszyć się jej obecnością, każdą godziną, każdą minutą, jaka mi pozostała. Bardzo często godzinami leżeliśmy objęci, bez ruchu i bez słowa. W pewną czwartkową noc Marina pocałowała mnie w usta i szepnęła do ucha, że mnie kocha i że cokolwiek się stanie, zawsze będzie mnie kochać.

Zmarła następnego ranka, w ciszy, tak jak przewidział doktor Rojas. O świcie, z pierwszym brzaskiem, ścisnęła mnie mocno za rękę, uśmiechnęła się do ojca i płomyki jej oczu zgasły na zawsze.

Ruszyliśmy w ostatnią podróż z Mariną w starym tuckerze. Germán w milczeniu jechał tą samą drogą, którą przebyliśmy wiele miesięcy temu. Dzień był tak słoneczny, że gotów byłem uwierzyć, że ukochane przez nią morze wystroiło się odświętnie, by ją przyjąć. Zaparkowaliśmy pod drzewami i zeszliśmy na brzeg, by rozsypać prochy Mariny.

Kiedy mieliśmy wracać, Germán, zupełnie załamany, stwierdził, że nie czuje się na siłach prowadzić. Porzuciliśmy tuckera pomiędzy sosnami. Rybacy, których spotkaliśmy na drodze, podwieźli nas na stację kolejową. Dojechaliśmy do Barcelony na dworzec Francia. Upłynęło siedem dni od mojego zniknięcia z internatu. Miałem wrażenie, że minęło siedem lat.

Pożegnáliśmy się z Germánem na peronie. Do dziś nie wiem, gdzie się udał ani co się z nim stało. Obaj wiedzieliśmy, że trudno nam będzie spojrzeć sobie w oczy i nie zobaczyć w nich Mariny. Patrzyłem, jak odchodzi: pociągnięcie pędzla rozmywające się na płótnie czasu. Parę chwil później policjant w cywilu rozpoznał mnie i zapytał, czy przypadkiem nie nazywam się Óscar Drai.

Epilog

*B*arcelona mojej młodości już nie istnieje. Jej ulice i jej światło odeszły na zawsze i żyją już tylko we wspomnieniach. Piętnaście lat później wróciłem do miasta i odwiedziłem miejsca, które, jak mi się wydawało, zdołałem wymazać z pamięci. Dowiedziałem się, że pałacyk na Sarriá został zburzony. Otaczające go niegdyś uliczki są dziś częścią autostrady, którą rzekomo pędzi postęp. Stary cmentarz, jak mniemam, nadal tonie we mgle i zapomnieniu. Usiadłem na tej samej ławce na placu, na której tyle razy siadywaliśmy z Mariną. Widziałem majaczącą w oddali bryłę mojej dawnej szkoły, nie odważyłem się jednak podejść. Coś mi mówiło, że jeśli to zrobię, moja młodość ulotni się bezpowrotnie. Z czasem wcale nie stajemy się mądrzejsi, stajemy się tylko bardziej tchórzliwi.

Latami uciekałem, sam dobrze nie wiedząc przed czym. Sądziłem, że jeśli uda mi się umknąć poza widnokrąg, cienie przeszłości zejdą mi z drogi. Sądziłem, że wystarczy znaleźć się jak najdalej, by głosy rozbrzmiewające w mojej głowie umilkły na zawsze. W końcu wróciłem na ową sekretną plażę nad Morzem Śródziemnym. Sylwetka pustelni Sant Elm wznosiła się w oddali, zawsze na straży.

Znalazłem starego tuckera mojego przyjaciela Germána. Nie wiem, jak to możliwe, że tkwił nadal w tym samym miejscu, porzucony między sosnami.

Zszedłem na brzeg, gdzie przed laty rozsypaliśmy prochy Mariny, i usiadłem na piasku. Niebo rozbłysło tym samym światłem co owego dnia i bardzo mocno poczułem jej obecność. Zrozumiałem, że nie mogę i nie chcę dalej uciekać. Wróciłem do domu.

Przyrzekłem Marinie, jeszcze w szpitalu, że jeśli ona nie zdąży, to dokończę za nią tę historię. Niezapisana książka, którą jej podarowałem, towarzyszyła mi przez cały czas. Jej słowa zleją się z moimi słowami. Nie wiem, czy uda mi się sprostać zadaniu i spełnić złożoną obietnicę. Czasami mam wrażenie, że pamięć mnie zawodzi, i zastanawiam się, czy aby nie wspominam tylko tego, co nigdy się nie wydarzyło.

Marino, zabrałaś ze sobą wszystkie odpowiedzi.

Książkę wydrukowano na papierze
PamoClassic 2.0 70 g/m^2

Pamo
BY ARCTIC PAPER
www.arcticpaper.com

Warszawskie Wydawnictwo Literackie
MUZA SA
ul. Marszałkowska 8, 00-590 Warszawa
tel. 22 6290477, 22 6296524
e-mail: info@muza.com.pl

Dział zamówień: 22 6286360, 22 6293201
Księgarnia internetowa: www.muza.com.pl

Warszawa 2009
Wydanie I

Skład i łamanie: MAGRAF s.c., Bydgoszcz
Druk i oprawa: DRUK-INTRO S.A., Inowrocław